Julie Anne Long

Gra o markiza

Przekład
Małgorzata Stefaniuk
Beata Horosiewicz

AMBER

Redakcja stylistyczna
Joanna Egert-Romanowska

Korekta
Renata Kuk
Hanna Lachowska

Projekt graficzny okładki
Małgorzata Cebo-Foniok

Zdjęcie na okładce
© Zbigniew Foniok

Tytuł oryginału
How the Marquess Was Won

Druk
Wojskowa Drukarnia w Łodzi Sp. z o.o.

ISBN 978-83-241-4878-3

Warszawa 2013. Wydanie I

Wydawnictwo AMBER Sp. z o.o.
02-952 Warszawa, ul. Wiertnicza 63
tel. 620 40 13, 620 81 62

www.wydawnictwoamber.pl

1

Widok ledwo trzymających się na nogach osobników wchodzących do gospody Pod Świnką i Ostem w Pennyroyal Green lub z niej wychodzących nie był niczym nadzwyczajnym. Nie zaskakiwało również to, że drzwi gospody otwierały się z takim impetem, że waliły w ścianę. W końcu po sześciu kuflach piwa wypitych podczas jednego wieczornego posiedzenia ręce i nogi mogą odmówić posłuszeństwa i wyczyniać takie rzeczy, jak zbyt gwałtowne otwieranie drzwi, podszczypywanie przechodzących niewiast lub odmowa utrzymania właściciela owych nóg i rąk w pionie.

Jednak akurat w tym momencie Colin Eversea kolejny raz zamęczał swojego brata Chase'a gadką o krowach, a ponieważ Chase miał doskonały widok na wejście, mógł bez przeszkód, podniósłszy wzrok znad kufla z piwem, przyjrzeć się nieznajomemu, który stanął w drzwiach. Poły jego płaszcza szarpał wiatr. Nogawki spodni miał wetknięte w wysokie oficerki; ich czubki były utytłane w błocie. Pod ciemną grzywą włosów bieliło się wysokie czoło, na którym Chase dostrzegł coś, co wyglądało jak blednący siniak.

Mężczyzna chwiał się lekko i marszczył czoło, jakby się zastanawiał, jakim cudem znalazł się w gospodzie, lub jakby zapomniał, po co do niej przyszedł. Powoli się odwrócił i szklistymi oczyma powiódł po obecnej w gospodzie klienteli. A potem wsunął dłoń do kieszeni…

…takim ruchem, jakby sięgał po pistolet.

Chase zesztywniał. Szybko uniósł się z krzesła.

I odruchowo sam również wetknął dłoń pod kurtkę, żeby otoczyć palcami kolbę własnego pistoletu.

Jego świat skurczył się do dłoni mężczyzny przyciśniętej do nieskazitelnie białej koszuli.

Sekundę później między palcami nieznajomego dostrzegł kroplę szkarłatu. Jego głowa odchyliła się w tył, a on sam opadł na jedno kolano, potem na drugie.

– Colin! – warknął Chase i niemal taranując brata, przeskoczył nad porysowanym blatem stołu, żeby zdążyć dotrzeć do mężczyzny, zanim ten upadnie.

Colin rzucił się za bratem, po sekundzie dołączył do nich Ned Hawthorne. W milczeniu (nie był to pierwszy przypadek, gdy wywlekali kogoś z gospody) chwycili mężczyznę pod pachy i niczym wór ziemniaków szybko, gdyż widok nieprzytomnego krwawiącego człowieka nie wpływał dobrze na interes, przenieśli nieszczęśnika do składziku za barem.

A w razie gdyby ktoś jednak zwrócił na nich uwagę, zawsze mogli powiedzieć, że podnoszenie nieprzytomnych ludzi z ziemi to przecież całkiem zwyczajne wydarzenie w gospodzie Pod Świnką i Ostem.

Zamknęli drzwi do składziku i sprawnie, bez jednego słowa, położyli mężczyznę na sienniku zwykle wykorzystywanym przez tych, którzy musieli odespać nadmiar piwa, po czym wspólnymi siłami ściągnęli z nieznajomego surdut. Chase i Colin byli weteranami wojny, a weterani wojenni nigdy nie zapominają, jak opatruje się rannych.

– Może pan mówić?

Chase szybko i starannie złożył surdut. Stare wojskowe nawyki utrzymywania porządku nie umierają łatwo. Podał surdut Colinowi, który zdziwiony jakością materiału wysoko uniósł brwi.

– Mogę. – Krótka odpowiedź zabrzmiała jak przepełnione bólem sapnięcie.

Mężczyzna otworzył oczy. Miały barwę whisky; twarz o silnej szczęce i wykwintnych rysach… była dziwnie znajoma.

6

– Jestem Eversea. Kapitan Eversea.

– Eversea. Bogu dzięki, że nie ktoś z Redmondów. – Głos mężczyzny był ochrypły, lecz wyraźny.

– O, to coś nowego. Nieczęsto zdarza nam się to słyszeć, chociaż sam też codziennie dziękuję za to Bogu – odparł Chase. – A pan to kto?

Mężczyzna chwilę się wahał, w końcu jednak wychrypiał swoje nazwisko.

– Dryden.

Colin i Chase wymienili zdziwione spojrzenia. Chryste. Lodowy Lord we własnej osobie. Julian Spenser, markiz Dryden.

– Postrzał czy rana kłuta?

Z powrotem ułożyli rannego na sienniku i Colin podał Chase'owi nóż wyciągnięty zza cholewki buta. Chase rozciął nim koszulę i ostrożnie ściągnął ją z ramion markiza.

– Postrzał – wycharczał ranny.

I rzeczywiście tak było. Kula utkwiła blisko łopatki, ale szybkie oględziny przekonały Chase'a, że zatrzymała się tuż pod skórą. I być może, na szczęście, zdołają ją wyciągnąć w całości. Krew wokół rany zaczynała już krzepnąć.

– Kto pana postrzelił?

Dryden ciężko westchnął i pokręcił głową.

– Jest pewna kobieta... rozumiecie, panowie... proszę powiedzcie jej...

– Kobieta pana postrzeliła? – tym razem odezwał się Colin.

– Równie dobrze to mogła być ona.

Markizowi mimo bólu dopisywał humor, chociaż dość wisielczy.

Rozległy się dwa krótkie ostrzegawcze puknięcia i do składziku wszedł Ned Hawthorne. Podał Colinowi butelkę whisky i zwój jakiejś materii.

– Posłałem po doktora – poinformował z czymś w rodzaju zrezygnowanego uśmiechu. – W razie gdyby chłopina tego potrzebował.

Potem znowu zniknął. Gospoda Pod Świnką i Ostem należała do rodziny Neda od pokoleń i markiz nie był pierwszy, którego krew mieszała się z trocinami walającymi się po posadzce składziku.

– Spróbujemy wyjąć kulę, Dryden, więc lepiej sobie łyknij. I zrób to szybko.

Chase wcisnął flaszkę w dłoń markiza.

– Zważcie, panowie, że ja jej nie... – Dryden oderwał butelkę od ust, skrzywił się, po czym zamrugał z podziwem. – ...nie kocham...

– Nie?

Podczas gdy brat darł szmaty na pasy, Colin chwycił nadgarstek Drydena, żeby sprawdzić puls. Był szybki, ale dobrze wyczuwalny. Co oznaczało, że markiz nie stracił jeszcze zbyt wiele krwi.

– Masz szczęście, Dryden – rzucił Colin. – Zdaje się, że zdołamy wyjąć kulę i może nawet obejdzie się bez szycia. Ale szybko to ty sobie nie potańczysz. Gdzie, u diabła, dorobiłeś się tych zadraśnień na piersi? I tego siniaka na czole?

– Nienawidzę tańczyć – odparł Dryden po dość długiej przerwie, ignorując większość pytań. – Chociaż walca lubię – dodał rozmarzonym głosem, z powodu bólu i whisky odpływając już chyba w nieświadomość.

– Doprawdy? No to napij się jeszcze – polecił Chase.

Markiz, ciężko poruszając grdyką, przełknął kilka łyków.

– Ona nawet nie jest ładna. – Wyglądało na to, że nie zamierzał porzucić tematu.

– Gorączka? – spytał bezgłośnie Colin, spoglądając nad leżącym na brata. Był wyraźnie zdziwiony.

– Miłość – odpowiedział szeptem Chase.

– Ale piękna jest – wymamrotał ponuro markiz. – Niech szlag trafi te jej oczy.

– Ach tak? – kpił dalej Colin.

– I, o dobry Boże, ona jest taka... – Dryden pokręcił głową i się skrzywił. – Ma tu... Wskazał palcem na twarz, potem jego dłoń opadła na podłogę. Najwyraźniej zabrakło mu słów na opisanie wspaniałej urody wybranki serca.

– Nos? – zgadywał Colin. – Narośl? Trzecie oko?

Chase zgromił brata wzrokiem.

– Byłeś już kiedyś ranny po postrzale, Dryden?

– To mój pierwszy raz. Wcześniej dostałem tylko bagnetem.

– Och. W takim razie to ci się nie spodoba.

W odpowiedzi markiz blado się uśmiechnął.

– A niby dlaczego? Jak na razie jest... bosko. – Znowu pociąg-nął z butelki.

– Zaraz oczyszczę ranę, a potem... zajmiemy się resztą. I mo-żesz mi zaufać, kiedy mówię, że robiłem to już wiele razy. Możesz zemdleć, ale się nie martw. Jeśli tak się stanie, nie wyczyścimy ci kieszeni. No już. Jeśli musisz, zamknij oczy.

Chase był przyzwyczajony do wydawania rozkazów.

Głowa Drydena opadła do tyłu. Jego oddech stał się płytki.

– Nie muszę zamykać oczu. I tak widzę tylko ją.

Było to tak zdumiewająco szczere, pozbawione cienia teatralno-ści, jaka zwykle towarzyszy podobnym wyznaniom, że obaj bracia z zaskoczenia na chwilę znieruchomieli.

I z namysłem wlepili oczy w królewskie oblicze słynnego Lo-dowego Lorda.

Jego pierś unosiła się i opadała, unosiła i opadała. Powieki się zamknęły.

– Ona mnie nie kocha – oznajmił w końcu prawie szeptem.

Brzmiało to jak poprawka wcześniejszego stwierdzenia. Jakby bronił swojego honoru.

Okropne słowa przy umieraniu, jeśli to go właśnie czekało.

Chase przez chwilę nad czymś rozmyślał.

– Wezwij Adama – mruknął w końcu do brata.

Colin był zaskoczony. Powiedzenie komuś, że będzie żył, a po-tem posyłanie po pastora, ich kuzyna Adama, wydawało się nielo-giczne, ale kiedy Chase Eversea wydawał rozkaz, było nie do po-myślenia, żeby ktoś go nie posłuchał.

Rutyna dała o sobie znać i Colin tylko kiwnął głową, po czym wstał i wyszedł wypełnić polecenie.

2

Phoebe Vale ostrym szarpnięciem otworzyła drzwi sklepu Postlethwaite'a z towarami dla dam, potem, walcząc z silnym wiatrem,
naparła na drzwi całym ciałem, żeby je z powrotem zamknąć. Za-
montowane na nich dzwoneczki zabrzęczały jak na pożar.

Zaraz po wejściu zatrzymała się i rozejrzała po sklepie, sycąc
oczy widokami. Dom towarowy Postlethwaite'a był niczym miejscowa jaskinia Aladyna. Zebrane w nim przedmioty mieniły się
kolorami, błyszczały i kusiły, żeby ich dotknąć. Gabloty zapełniały
koszyczki zapakowane po brzegi srebrnymi i kremowymi guzikami,
atłasowymi kokardami, stroikami z jedwabiu, delikatnymi wachla-
rzami i futrzanymi mufkami. Na ścianie za ladą znajdowała się wy-
stawa szpul z satynowymi wstążkami i jedwabnymi nićmi; na an-
tycznym stoliku ułożone w wachlarz leżały cienkie jak płatki kwiatu
sięgające łokci rękawiczki z koźlęcej skórki; tu i ówdzie ze stojaków
w swej ospałej elegancji zwieszały się szale z chińskiego jedwabiu
i włóczkowe pelerynki. Czepeczki i kapelusze miały swoje miejsce
w rogu sklepu, wszystkie szaleńczo modne i bardzo, bardzo drogie,
tulące się do siebie na statywach niczym arystokratyczne plotkarki.

Jeden z kapeluszy szczególnie przyciągał spojrzenie Phoebe,
która była bardzo szczęśliwa, że go widzi, bo to oznaczało, że jeszcze nikt go nie kupił.

Chwilę go popodziwiała, po czym wyniośle odwróciła się do
niego plecami, czując jednak, że on tam jest i parzy jej kark spojrzeniem wzgardzonego kochanka.

– Witam, panienko Vale. Coś mi się wydaje, że całą drogę panienka biegła? – Głos pana Postlethwaite'a, który stał za ladą, roz-
niósł się echem po sklepie. – A ja właśnie sortuję pocztę.

– Cóż, wie pan, jak to jest, panie Postlethwaite. Papa nie po-
zwala nam korzystać z powozu, dopóki służba nie odmaluje złoceń
na herbie na drzwiczkach.

– No tak, to prawda, w tych czasach nie można jeździć powozem bez herbu. Bo jak inaczej ludzie mieliby wiedzieć, kto siedzi w środku?

– Jak pan mnie świetnie rozumie, panie Postlethwaite! Zawsze tak dobrze się dogadujemy!

– Dlatego powinnaś za mnie wyjść, dziewczyno, wtedy miałabyś tak do końca swoich dni.

– Wszystko w swoim czasie, panie Postlethwaite. Wszystko w swoim czasie. Chyba pan rozumie, że najpierw muszę się trochę wyszaleć.

Phoebe i właściciel sklepu uśmiechnęli się do siebie. Oboje dobrze wiedzieli, że całe szaleństwo, na jakie Phoebe mogła sobie pozwolić, sprowadzało się do tego, że sama szyła sobie suknie, które zresztą po jakimś czasie pruła i szyła od nowa na odwrotnej stronie, żeby wyglądały na mniej znoszone. No, a poza tym Postlethwaite był od Phoebe ćwierć wieku starszy; na jego łysej czaszce ostała się tylko kępka włosów w kształcie końskiej podkowy.

– Ostro dzisiaj wieje, prawda? – zauważyła Phoebe, zmieniając temat.

Postlethwaite obrzucił ją zza okularów krótkim spojrzeniem, po czym z powrotem opuścił wzrok na listy.

– Nigdy bym nie zgadł – mruknął kpiącym tonem.

Phoebe zdusiła śmiech i oparłszy dłonie na ladzie, zerknęła w wiszące nad nią lustro. Rzeczywiście wyglądała okropnie. Miała czerwone policzki, oczy załzawione, a włosy sterczały spod kapelusika na wszystkie strony niczym gałązki drzewka majowego.

– Mam dla panienki świeże londyńskie gazety, panienko Vale. Piszą w nich o moim rywalu do ręki panienki.

– O Lodowym Lordzie? – mruknęła Phoebe tonem udawanego znudzenia i skrajnej pogardy. – A co on takiego znowu nawyczyniał?

– Postawił dziesięć tysięcy funtów na konia w wyścigach… i wygrał.

Phoebe prychnęła.

– Ten człowiek zrobi wszystko, żeby tylko wzbudzić sensację.

11

– I piszą też, że kupił parę rękawiczek u Titweilera i Synowie w Burlington Arcade. Teraz wszyscy w towarzystwie muszą mieć takie. A one kosztowały całe sto funtów!

– Przypuszczam, że gdyby markiz skoczył z londyńskiego mostu, ci ludzie też by to zrobili. Tyle że on wylądowałby na wozie wyłożonym materacami z piór, a oni rozpaćkaliby się na bruku.

W towarzystwie faktycznie zawrzało, gdy ostatnio markiz sprawił sobie do swojego landa cztery takie same kare konie z białymi pęcinami. Potem przez jakiś czas ceny czarnych koni na aukcji Tattersalla sięgały niebotycznych wyżyn, a właściciele czarnych wierzchowców musieli wystawiać straże przy stajniach, żeby się chronić przed Cyganami, którzy wykradali konie, domalowywali im białe skarpety i sprzedawali.

Czytanie plotkarskiej prasy było sekretną słabością Phoebe. Za dnia uczyła niesforne młode dziewczęta łaciny, greki, francuskiego i historii. Natomiast nocami, kiedy już się położyła, ślęczała nad plotkami z życia wyższych sfer, pochłaniając je tak, jak pochłaniała *Baśnie tysiąca i jednej nocy*, gdy je pierwszy raz czytała – jedne i drugie opowieści wydawały jej się równie nierealne, jakby opisywały wydarzenia z innej planety. To właśnie z gazet wiedziała na przykład, że lord Waterburn słynie z zawierania najdziwaczniejszych zakładów, że bliźniaczki Silverton to najbardziej złośliwe pośród olśniewających dam z towarzystwa oraz że Lisbeth Redmond, młoda dama, której Phoebe jakiś czas temu udzielała prywatnych lekcji, ostatnio w społeczności arystokratów uchodzi za diament pierwszej wody.

Jednak najbardziej jej wyobraźnię rozpalała postać budzącego ogólny przestrach, ale też szacunek, Lodowego Lorda Juliana Spensera, markiza Drydena. Phoebe wiedziała o nim wszystko: że nosił się wyłącznie na czarno-biało, że regularnie ustrzeliwał serca w Manton na przypomnienie, by lepiej nikt z nim nie zadzierał. Tolerował tylko to, co najlepsze, najbardziej wyjątkowe, najpiękniejsze, nieważne, czy chodziło o rękawiczki, konie, czy kobiety. Podobno zawsze zachowywał zimną krew i precyzję we wszystkich swoich poczynaniach: w pomnażaniu majątku, zdobywaniu i odprawianiu kochanek, i jak niosły ostatnie wieści, w wyszukiwaniu żony.

Dopuszczał się szalonych czynów, brał udział w niebezpiecznych wyścigach konnych, przyjmował zakłady na niewyobrażalnie wysokie stawki i jednocześnie wydawał się tak opanowany, tak łatwo mu to przychodziło, że każdy wysoko urodzony londyński arystokrata próbował go naśladować.

Oni jednak przy tych próbach łamali sobie karki i tracili fortuny, a Dryden z wszystkiego wychodził obronną ręką z nienaruszonym majątkiem.

Wszyscy chcieli być tacy jak lord Dryden.

I jeśli wierzyć temu, co pisano w gazetach, każda kobieta chciała być z Drydenem.

Postlethwaite zakończył sortowanie poczty.

– Ach, dzisiaj przyszły dwa listy zaadresowane na akademię, moja droga panno Vale! I niech no pani sobie wyobrazi, oba są do pani.

– Prawdopodobnie kolejne oświadczyny od markiza, bo to on jest taki wytrwały, mimo że cały czas mu tłumaczę, że przyrzekłam już rękę panu. A drugi to pewnie zaproszenie na następny bal.

Postlethwaite wychylił się do przodu.

– A w co się panienka zamierza ubrać?

Ta zabawa nigdy im się nie nudziła.

– Och, chyba włożę tę białą suknię z jedwabiu, do tego kremowe rękawiczki i mój naszyjnik; ten z małym diamencikiem. – Podniosła dłoń do szyi i postukała w nią palcem. – A na głowę chyba mój drugi najlepszy diadem. Będę wyglądała tak smakowicie jak beza! Ale najbardziej prawdopodobne, że im odpiszę, że nie przyjdę, bo ostatni bal był okropnie nudny. – Zniżyła głos do poufałego szeptu. – Mówiłam już panu, co się wydarzyło?

– Nie! – Głos Postlethwaite'a również przycichł.

– Tak wielu młodych dżentelmenów chciało zatańczyć ze mną walca, że doszło do bijatyki. I jeden z nich wyzwał drugiego, i... no cóż, obawiam się, że doszło do pojedynku.

– Niemożliwe. Nie wierzę. Pojedynek!

– Och, niestety. Na pistolety o brzasku. I jeden z pojedynkujących się został ranny.

– Toż to skandal!

– Wiem, ale przeze mnie zawsze dochodzi do pojedynków – odrzekła smutno.

– Powiem szczerze, że wcale mnie to nie dziwi, panno Vale. W końcu po to się panienka urodziła, żeby łamać męskie serca.

– Serca? Nie lustra?

Znowu się do siebie uśmiechnęli. Bo jeśli Phoebe Vale była ślicznotką, to dotąd raczej nikt na to nie zwracał uwagi. Zwykle komplementowano jej cerę, rzeczywiście bardzo ładną. A walca tańczyła tylko raz w życiu podczas przyjęcia urządzonego w ratuszu w Pennyroyal Green. Jej partnerem był krostowaty młodzieniec, zbyt nieśmiały, żeby patrzeć jej w oczy, lub tak przytłoczony wdzięcznością, że dane mu jest z bliska obcować z tak wspaniałym dekoltem, że nie był w stanie robić nic innego, jak tylko go z nabożną czcią podziwiać.

Jednak co do pojedynków, to faktycznie kilka razy się zdarzyło, że panowie z jej powodu wymienili się ciosami. Phoebe składała to na karb zbyt dużej ilości piwa wypitego w gospodzie Pod Świnką i Ostem. Ale mężczyźni w Sussex wiedzieli coś, czego nie potrafili ująć w słowa: ciągnęło ich do panny Phoebe Vale, tak jak człowieka ciągnie do ogniska w zimną noc, i z tego samego powodu trzymali się od niej na dystans. Bo od Phoebe strzelały iskry.

I w dużej mierze to właśnie im zawdzięczała to, że posiadała jedną naprawdę ładną rzecz: parę zaskakująco delikatnych kremowych rękawiczek z koźlęcej skórki wykończonych złotą lamówką, prezent od śmiałego wielbiciela, dzięki któremu Phoebe się przekonała, że lubi być całowana – a jakże – oraz że nigdy wybrankiem jej serca nie mógłby zostać ktoś zwyczajny. Zaczynała się nawet zastanawiać, czyby się nie zakochać, lecz akurat jej śmiały wielbiciel niespodziewanie się ulotnił. Phoebe pogratulowała sobie wtedy, że dobrze się stało, iż wielbiciel nie zdążył zabrać ze sobą jej serca. Bo konsekwencje oddania go w pełni doskonale już znała, gdyż w jej życiu bliscy ludzie nie robili nic innego, jak tylko znikali.

Potem już jakoś żaden z młodzieńców, których poznawała, nie rozniecił jej wyobraźni ani nie poruszył serca; żaden – i ani razu nie myślała o tym w kategoriach arogancji, a jedynie traktowała to jako akt miłosierdzia – nie wywarł na niej wrażenia, żaden jej nie dorównywał i nie był jej godzien. Żadnego by nie uszczęśliwiła, gdyby za któregoś wyszła.

Zresztą przeznaczenie trzymało dla niej w zanadrzu coś zupełnie innego i wiedziała, że przynajmniej jeden z listów dotyczy właśnie tego – jej przyszłości.

Dzwoneczki przy drzwiach znowu zadźwięczały i do środka, przepychając się w wejściu, wkroczyły dwie rozchichotane dziewczęta, które najpierw, walcząc z wiatrem, przylgnęły do drzwi, żeby je domknąć, po czym powróciły do poszturchiwań, co je wyraźnie ogromnie bawiło.

– Oj, przestań, Agnes, bo zaraz powiem ci, że...

Dziewczęta dostrzegły Phoebe i w jednej sekundzie obydwie znieruchomiały. Ich ramiona tak szybko powędrowały do tyłu, że aż powiało. Sztywno wyprostowały plecy, spuściły dłonie wzdłuż boków i wciąż milcząc, popatrzyły na Phoebe szeroko rozwartymi niewinnymi oczętami.

– Dzień dobry, panno Runyon, dzień dobry, panno Carew – przywitała je uprzejmie Phoebe.

– Dzień dobry, panno Vale! – rozległ się anielski chórek.

– Domyślam się, że pewnie nie możecie się już doczekać wakacji?

– Właśnie tak, panno Vale.

– Wracacie do domu czy zostaniecie z nami w akademii?

– Do domu, panno Vale – znowu jednogłośnie odparły dziewczęta.

– I zapewne przyszłyście, żeby kupić jakieś prezenty dla bliskich?

– Tak, panno Vale.

Pannę Runyon podejrzewano o skłonności do kradzieży i gdy miała dziesięć lat, jej udręczony ojciec umieścił ją w akademii panny Marietty Endicott.

Zbiegiem okoliczności Phoebe też była w podobnym wieku, kiedy do niej trafiła.

– Zaraz panienkom pokażę mnóstwo ładnych rzeczy, z których żadna nie kosztuje więcej niż pół pensa. Guziczki, kokardy i temu podobne.

Pan Postlethwaite podchodził do dziewcząt jak do najlepszych klientek, gdyż po części właśnie takie traktowanie sprawiało, że zachowywały się jak damy, o czym oboje z Phoebe doskonale wiedzieli. W zasadzie Phoebe tak świetnie się znała na postępowaniu z krnąbrnymi młodymi pannami, że było to wręcz nieprzyzwoite. Z drugiej strony, jak mogła się na tym nie znać, skoro sama kiedyś była taka jak one.

Pan Postlethwaite wyszedł zza lady i podał Phoebe listy, które do niej przyszły.

– Proszę zerknąć na pieczęć na tej kopercie, panno Vale – wymamrotał i wymownie wygiął brwi.

Postukał palcem we właściwą kopertę i oddał ją Phoebe.

Na czerwonym wosku widniała elegancka, wyraźnie odbita litera R.

No, no!

Zżerana ciekawością, Phoebe odeszła w słoneczniejszy róg sklepu – oczywiście zupełnie na nią nie działała bliskość kapelusza – w końcu człowiek może coś podziwiać, nie musząc tego posiadać, nieprawdaż? – i wsunęła palec pod pieczęć, podczas gdy Postlethwaite pomagał dziewczętom wybierać prezenty.

Moja Droga Panno Vale,

Mam nadzieję, że ten list zastanie Panią w pełni zdrowia i jak zawsze zajętą przekształcaniem młodych rozbrykanych dziewcząt w młode damy. Proszę wybaczyć tę nagłą wiadomość, niemniej byłabym zachwycona, gdyby dołączyła Pani do mnie na dwa dni w Redmond House, gdy tam będę. Przyjeżdżam w sobotę. Jak Pani wie, mama i papa przebywają we Włoszech, i mama jest zdania, że na okres wizyty nie będę miała do dyspozycji odpowiedniej przyjaciółki lub opiekunki, gdyż moja kuzynka, panna Violet, jak zapewne też Pani wie, ostatnio została hrabiną i jest bardzo prawdopodobne, że będzie przebywała z mężem w Londynie. Mama z ra-

*dością zapłaci za czas, jaki mi Pani poświęci, a ciotka Redmond nie
ma nic przeciwko. Mam też pewną niespodziankę, którą chciałabym się z Panią podzielić! Wszystko opowiem, kiedy się spotkamy.
Och, proszę koniecznie przyjechać!*

*Z wyrazami oddania
Lisbeth Redmond*

No, no.

No, no, no.

Kiedyś Phoebe została wynajęta przez rodziców Lisbeth – sio-
strzenicę Isaiaha i Fanchetty Redmondów oraz kuzynkę całej reszty – na prywatną nauczycielkę francuskiego. Phoebe biegle władała
pięcioma językami i naprawdę znała się na nauczaniu, jednak Lisbeth
w kwestii nauki wykazywała nadzwyczajny opór. Informacje wolała
pozyskiwać, po prostu o coś pytając. Ale jako towarzyszka okazała
się całkiem do zniesienia. I to właśnie podczas dwumiesięcznego
pobytu u niej Phoebe zapoznała się z takimi rzeczami, jak satynowe
suknie i diademy. I też pośrednio dzięki temu pobytowi poznała sło-
dycz pocałunków (gdyby Redmondowie o tym wiedzieli, na pewno by
jej nie zapraszali) oraz doszła do wniosku, że wieś nie jest dla niej.

W rzeczywistości najbardziej chodziło jednak o to, że przeby-
wanie z rodziną taką jak rodzina Redmondów – a była to rodzina co
się zowie – tylko podkreślało fakt, że Phoebe do nikogo nie należy,
nigdzie nie jest szczególnie pożądana i że nigdy nie będzie miała
tego, co mieli Redmondowie. Uznała więc, że byłoby to nie tylko
orzeźwiające, lecz również zdecydowanie dla niej korzystne, gdyby
rozpoczęła życie gdzie indziej, w jakimś miejscu jej wyboru, bo jak
dotąd to los o wszystkim za nią decydował.

Niemniej teraz trochę grosza by się jej przydało.

Nie wspominając o nocy lub dwóch w miękkim łożu, wyśmie-
nitych posiłkach podawanych na srebrze i...

Postanowiła, że zastanowi się jeszcze nad zaproszeniem.

Co do drugiego listu, to świetnie wiedziała, od kogo jest i co
w nim znajdzie. Uznała, że przeczyta go później w swoim pokoju
w akademii i nad nim też się zastanowi.

Nagle na list od Lisbeth padł jakiś cień, więc szybko podniosła głowę. Dziwne. Dzień był tak pogodny i wietrzny, że raczej niemożliwe, żeby jakaś chmura mogła na dłużej przysłonić niebo.

Odwróciła głowę w stronę okna. I ze zdumienia mało nie zemdlała.

Przed witryną sklepu zatrzymało się olbrzymie nieskazitelnie czyste czarne lando. Phoebe przysłoniła oczy dłonią, chroniąc je przed promieniami słońca, które odbiwszy się od błyszczących szybek i złotych latarenek, przepłynęły do jej kochającego piękno serca, żeby się powtórnie od niego odbić i powrócić do pojazdu, rozjarzając widniejące na drzwiczkach złote liście w herbie. Jeden z koni kokieteryjne potrząsnął łbem i niecierpliwie zastukał kopytem w ziemię.

Koń był czarny.

I miał białe pęciny.

Widok ten sprawił, że serce Phoebe podskoczyło do gardła.

Ponieważ... o Matko Przenajświętsza... czyżby usłyszała dzwoneczki u drzwi...?

Odwracała się bardzo ostrożnie, gdyż jeśli to był sen, za nic nie chciała go przez przypadek przerwać.

Ujrzała go i natychmiast powietrze w sklepie zrobiło się lżejsze, bardziej rozrzedzone, jakby ktoś nagle przeniósł ją na szczyt wysokiej góry. Wydał jej się wyższy od... od każdego mężczyzny, jakiego znała. I nagle te wszystkie kapelusze, wstążki, guziki i rękawiczki zaczęły wyglądać jak różnobarwne rekwizyty, które całymi latami stały na scenie, czekając na jego przybycie.

Powiódł beznamiętnym spojrzeniem po sklepie, przesuwając nim po wstążkach, rękawiczkach, Phoebe, kapeluszach, uczennicach Phoebe, wachlarzach, szalach i Postlethwaicie – dokładnie w tej kolejności.

Surdut i oficerki miał czarne.

Koszulę i fular białe.

A jego głos, lekko ochrypły baryton, brzmiał dokładnie tak, jak to sobie wyobrażała.

– Dryden – oznajmił takim tonem, jakby udzielał odpowiedzi na najbardziej palące pytania świata.

3

Pojedyncze słowo rozniosło się echem po sklepie, w którym potem zaległa głucha i długa cisza.

Dryden wysoko uniósł jedną brew.

Phoebe dostrzegła to w lustrze nad ladą. Jeśli chodzi o samego markiza, widziała tylko jego plecy, których majestat mógł rywalizować jedynie z majestatem Alp. Szerokie w ramionach zgrabnie zwężały się ku dołowi i patrząc na tę jakże męską sylwetkę, Phoebe chyba po raz pierwszy w życiu aż tak dotkliwie uświadomiła sobie fakt bycia kobietą. Kiedy markiz zaszurał stopami, niemal poczuła drganie jego mięśni ukrytych pod czarnym surdutem, który nosił z taką samą gracją, z jaką pantera obnosi się ze swoim futrem.

Jej uczennice stały zesztywniałe w rogu sklepu, przypominając rzeźby na sprzedaż. Ich oczy były tak szeroko rozwarte, że wydawało się, iż są w całości białe i pozbawione źrenic.

Postlethwaite rzucił Phoebe szybkie spojrzenie znad oprawek okularów. Phoebe niezauważalnie skinęła głową, jakby mówiła: nie, to wcale nie sen.

– Postlethwaite, do usług wielmożnego pana. – Phoebe uznała, że głęboki ukłon właściciela sklepu był bardzo elegancki nawet mimo głośnego skrzypnięcia, jakie wydał jego kręgosłup, kiedy Postlethwaite się prostował. – To wielki honor, że zechciał pan zajrzeć do mojego sklepu! Czym mogę służyć, szanowny lordzie?

Phoebe starała się dojrzeć rękawiczki Drydena, te, za które podobno dał sto funtów, ale markiz zdążył je już ściągnąć i teraz zaciskał je w dłoni. Drugą uniósł kapelusz, odsuwając przy tym z białego czoła kruczoczarne włosy. Płomienie świec w kandelabrze nad ich głowami odbijały się w wypolerowanych noskach jego oficerek – wykonanych przez Hoby'ego, Phoebe czytała o tym w gazetach.

Był nienaturalnie usztywniony, jakby szykował się do walki.

A tego, że Phoebe mu się przygląda, albo nie widział, albo nic go to nie obchodziło. I może grzeczniej byłoby z jej strony, gdyby się tak nie gapiła, tyle że ona właśnie roztrząsała w myślach pytanie, czy charyzma markiza – niemal namacalna – to patyna utworzona przez lata ze skumulowanej liczby takich spojrzeń, jakie ona mu właśnie rzucała?

– Chętnie bym obejrzał pańską ofertę wachlarzy, jeśli wolno, panie Postlethwaite.

Markiz mówił szybko, bezosobowo i zadziwiająco życzliwym tonem. Ale Phoebe doszukała się w nim nut powściągliwości. Najwyraźniej świetnie sobie zdawał sprawę z wrażenia, jakie wywierał, i starał się tak zachowywać, aby zbytnio nie płoszyć pospólstwa, bo w końcu ludzie sparaliżowani strachem raczej kiepsko wykonują polecenia.

Pospólstwem oczywiście nazwała w myślach siebie i Postlethwaite'a.

Trochę jej było szkoda zabawy, jaką dotąd prowadziła z właścicielem sklepu. Było bowiem oczywiste, że markiz nie należy do osób, z których można żartować.

Tak czy inaczej, zakładając, że to wszystko to jednak sen, uległa impulsowi i sięgnąwszy ręką do ramienia, mocno się w nie uszczypnęła.

Zbyt późno zauważyła, że markiz widzi jej odbicie w lustrze nad ladą.

Całym ciałem wykonał lekki obrót w jej stronę.

Jego spojrzenie odebrała tak, jakby w jej splocie słonecznym nastąpił wybuch.

Chyba z powodu ostro zarysowanych, wysoko osadzonych kości policzkowych miało dziwną moc; markiz wyglądał jak wielki pan, który z wysokiej wieży przygląda się jej oblężeniu. Oczy miał jasne, zaledwie ton ciemniejsze od barwy whisky.

To nie była łagodna twarz. Ani bezpieczna.

Takiej nie zapamiętywało się po jednym zerknięciu.

Może po czterech lub piętnastu i to raczej dłuższych.

Phoebe dotknęła palcami zaróżowionego od wiatru policzka, jakby jej dłoń była magiczną różdżką zdolną przemienić ją na oczach markiza w księżniczkę.

Ten, nie zmieniwszy wyrazu twarzy, z powrotem odwrócił się ku sprzedawcy.

Dopiero wtedy Phoebe znowu odzyskała oddech.

– Oczywiście, oczywiście, jaśnie panie. – Na twarzy Postleth-waite'a pojawił się cień radości. – Mam piękną kolekcję jedwabnych wachlarzy, od niezadrukowanych po te bardzo ozdobne. – Gestem dłoni wskazał na gablotę w zacienionym rogu sklepu, blisko miejsca, w którym stały dziewczęta, z dala od światła słonecznego, które mogłoby doprowadzić do zżółknięcia wachlarzy lub ich wyblaknięcia. – Mam nadzieję, że znajdzie pan wśród nich taki, który się panu spodoba.

Małe szanse, pomyślała Phoebe.

Postlethwaite wypadł zza lady i dumnym krokiem przemierzył sklep.

– Wolno zapytać, co pana sprowadza do naszego miasteczka, lordzie Dryden?

– Zostałem zaproszony na przyjęcie. – Phoebe jeszcze nie słyszała, żeby ktoś wymówił słowo „przyjęcie" z taką ironią. – I przy okazji ze względu na bratanicę zamierzam obejrzeć sławną akademię panny Endicott.

Sławną? Doprawdy? I czyżby bratanica markiza była aż tak niesforna? Poza tym czy przyjęcie, na które się wybiera, to przyjęcie u Redmondów? Pewnie tak, bo o jakie inne może chodzić?

– W akademii naucza obecna tu panna Vale.

Postlethwaite machnął dłonią w kierunku Phoebe i markiz uprzejmie odwrócił się w jej stronę.

Korzystając z okazji, że wielki lord poświęca jej kolejną cenną sekundę swojego czasu, Phoebe wdzięcznie przed nim dygnęła i powiedziała:

– Miło mi poznać, lordzie Dryden. – Mówiła cicho i, jak miała nadzieję, słodko.

Jego duże, mocno zaciśnięte usta drgnęły w kącikach. Być może dozował uśmiech w zależności od rangi respondenta. Tym razem pod jego oczyma dostrzegła zaskakujące nieznaczne cienie zmęczenia.

– Panno Vale – odrzekł, wykonując lekki ukłon. – Jestem umówiony na spotkanie z pani przełożoną, panną Endicott.

Ostatnie słowo wypowiedział z nieznacznym naciskiem. Prawdopodobnie był przyzwyczajony, że różnego rodzaju niewiasty rzucały się na niego, i chciał ją od tego odwieść.

– Ależ naturalnie. – Zbyt późno Phoebe się zorientowała, że wypowiedziała swoje zdanie z wyraźnie wyczuwalną ironią: to przecież oczywiste, że spotka się z najważniejszą osobą w akademii.

Mogłaby przysiąc, że oczy markiza leciutko zabłysły. Choć równie dobrze mogły to być tylko słoneczne promienie odbite od złotych liści w herbie na drzwiczkach landa.

Kiedy znowu się od niej odwrócił, żeby przejść za Postlethwaite'em w róg sklepu, gdzie leżały wystawione wachlarze, Phoebe, spoglądając na sparaliżowane uczennice, wymownie kiwnęła brodą i wygięła brwi.

Dziewczęta ożyły i obydwie wdzięcznie się ukłoniły niczym dwa kwiaty skłaniające swe kielichy ku ziemi. Markiz nagrodził ich wysiłki krótkim, aczkolwiek absolutnie czarującym uśmiechem oraz lekkim pokłonem, który na pewno na zawsze utkwił w pamięci młodych panien, podczas gdy sam markiz, zdaniem Phoebe, natychmiast o nim zapomniał.

Gdy je mijał, panna Runyon chwyciła pannę Carew za łokieć i w cichej pantomimie przytknęła dłoń do czoła, udając zarazem, że nogi się pod nią uginają.

Żeby się nie roześmiać, Phoebe posłała dziewczynie groźne spojrzenie i ruchem brody nakazała, żeby ona i jej towarzyszka przeszły do lady. Dziewczęta natychmiast wykonały polecenie, zaciskając usta, żeby powstrzymać chichotanie.

– Proszę się nie spieszyć z wyborem, jaśnie panie – zwrócił się Postlethwaite do markiza.

Phoebe bardzo wątpiła, żeby markiz chciał zrobić coś innego niż dokładnie to, co zamierzał.

W tym momencie kolejny raz rozległo się brzęczenie dzwoneczków przy drzwiach.

Do środka wkroczył olbrzymi jasnowłosy mężczyzna. Był duży i blady niczym wiking, Kwadratowy w miejscach, w których markiz był raczej… smukły. Zerwał z głowy kapelusz, odrzucił jasne włosy z czoła, po czym przeszedł na środek sklepu i tam się zatrzymał.

– Zauważyłem twój powóz, Dryden. – Głos nieznajomego miał monotonne brzmienie, jakby nic, ale to zupełnie nic nie było w stanie wyrwać jego właściciela z marazmu znudzenia. Niemniej był to głos prawdziwego arystokraty, jak wyrżnięty w diamencie.

Markiz rzucił przybyłemu szybkie spojrzenie przez ramię.

– Waterburn.

Phoebe odniosła wrażenie, że markiz pohamował westchnienie zniechęcenia. Intrygujące.

Waterburn był wicehrabią znanym z tego, że zawierał zadziwiające zakłady na bardzo duże sumy. Raz na przykład wyłożył aż pięćset funtów na zakład w wyścigu świerszczy, tak przynajmniej pisano w gazetach.

Waterburn ruszył przez sklep, wlepiając jasne oczy we wstążki, kapelusze, nawet w kinkiety, zupełnie jak detektyw z Bow Street poszukujący dowodów zbrodni.

– Zdaje mi się, że dostaliśmy zaproszenia na to samo przyjęcie.

– Niesamowite. – Ton głosu markiza zdradzał ironię.

Waterburn się uśmiechnął.

Markiz w tym momencie przyglądał się wachlarzom, które wybrał z kolekcji dostępnej w sklepie, i czynił to z miną, jaką przybierała Lenora Heron, Cyganka z obozowiska na obrzeżach Pennyroyal Green, gdy przepowiadając przyszłość klientom, wpatrywała się w karty tarota.

Phoebe poczuła, że zalewa ją zazdrość – gorąca, piekąca i zaskakująca. O kogo chodziło? Kto był aż tak ważny, że markizowi chciało się dokładać aż takiej troski przy wyborze?

– Lordzie Waterburn. – Postlethwaite był zmuszony znowu się pokłonić. – Postlethwaite, do usług jaśnie pana. Czy wolno mi panom zaproponować po filiżance herbaty?

– Dla mnie nie, ale dziękuję za propozycję, Postlethwaite. – To był markiz.

Znudzone spojrzenie Waterburna natrafiło na Phoebe. W odpowiedzi Phoebe przywołała uśmiech na twarz i lekko skinęła głową. Waterburn, nie zmieniając ponurej miny, odkłonił się i szybko odwrócił.

Phoebe poczuła nagły przypływ złości. Miała dość tego, że jest traktowana jak część wystroju sklepu.

Jej uczennice, szykując się do wyjścia, zaszeleściły papierem pakowym.

– Do wiedzenia, panno Vale. Życzymy udanych wakacji.

– Dziękuję, dziewczęta. Mam nadzieję, że wasze również będą udane. Tylko nie zapomnijcie o lekturze Marka Aureliusza, inaczej po powrocie będziecie miały opóźnienia.

I potem przy wtórze brzęczenia dzwoneczków dziewczęta opuściły sklep, wpuszczając do niego przez otwarte drzwi silny powiew wiatru, który zatrząsł wstążkami przy kapeluszach i podniósł resztkę owłosienia na czaszce pana Postlethwaite'a.

Phoebe rzuciła ostatnie zachłanne spojrzenie w stronę kapelusza, który nigdy miał do niej nie należeć, po czym złożyła liścik od Lisbeth, tak żeby zmieścił się w jej małej torebce wraz z drugim listem.

I właśnie wtedy olbrzymi jasnowłosy lord przepłynął po sklepie w stronę markiza niczym wielki galeon.

– Założę się o dziesięć funtów, że nawet tobie nie uda się wydębić całusa od... *la insegnante*, Dryden.

Insegnante? Ale przecież *insegnante* to po włosku „nauczycielka".

Phoebe zaszokowana zamarła. Waterburn chciał, żeby markiz ją pocałował.

Natychmiast z powrotem odwróciła się w stronę kapelusza i bawiąc się jego wstążką, przysłuchiwała się dalszej części rozmowy.

– Na litość boską, Waterburn, a co mi po jej pocałunku lub twoich dziesięciu funtach? – wymamrotał markiz pod nosem znudzonym tonem.

– No przecież w tym cała zabawa. Dziewczyna nie wygląda na skorą do pocałunków, chyba się zgodzisz? – Waterburn nie odpuszczał. – Wręcz sprawia wrażenie, jakby miała zabić, gdyby ktoś próbował ją pocałować. Ale mówią, że ty, Dryden, namówisz do tego każdą, którą zechcesz. Cóż... ja twierdzę, że sądząc po wyglądzie tej panny, w tym wypadku ci się to nie uda.

Sądząc po wyglądzie? Jakim wyglądzie? Phoebe zobaczyła, że pobielały jej koniuszki palców, tak mocno zaciskała w nich wstążkę od kapelusza.

W głosie markiza, kiedy się odezwał, słychać już było wyraźne poirytowanie.

– Nie bądź śmieszny, Waterburn. To by było dziecinnie proste zadanie.

Och.

Upokorzenie sprawiło, że Phoebe cała ścierpła i zaparło jej dech. Zarys kapelusza przed jej oczyma stał się rozmazany.

Ponieważ słuch Postlethwaite'a nie był już tak sprawny jak niegdyś, sprzedawca o niczym nie miał pojęcia. Z uradowaną miną, pogwizdując przez zęby, co na pewno zagłuszało prowadzoną półgłosem rozmowę, przeliczał pobrzękujące w jego dłoni monety.

– No to się zakładamy, Dryden. A wszyscy wiemy, że ty nigdy nie przegrywasz.

Phoebe stała zupełnie nieruchomo, jakby właśnie spadła z wielkiej wysokości. Wstrzymywała oddech, żeby tylko nic nie poczuć. Miękkość atłasowej wstążki, którą wciąż ściskała w palcach, nijak się miała do uczucia nadszarpniętej dumy, jakie ją przepełniało. Wpatrywała się w wymarzony kapelusz, który miał nigdy do niej nie należeć, a w tym czasie mężczyzna, którego również pożądała i który uważał, że nie jest odpowiednią kobietą do całowania, wybierał prezent dla innej kobiety. A potem pewnie wsiądzie do tego swojego wielkiego powozu i pojedzie nim do akademii, podczas gdy ona będzie musiała udać się tam piechotą i walcząc po drodze z wiatrem, będzie rozmyślała o tym, że zaraz po przyjściu podrze na strzępy swój stary kapelusz.

Przeklęci arystokraci.

Jakież to przykre, kiedy człowiek odkrywa, że jak reszta ludzi są zwykłymi śmiertelnikami i to na dodatek bardzo dziecinnymi.

Markiz gwałtownie się wyprostował, kolejny raz przypominając Phoebe, jaki jest wysoki.

– Ten, panie Postlethwaite. – Wybrał wachlarz z kremowego jedwabiu z namalowanymi na nim różowymi pączkami z wijącą się między nimi cienką pozbawioną kolców jasnozieloną łodyżką. Był piękny.

I jakżeby inaczej.

– Świetny wybór, sir! – Postlethwaite aż podskakiwał z radości za ladą.

Żaden z arystokratów nie spojrzał więcej na Phoebe.

– Dziękuję za listy, panie Postlethwaite – rzuciła, siląc się na wesoły ton. – I do zobaczenia.

Machając dłonią, opuściła sklep, jeszcze zanim Postlethwaite zdążył coś odpowiedzieć. Przechodząc obok legendarnego powozu, ledwie na niego spojrzała, chociaż każdy nerw w jej ciele domagał się, żeby się zatrzymała i nasyciła wzrok, i może nawet poklepała któregoś z koni po błyszczącym grzbiecie. Zamiast tego, nie zważając na wiatr, szybko ruszyła przed siebie. Ze sklepu do akademii droga wiodła pod górę. Phoebe nagle sobie uświadomiła, że całe jej życie było właśnie takie: zawsze miała pod górę i zawsze wiatr wiał jej w oczy. Dobrze się więc składało, że lubiła się wspinać, że lepiej się po tym czuła. Że ją to nawet wzmacniało.

I już po chwili wiatr usunął z jej policzków wywołany incydentem z markizem rumieniec upokorzenia, zastępując go zdrową wiejską czerwienią.

4

Siedzenia w landzie były tak miękkie jak uda jego ostatniej kochanki, kiedy jednak Jules oparł plecy i przymknął oczy, jego myśli były dalekie od zmysłowych.

Poza tym ostatnia kochanka, próbując go zabić, rzuciła w niego wazonem.

Z przymkniętymi powiekami na wpół drzemał, mimo to jak zawsze przez jego głowę niczym koraliki w różańcu przesuwały się

26

myśli dotyczące jego licznych powinności. Zatrudniał doskonałych ludzi, żeby dla niego pracowali, żeby się za niego martwili, żeby doglądali jego włości i inwestycji, a on i tak był ciągle czujny. Nie potrafił nad tym zapanować. I właśnie przez tę czujność nie przespał porządnie ani jednej nocy od czasu, gdy skończył siedemnaście lat, czyli od momentu, kiedy jego lekkomyślny ojciec w ostatnim spektakularnym wyczynie dał się zabić podczas pojedynku. Pojedynku o kobietę... która nie była jego żoną, a którą jednak, jak twierdził, kochał aż tak, że nie wahał się oddać za nią życia.

I co oczywiste, całe zajście miało miejsce po wielu latach utracjuszostwa, w trakcie których ojciec w różnych grach hazardowych przepuścił cały majątek rodzinny wraz z prestiżem.

Świetnie się przy tym bawiąc, jak się wydawało.

Pozostawił po sobie długi, zniszczenie i hańbę, i Jules później musiał się z tym wszystkim metodycznie mierzyć. To były ciężkie lata, lecz Jules był sprytny, cierpliwy, inteligentny i bardzo zdeterminowany. Ani razu nie popełnił błędu. Odzyskał rodzinne włości, od nowa zgromadził fortunę, zyskując przy tym niebywałą sławę i wpływy.

I podczas gdy ojciec, osławiony przystojny hulaka na łasce własnych nieopanowanych impulsów, pod koniec życia mimo wiekowego tytułu stał się obiektem drwin... to z Juliana Spensera nikt nie śmiał stroić sobie żartów.

Przeszedł w myślach do kolejnego paciorka różańca. Jego rodzina była zabezpieczona i żyła w komforcie. Siostra dobrze wyszła za mąż. Kryzysy nachodziły i odchodziły; wszyscy zwracali się do niego, bo rozwiązywanie trudnych sytuacji było tym, co robił najlepiej.

No i był jeszcze ten przeklęty Waterburn. Nie, żeby stanowił poważny problem, ale wydawało się, że jest wszędzie. Jak komary, jeśli tylko jasnowłosego olbrzyma można przyrównać do tak małego stworzenia. Nigdy nie wybaczył Julesowi, że zdobył przychylność pięknej Carlotty Mediny, ani tego – jeśli już mówić precyzyjnie – że był sobą, Julianem Spenserem: zawsze lepszym uczniem w szkole, zawsze szybciej awansującym w wojsku, lepszym strzelcem i pod każdym względem lepszym kochankiem, którego chłodna determinacja – nie wspominając o odziedziczonej po ojcu urodzie – działała na kobiety jak lep na muchy.

Oczywiście, patrząc wstecz, raczej nie było mu czego zazdrościć, gdyż Carlotta, choć ognista i gibka w łóżku, poza nim nie dawała się okiełznać. Była kompletnie zwariowana, kapryśna i zepsuta. Generalnie romans z nią stanowił bardzo nieprzyjemny epizod w życiu Julesa.

Chociaż wciąż czasami fantazjował o Carlotcie i był jej za to dozgonnie wdzięczny.

Kobiety. Uśmiechnął się pod nosem.

Nie dziwota, że wszyscy pragną być lordem Drydenem.

Tyle że, jak na ironię, nawet sam lord Dryden nie był do końca lordem Drydenem. Ale jemu to nawet odpowiadało.

No i już prawie nikt nie pamiętał jego ojca.

Nikt, poza oczywiście Isaiahem Redmondem. To właśnie w jego rękach pozostawał ostatni kawałek ziemi, o którym marzył Julian.

Który musiał przejąć.

Jednak na przestrzeni lat Julian wyrobił w sobie przenikliwość i finezję mistrza szachowego, które były mu bardzo pomocne przy podejmowani decyzji zarówno towarzyskich, jak i w sprawach finansowych. Zawsze wybierał odpowiedni moment i zawsze udawało mu się zdobyć to, na czym mu zależało.

Wachlarz stanowił część tej strategii. Przesunął palcem po paczuszce owiniętej w ozdobny papier. To był wyśmienity prezent. Doskonały na rozpoczęcie nowej kampanii. Julian odczuwał cichą satysfakcję.

Teraz już tylko jedno stało między nim a posiadłością w Sussex, niegdyś posagiem jego matki.

I może, gdy już zdobędzie ten skrawek ziemi, wreszcie zazna spokoju.

Bo o tym, że zdoła przejąć ziemię, był przekonany.

Przymknął powieki, tym samym odgradzając się od widoku wiejskiego pejzażu, ale w sen się nie pogrążył.

Phoebe już na schodach rozwiązywała wstążki kapelusza. Gdy tylko wpadła do swojego pokoju, odrzuciła nakrycie na bok, po czym szarpnięciem odsunęła krzesło od biurka i tak gwałtownie wyrwała kartkę z notesu, że Charybda, jej pręgowana kotka, smacznie drzemiąca na łóżku, poderwała się na równe nogi. Zaraz jednak, widząc, że to tylko pani, z powrotem opadła na miękką pościel.

Kotka przybyła do akademii wraz z Phoebe i jak ona była wtedy wychudzoną i niedożywioną złośnicą, skorą do rebelii. Z czasem jednak obie nabrały manier i ciała, a także wdzięczności za wygody, jakie stały się ich udziałem.

Niemniej w głębi ducha jedna i druga wciąż pozostawały dzikie. A Charybda na dodatek była jak pluszowa pułapka. Lubiła sypiać na grzbiecie, wystawiając do świata swe kuszące miękkie podbrzusze. Kiedy jakiś niespodziewany gość chciał zanurzyć dłoń w tym puchu – łaps! – kotka zamykała wszystkie cztery łapy, wbijała się w rękę zębami i pazurami, i nie puszczała. Taka krępująca sytuacja wydarzyła się wiele razy, choć było to również ogromnie zabawne. No i poza tym ciekawskie uczennice trzymały się z daleka od pokoju Phoebe.

Przeklęci arystokraci, myślała teraz. Dlaczego miałabym chcieć przebywać w ich towarzystwie choćby jeden dzień? Zwłaszcza jeśli on tam będzie.

Droga Lisbeth...
Jestem ogromnie wdzięczna za Twe uprzejme zaproszenie i choć byłabym zachwycona, mogąc znów Cię zobaczyć, obawiam się, że nie będę w stanie...

Słysząc pukanie do drzwi, Phoebe poderwała głowę znad kartki papieru kancelaryjnego i westchnąwszy tak mocno, że niedokończony liścik podfrunął w górę, odepchnęła krzesło, porzuciła pracę i poszła otworzyć.

Za drzwiami stała pokojówka, która gdy drzwi się otworzyły, szybko się cofnęła, prawdopodobnie, żeby zejść z drogi rażenia płomieni strzelających z oczu Phoebe.

Ta, widząc to, z pewnym wysiłkiem zmusiła się do przybrania łagodniejszego wyrazu twarzy.

Mary Frances, niska i okrąglutka, z włosami skręconymi w sprężyste rude loczki, niepewnie się uśmiechnęła i lekko dygnęła.

– Proszę wybaczyć, panno Vale, że przeszkadzam w bardzo ważnych zajęciach – zaczęła, zerkając nad ramieniem Phoebe w głąb jej skromnie urządzonego pokoju. Na ziemi leżały dwa grubo plecione dywaniki, a na łóżku dziwaczna kolorowa narzuta, wykonana przez samą Phoebe ze starych zużytych sukien i pelis. – Ale panna Endicott chciałaby przed wyjazdem z panienką porozmawiać.

Phoebe, nie chcąc straszyć Mary Frances, uważającej, że wszystkie nauczycielki w akademii są bardzo mądre i wykonują bardzo ważną pracę, przed odpowiedzią dla uspokojenia wzięła głęboki oddech.

– Dziękuję, Mary Frances. Już idę – odrzekła i odwróciwszy się do zawieszonego nad biurkiem lustra, szybkim ruchem przygładziła włosy i fałdy sukni, po czym opuściwszy pokój, pospieszyła ku wijącej się klatce schodowej, której poręcze były wytarte na błysk przez dłonie wielu pokoleń krnąbrnych panien.

W drzwiach gabinetu panny Endicott, która powierzywszy opiekę nad akademią starszym nauczycielkom, pani Bundicraft i pani Fleeger, wybierała się na wakacje, Phoebe musiała się jednak zatrzymać, gdyż drogę zagrodziła jej wielka czarna ściana.

Gdy ta ściana wolno się do niej odwróciła, Phoebe przekonała się, iż wejście tarasował sobą nikt inny jak tylko sam markiz Dryden.

– Ach, jest pani wreszcie, panno Vale! – zakrzyknęła panna Endicott takim tonem, jakby czekała na Phoebe całe popołudnie. Na podróż była ubrana w elegancką suknię z szarej wełenki, dopasowaną do niej kolorem pelisę i w cudowny szaro-lawendowy kapelusz. Spakowana torba podręczna stała na błyszczącym blacie jej imponującego biurka, a obok na podłodze czekał kufer. – Chciałabym, żeby pokazała pani panu markizowi przynajmniej jedną klasę na piętrze, bo ja niestety muszę już wychodzić. Inaczej spóźnię się na dyliżans, a moja siostra, zapewniam panią, nigdy by mi nie wybaczyła, gdyby mój przyjazd się opóźnił. Przyszykowała na moją wizytę cały program rozrywek. – Mówiąc to, dyrektorka wciągała rękawiczki. – Zresztą uważam, że Jego Lordowska Mość powinien porozmawiać z którąś z nauczycielek, a wspominał, że miał już przyjemność zawrzeć z panią znajomość w sklepie Postlethwaite'a.

Oczy dyrektorki były małe, niebieskie, a ich spojrzenie przeszywające. Panna Endicott, kolejna z długiej linii panien tego rodu, zarządzała akademią ze stanowczością generała wojsk, precyzją dyrygenta orkiestry i sprytem, którego mógłby jej pozazdrościć nawet sam Isaiah Redmond. W głębi duszy jednak była to bardzo dobra osoba, który to sekret po jakimś czasie odkrywały wszystkie wychowanki akademii.

Oczywiście czas ten wcale nie był krótki, a poza tym mimo jej dobroci panny Endicott nie można było nazwać uległą – była to kobieta o bardzo silnej woli, raczej nieprzejednana.

Phoebe w trakcie swojego ponaddziesięcioletniego pobytu w akademii zdążyła się już oswoić z groźnym spojrzeniem przełożonej, co jednak nie oznaczało, że potrafiła je lekceważyć lub kłamać dyrektorce w żywe oczy, chociaż zanim trafiła do akademii, oszukiwała wszystkich bez wyjątku.

Dlatego teraz jej twarz pokryła się silnym rumieńcem wywołanym przypływem mieszanych uczuć.

– Naturalnie – powiedziała stonowanym głosem. – I rzeczywiście miałam przyjemność...

Panna Endicott zaniechała wciągania rękawiczek i obrzuciła Phoebe karcącym spojrzeniem, które złagodniało dopiero, gdy dziewczyna wykonała w kierunku markiza uprzejmy ukłon. Odpowiedział uprzejmym skinieniem głowy, nie patrzył jednak w jej stronę.

W gruncie rzeczy sprawiał wrażenie, jakby w ogóle nie zauważał obecności Phoebe. Tak jak w sklepie buchało od niego to tłumione zniecierpliwienie, co to udziela się otoczeniu i sprawia, że ma się ochotę zaszurać stopami, zacząć wiercić, zrobić cokolwiek, byleby tylko pozbyć się napięcia. Rozglądając się po sprzętach w gabinecie panny Endicott, uderzał lekko kapeluszem w rękę, jakby odliczał, ile jeszcze cennych minut ze swojego życia będzie musiał poświęcić na nudną wizytę w szkole dla panien.

– Byłbym ogromnie wdzięczny, gdyby pokazałaby mi pani którąś z klas, panno Vale – oznajmił w końcu.

Mówił z wyjątkową uprzejmością, choć pewnie wolałby powiedzieć: niech się pani wypcha, szanowna panno Vale.

31

Ale przynajmniej już na nią patrzył.

– Z radością pana oprowadzę.

Też potrafiła być uprzejma, mimo że swoje stwierdzenie, żeby nie patrzeć w złociste oczy markiza, skierowała do jego lewej brwi.

Jakby wcale w to nie wątpił, markiz kiwnął głową, po czym zwrócił się do dyrektorki:

– Jeszcze raz bardzo dziękuję za poświęcony mi czas, panno Endicott, i życzę bezpiecznej oraz przyjemnej podróży.

– Dziękuję, markizie. Myślę, że taka właśnie będzie – odparła żywo dyrektorka, jakby to było oczywiste, że jej podróż nie może być inna niż przyjemna oraz pozbawiona wszelkich przykrych niespodzianek.

Phoebe również na pożegnanie pokłoniła się przełożonej. Panna Endicott na tym jednak nie poprzestała, ale mijając ją, szybko cmoknęła w policzek, po czym jeszcze go poklepała, jakby chciała, żeby pocałunek dotarł do samych głębin duszy Phoebe. Później, żeby wezwać lokaja, pociągnęła za sznur dzwonka.

Kiedy wychodziła, Phoebe odprowadzała ją wzrokiem, myśląc sobie, że panna Endicott najwyraźniej nie ma jej już za podlotka, skoro nie widzi nic niestosownego w tym, że wysyła ją samą w towarzystwie przystojnego markiza na oględziny klas.

Ale przecież, na litość boską, ona ma tylko dwadzieścia dwa lata! A tu w ciągu jednego dnia jedni proszą ją, żeby została przyzwoitką niewiele od niej młodszej dziewczyny, inni ogłaszają, że nie wygląda na osobę skorą do całowania.

– Proszę za mną, lordzie Dryden.

Okręciła się na pięcie i ruszyła w stronę schodów, mając wielką ochotę pokonywać po dwa stopnie naraz. Nie uczyniła tego jednak, gdyż na przestrzeni lat nauczyła się panować nad swoją buntowniczą naturą. Temu zresztą zawdzięczała reputację dobrej nauczycielki – doskonale rozumiała rozbrykane uczennice.

Markiz, który posłusznie za nią się udał, już po chwili, mimo że nie bacząc na grzeczność, nadała szybkie tempo, znalazł się tuż za nią. Pomyślała, że jest jak spętany wierzchowiec, który postanowił przez chwilę zachowywać się ulegle, żeby sprawić jej przyjemność.

Jeszcze bardziej przyspieszyła kroku, zarazem oglądając się przez ramię. Na rękawie surduta markiza dostrzegła krótki siwy włos – czyżby jego własny? W jednej sekundzie widok ten sprawił, że markiz wydał jej się nieznośnie ludzki. I przystępny. Cóż za absurdalna myśl.

I chociaż świetnie potrafiła szafować grzecznościowymi formułkami i czarować nimi rozmówcę, tym razem milczała.

Dlatego w końcu to markiz pierwszy przerwał ciszę.

– Dawano mi do zrozumienia, że nauczycielki w tej szkole świetnie sobie radzą z ... – zamilkł, szukając odpowiedniego słowa.

– Niesfornymi uczennicami – dokończyła za niego pogodnie.

– ... cóż, można i tak powiedzieć... w ten sposób, że dostarczają ich umysłom wiedzy?

Dziwne. Mówił jakby... no cóż, jakby go to bawiło. I chyba z nutą sceptycyzmu.

– Staramy się rozbudzać w naszych uczennicach intelektualną ciekawość, lordzie Dryden, przez narzucanie intelektualnej dyscypliny, dzięki czemu dziewczęta nie mają czasu na złe zachowanie. Chociaż oczywiście będą zawsze próbować.

– Oczywiście.

– Każdego, nawet najbardziej zdezorientowane umysły, można przekształcić w uosobienie wdzięku, pewności siebie i godności, jeśli tylko tego się po nim oczekuje i odpowiednio go traktuje. I jeśli wiele się po nim spodziewa.

– Ach. Cóż za filozoficzne stwierdzenie. Coś jak złota myśl.

Markiz znowu mówił ironicznym tonem. I z powątpiewaniem. Oraz znudzeniem.

Co kazało jej się zastanowić, kim jest dziewczynka, którą chciał umieścić w akademii.

– Skoro tak pan mówi. Ale czy wolno mi zapytać, ze względu na kogo przybył pan obejrzeć naszą szkołę?

W końcu ciążyły na niej pewne obowiązki wobec młodej panny, która być może wkrótce dołączy do reszty jej wychowanek.

Jak dotąd była sobą zachwycona. Swoją uprzejmością i dobrymi manierami. Uważała, że nawet zakonnica nie potrafiłaby okazać takiego opanowania i spokoju.

Oczywiście byłoby o wiele łatwiej, gdyby markiz tak wspaniale nie pachniał.

Krochmalem i bardzo dobrym tytoniem. I może jeszcze końmi. A także morską bryzą, jakby przed przyjściem do akademii był na długim spacerze. Pachniał prawdziwym mężczyzną. I zamożnością.

Przemknęło jej przez głowę, że nie miałaby nic przeciwko, gdyby kazano jej go polizać, i zaraz się zdziwiła, skąd u niej takie myśli. Nigdy wcześniej takich nie miewała.

Przypomniały jej się słowa lorda Waterburna, że wygląda jak ktoś, kto raczej by zabił, niż dał się pocałować.

– Moją bratanicę rodzina przyłapała na paleniu cygar. Aż dwukrotnie. Między innymi. Dziewczynka ma dopiero dwanaście lat, a jej ojciec w ciągu ostatnich sześciu lat ożenił się po raz trzeci. Ostatnia żona nie może znieść pasierbicy. Choć wydaje się, że antypatia jest obopólna. Przyjechałem tu w zastępstwie brata, który musiał w interesach udać się do Northumberland. Ponieważ wybierałem się do Sussex, zaproponowałem, że... że się rozejrzę.

– Trzecia macocha? Boże drogi. Biedaczka. Chyba powinniście być państwo wdzięczni, że nie zaczęła pić.

Markiz ostrym ruchem odwrócił ku niej głowę. Widziała, że nie wie, czy ma się roześmiać, czy raczej oburzyć, ale chyba skłaniał się ku uśmiechowi, tylko nie był pewny, jak ona na to zareaguje.

A Phoebe pomyślała, że być może pospieszyła się z komentarzem. Wielka szkoda, bo panowanie nad porywczymi impulsami już tak dobrze jej szło.

– Czy tutejsze dziewczęta po tym całym faszerowaniu wiedzą kończą akademię jako kobiety zupełnie nienadające się do małżeństwa?

Phoebe uznała, że markiz próbuje subtelnie wysondować poziom jej inteligencji... lub chce poznać jej stan cywilny. Poza tym znów naszły ją podejrzenia, że z powodu znudzenia postanowił się rozerwać, czyli czymś ją sprowokować.

A może chce ją oczarować, żeby zrobiła się bardziej przystępna i dała się pocałować?

– Wydaje mi się, że przede wszystkim większość naszych wychowanek opuszcza akademię wyposażona w niską tolerancję na głupotę, jeśli o to panu chodziło. – Widząc szczere zaskoczenie markiza, szybko dodała niepewne: „Ha, ha!" – Jednak mówiąc poważnie, o nic nie powinien się pan martwić, lordzie Dryden – pospiesznie go uspokoiła, pamiętając, że bez względu na to, dokąd w przyszłości rzuci ją los, panna Endicott zasługiwała na lojalność, a samej akademii przydałyby się pieniędzy markiza. – Nasze wychowanki zdobywają w akademii wiele różnych umiejętności, dzięki którym po skończeniu nauki są przygotowane do założenia rodziny i zarządzania dużym gospodarstwem domowym. Potrafią też grać na fortepianie, haftować oraz prowadzić księgi rachunkowe, tak żeby żaden zarządca nie mógł ich okradać. Krótko mówiąc, przygotowujemy nasze uczennice tak, aby potrafiły sobie poradzić prawie ze wszystkimi okolicznościami, jakie mogą napotkać w życiu.

– Lub prawie ze wszystkimi mężczyznami.

Uwaga padła tak szybko, że Phoebe nie zdążyła nad sobą zapanować i zaskoczona parsknęła krótkim śmiechem.

Wtedy i markiz się uśmiechnął. Wprawdzie niezbyt szeroko – było to zaledwie lekkie wygięcie ust, któremu towarzyszyło pojawienie się niedużego dołeczka w policzku i kilku cienkich zmarszczek w kącikach oczu – ale zawsze był to uśmiech. Oprócz tego niespodziewanie wyciągnął rękę i niedbale przeciągnął palcem po panelach na ścianie. Niczym mały chłopiec. Zupełnie jakby się dobrze bawił. Jakby się rozluźnił w towarzystwie Phoebe.

Ona zaś była pewna jednego: że markiz nigdzie nie znajdzie nawet odrobiny kurzu. Szkoła zatrudniała całą armię sprzątaczek.

Znów przypomniały jej się słowa Waterburna, że nie jest skora do całowania.

I kolejny raz w jej głowie pojawiło się pytanie, czy przyjęcie, na które wybiera się markiz, to przyjęcia u Redmondów.

– Poza tym nasze wychowanki uczą się jeszcze języków obcych – dodała wymowie. – Zależy nam, żeby po skończeniu akademii władały biegle przynajmniej jednym. Na przykład włoskim, który sama znam bardzo dobrze.

– Doprawdy? – rzucił z roztargnieniem markiz. – Znajomość języków rzeczywiście bywa przydatna. Ale skoro zna ich pani tak wiele, proszę mi powiedzieć, co znaczy... – Odchylił głowę w tył, po czym zaczął wygłaszać powoli, jakby cytował z pamięci: – *Esto es lo que pienso en su regalo, hijo de una puta*! Przypuszczam, że to po hiszpańsku.

Matko Przenajświętsza.

Markiz zwrócił na nią wyczekujące spojrzenie.

To rzeczywiście był hiszpański.

– Czy te słowa... zostały, powiedzmy, wykrzyczane pod pańskim adresem, lordzie Dryden?

– Całkiem możliwe – przytaknął pogodnie.

Uważnie mu się przyjrzała, lecz na jego twarzy dostrzegła tylko wyraz spokojnej cierpliwości.

– Bo znaczą one tyle co: „Oto, co myślę o twoim prezencie!"

W rzeczywistości w dokładnym tłumaczeniu zdanie brzmiało: „Oto, co myślę o twoim prezencie, ty sukinsynu!", ale Phoebe była prawie pewna, że markiz dobrze o tym wiedział, jak również, że sam świetnie władał hiszpańskim.

W końcu podobno niegdyś miał bardzo temperamentną kochankę tej narodowości.

Przynajmniej tak było napisane w gazetach.

– Ha! A to dopiero!

Znowu posłał jej ukradkowe i wyzywające spojrzenie z ukosa. Jakby sprawdzał, czy odważy się roześmiać.

A niech to szlag! Kłopot polegał na tym, że nagle wyobraziła sobie markiza z kochanką i z tego powodu jej myśli rozpierzchły się na wszystkie strony niczym kule bilardowe. Głęboko zaczerpnęła powietrza.

Wielki błąd! W jej nozdrza znowu uderzył jego zapach, co od razu poskutkowało zawrotem głowy.

– Rozmawialiśmy o programie nauczania – ponaglił ją delikatnie, gdy zaczęło wyglądać, że już nigdy się nie odezwie.

Na odległym końcu korytarza pojawiła się Mary Frances z miotełką do kurzu w ręce. Na widok markiza szeroko wybałuszyła oczy, które zrobiły się okrągłe jak spodki.

Gdy ich mijała, nerwowo dygnęła, po czym zabrała się do starannego odkurzania portretu panny Endicott, jakby się bała, że gdyby tego nie uczyniła, postać z portretu ostro by ją za to zbeształa.

– A tak, rzeczywiście. Dobrze, że mi pan przypomniał, bo chciałam jeszcze zaznaczyć, lordzie Dryden, że ponieważ nasz program jest bardzo wymagający, staramy się przyjmować do akademii tylko najbystrzejsze panny. Domyślam się, że panna Endicott uprzedzała, iż przed przyjęciem przeprowadzamy sprawdzian, żeby się upewnić, iż wiedza kandydatki jest na wystarczającym poziomie. Inaczej mogłaby sobie nie poradzić na lekcjach.

– A ja się domyślam, że najbystrzejsze panny są zazwyczaj najzamożniejsze? – spytał kpiąco.

– Na ogół tak się szczęśliwie składa.

Jego niespodziewany uśmiech, łobuzerskie wygięcie ust wdarły się w uprzejmą konwersację niczym nieoczekiwany błysk pioruna. Phoebe od razu poczuła się… lepiej.

Jednak uśmiech zaraz znikł – tak samo szybko, jak się pojawił.

– Proszę jednak zważyć – kontynuowała ochrypłym głosem, jakby uśmiech markiza zakłócił proces jej oddychania – że do akademii przyjmujemy również dziewczęta z biednych rodzin, bez arystokratycznych korzeni, i że traktujemy je tak samo jak uczennice z zamożnych rodzin. Przekonałyśmy się bowiem, że to doskonale buduje charaktery naszych wychowanek.

Markiz zatrzymał się raptownie przed namalowanym przez jedną z byłych uczennic ładnym wiejskim pejzażykiem, któremu przyglądał się z wyraźnym uznaniem.

– Mówi pani o tym, że każecie bogatym dziedziczkom obcować z dziewczętami z pospólstwa?

– A dziewczętom z pospólstwa z dziedziczkami.

– Coś jak czyszczenie szlachetnych kamieni zmieszanych ze zwykłymi w procesie… tarcia.

Rzucił jej chytre spojrzenie przez ramię.

Dobry Boże, ależ to było obojętnie powiedziane. Ale Phoebe i tak była pod wrażeniem, zwłaszcza że jej przewrażliwione na skutek zdenerwowania uszy dosłyszały w tym stwierdzeniu coś w rodzaju... insynuacji. Jakby markiz rzeczywiście się na coś szykował.

Weźże się w garść, Vale. Wyprostowała się na pełną wysokość, unosząc lekko ramiona, jakby nieświadomie chciała się wydać wyższa i groźniejsza. Zupełnie, jakby naśladowała zwyczaje pewnego gatunku południowoamerykańskich jaszczurek, które to zwyczaje znała, gdyż czytała o nich w książce pana Milesa Redmonda (Phoebe zaczytywała się w książkach z najróżniejszych dziedzin).

– Ja zamiast mówić o tarciu, nazwałabym to raczej kontaktem... zróżnicowanych powierzchni.

O Boże, to też zabrzmiało bardzo erotycznie.

Z drugiej strony... czy nie o to jej właśnie chodziło?

Efekt był dramatyczny. Markiz odwrócił się i z zaintrygowaniem błysnął w jej stronę źrenicami. Był absolutnie poważny.

I nie mrugał, przez co jego spojrzenie stało się jeszcze bardziej obezwładniające.

Nieskora do całowania, drwił chór grecki w jej głowie.

Pospieszyła z wyjaśnieniami.

– Te dziewczęta, mimo że biedne, nie są gorsze. Wiele z nich miało po prostu... trudne początki lub los w którymś momencie ich życia postawił im na drodze... pewne przeszkody.

Już w trakcie mówienia pożałowała, że się odezwała. Jej wypowiedź zabrzmiała bowiem straszliwie patetycznie.

– Los... postawił im na drodze... – po chwili milczenia powtórzył markiz z zastanowieniem, jakby chciał, żeby Phoebe jeszcze raz wyraźnie usłyszała, jaką bzdurę palnęła.

Przy tym jego oczy łobuzersko zamigotały.

Znowu ją prowokował, ciekaw, czy odważy się roześmiać. Jakby świetnie wiedział, jakby się domyślał, kim ona jest pod tą ugrzecznioną warstewką, i jakby zamierzał przed odejściem zmusić ją, aby odkryła przed nim swą prawdziwą naturę.

W tym momencie zorientowała się, że już od jakiejś chwili trzyma dłonie splecione na plecach. Dlaczego? Czyżby się bała, że nieświadomie dotknie markiza? Przecież aż tak nierozważna na pewno nie jest?

Z drugiej strony, to całkiem możliwe, że jeszcze nigdy dotąd nie spotkała się z aż tak silną pokusą.

Ich spojrzenia, którymi się obdzielali, strzelały szatańskimi ognikami.

To byłoby dziecinnie proste zadanie, przypomniała sobie słowa markiza. Co mi po jej pocałunku? Dziecinnie proste, dziecinnie proste, dziecinnie proste, huczało jej w głowie.

Powtarzała te słowa w myślach do chwili, aż pokusa flirtowania przemieniła się w otępiające uczucie poniżenia.

Dziecinnie proste? Och, to się jeszcze zobaczy, drogi lordzie Dryden.

Markiz musiał wyczuć zmianę w jej nastroju, gdyż nagle znów stał się bardzo oficjalny.

– Reputacja szkoły ją poprzedza, panno Vale. Poza tym akademia ma szczodrego dobroczyńcę w osobie pana Isaiaha Redmonda.

– Oraz pana Jacoba Eversea.

Patriarchowie Pennyroyal Green nie mieli nic przeciwko istnieniu szkoły w okolicy, pod warunkiem że był to przybytek szacowny i dobrze prowadzony, do którego uczęszczały córki utytułowanych ojców z koneksjami.

Phoebe znowu ruszyła przed siebie, markiz za nią, aż wreszcie dotarli na koniec korytarza. Drzwi prowadzące do jednej z głównych klas były szeroko otwarte i z wewnątrz wydobywały się zapach oleju lnianego oraz żółtawa poświata. Pokojówki musiały dopiero co tu sprzątać. Markiz zatrzymał się w progu i zajrzał do środka. Wątpliwe, żeby wypatrzył coś rażącego w pomieszczeniu, którego drewniana posadzka lśniła czystością, ławki były świeżo przetarte, a szyby w sięgających sufitu oknach bez przeszkód przepuszczały wpływające z dworu promienie słońca. Przy ścianie od strony drzwi stał rząd regałów na książki. Na froncie klasy imponujący globus. Z tyłu zaś znajdował się kominek, teraz wygaszony, ale oczywiście starannie wyczyszczony.

Klasa była pusta z powodu zbliżających się wakacji.

Podczas oględzin Phoebe stała tuż za markizem, który wyglądał tak, jakby nie umiał się zdecydować, czy ma wejść do klasy, czy tego nie robić.

I właśnie wtedy jej serce przyspieszyło jak powóz zjeżdżający ze zbocza.

Bo jeśli markiz zamierzał wygrać zakład, to klasa stanowiła idealne miejsce na podjęcie próby. A ona, jeśli chciała mu utrzeć nosa... cóż, to też była idealna okazja, żeby spróbować.

Czas rozciągał się niemiłosiernie. Jej serce waliło coraz szybciej. Wpatrywała się w stopy markiza... i nagle drgnęła, widząc, że się poruszyły. Swobodnym krokiem wszedł do klasy.

Jego oficerki od Hoby'ego zastukały złowieszczo o posadzkę. Zatrzymał się w łunie światła padającego z pierwszego okna w rzędzie. W jego czarnych włosach dostrzegła rudawe kosmyki wyglądające jak rozżarzone węgle. I zmarszczki w kącikach oczu.

On jest mi pisany.

Myśl ta pojawiła się nagle i znikąd, szokująca, choć zarazem dziwnie przekonująca. Phoebe wlepiła w markiza zdumione spojrzenie. Podobne myśli jeszcze nigdy jej nie nawiedzały. Poczuła, że budzi się w niej kłujący ból pożądania. Miała wrażenie, jakby znała go od dawna – jego słabości, wady, namiętności, jego zalety, poczucie humoru. Wrażenie szalone, nieracjonalne.

Pomyślała, że to wszystko przez tę poświatę, która go oblewała i sprawiała, że tak dziwnie wyglądał. Na pewno, gdy zmieni miejsce, wrażenie minie.

Nie patrzył na nią, tylko spokojnie przyglądał się terenowi za oknem. Krajobraz był typowy dla Sussex – falujące zielone wzgórza i drzewa szybko tracące liście, gdyż jesień nadciągała ku nim wielkimi krokami. Ta strona budynku nie wychodziła na morze. Nie było czego komentować. Ani krytykować.

A jednak markiz wciąż stał przed oknem. Nic nie mówiąc.

Czyżby chciał ją zwabić do klasy przedłużającym się milczeniem?

Musi szybko podjąć decyzję.

Ku zaskoczeniu Phoebe coś poza jej świadomością już ją jednak podjęło. Usłyszała echo stukotu swoich trzewików na podłodze. I bębnienie w uszach wywołane mocno bijącym sercem.

Markiz odwrócił się od okna.

Ich spojrzenia się spotkały.

Cisza nagle wydała się tak głęboka, że Phoebe pomyślała, że ogłuchła.

Zastanawiała się, czy to możliwe, żeby markiz faktycznie planował... rzucić się na nią? Jak właściwie wymusza się pocałunek od nauczycielki? Markiz chyba powinien najpierw spróbować ją w jakiś sposób oczarować. Powinien podejść. Dopiero wtedy będzie mógł do niej się zbliżyć i otoczywszy długim ramieniem...

Nagle miała dosyć. Już dłużej nie zniesie tego napięcia.

– Cóż, nie widzę żadnych niedociągnięć, wyłącznie same zalety – odezwał się markiz, przerywając ciszę.

Czyżby znowu coś insynuował?

– To miłe, że się panu u nas spodobało, lordzie Dryden. – Niepewność, oburzenie i duma, i jeszcze to bezsensowne pożądanie sprawiały, że wszystko, co mówiła, wydawało się jej straszliwie puste.

Ale markiz, o dziwo, był chyba zadowolony. Przez jego twarz znowu przemknął krótki uśmieszek, który rozświetlił oczy. Phoebe ogromnie się podobały, gdy tak błyszczały, i podobało jej się uczucie, jakie się w niej rodziło, gdy markiz patrzył na nią w ten sposób. Przez głowę przemknęło jej nawet, że być może jest... nieśmiały. Potrafiła odróżnić roztargnienie od zażenowania, obojętność od zamyślenia, i choć markiz z pewnością należał do mężczyzn, którzy bardzo dobrze się czują we własnej skórze, to jednak teraz sprawiał wrażenie lekko zagubionego.

Może miało to związek z rozdźwiękiem w ich pochodzeniu społecznym.

A może po prostu był zdenerwowany, gdyż szykował się do pocałowania nauczycielki, mimo że wcale nie miał na to ochoty. Zwłaszcza za marne dziesięć funtów.

Oczywiście marne dla niego.

Och, na rany boskie. Dłużej nie zmierzała tego znosić.

– No cóż, lordzie Dryden, może miejmy już to za sobą, co pan na to?

Uśmiech znikł z jego oblicza.

– Słucham?

– O ile się nie mylę, chce mnie pan pocałować?

41

5

Markiz znieruchomiał, a na jego twarzy pojawił się wyraz skrajnego zdumienia i zagubienia. Rozdziawił usta, zamknął, po czym ponownie otworzył.

Na koniec lekko pokręcił głową.

– Przepraszam bardzo, ale dlaczego pani sądzi... Doprawdy nie rozumiem...

Sprawiła, że zaczął się jąkać.

– No cóż, jesteśmy sami, a pan podobno lubi zakłady. Moje przypuszczenie jednak, jak sądzę, bierze się przede wszystkim stąd, że słyszałam, jak pański przyjaciel namawiał pana, żeby pan to zrobił. Zakład opiewał na dziesięć funtów, o ile dobrze pamiętam. Niczego sobie kwota. Można za nią kupić jeden palec u rękawiczki.

Po twarzy markiza przemknęła cała gama emocji, od zażenowania, przez zrozumienie, przerażenie, poirytowanie, po niezaprzeczalne zaciekawienie i...

Phoebe nie spodziewała się, że spodoba jej się mina, jaką ujrzała na sam koniec.

Rozbawienia zmieszanego z poczuciem porażki.

– Cóż, obwieszczenie tego na głos z pewnością psuje całą zabawę.

Phoebe mogła różnie zareagować na to stwierdzenie i wiedziała, czego na pewno nie powinna była powiedzieć.

– Zabawę?

A jednak to powiedziała.

Milczenie. I potem:

– Panno Vale? – zaczął ostrożnie markiz.

– Tak?

– Czy pani... ze mną flirtuje?

– Zaskoczyłabym pana, gdybym odpowiedziała twierdząco?

– Cóż...

Zdusiła śmiech.

– Bo będąc kobietą o dość pospolitej urodzie, nie powinnam wykazywać podobnych umiejętności? Czy dlatego, że się pan przyzwyczaił, że ta, jak pan to nazwał, zabawa zwykle przebiega odwrotnie, i to pan uwodzi, a kobiety kapitulują pod pańskim urokiem? Nigdy się to panu nie nudzi? Że wszystko zawsze toczy się w ten sam sposób?

Złożyła dłonie przed sobą i w paroksyzmie śmiechu zgięła się prawie wpół.

Markiz wyraźnie się speszył.

– Tak... nie! To znaczy, pani uroda wcale nie jest pospolita.

Jules sam nie wiedział, czy jego ostatnie słowa odpowiadają prawdzie, niemniej już zostały wypowiedziane. I było to z pewnością najmądrzejsze, co mógł zrobić w danych okolicznościach. Bo przecież, gdyby panna Vale była pięknością, chyba już by to zauważył?

– Och tak, wiem, mam bardzo ładną cerę. Tak mi przynajmniej mówiono i to na tyle często, że w końcu dałam temu wiarę – odrzekła Phoebe z rozbawieniem.

Markiz w końcu się zorientował, że dziewczyna z niego żartuje.

Potrzebował chwili, że zebrać się w sobie, a nie pamiętał, kiedy ostatnio był do czegoś podobnego zmuszony. Tak czy inaczej, nie ulegało najmniejszej wątpliwości, że zakład, jaki zawarł z Waterburnem, zapadł mu pamięć niczym cierń. Sam Waterburn był jak przeklęty cierń.

Uważał, że panna Vale jest bystra, że nie brakuje jej inteligencji. Już w sklepie poczuł emanującą od niej energię, chociaż wtedy sądził, że ten hamowany zapał dotyczy kapeluszy. Wpatrywała się w jeden z nich, jakby to była wyrocznia.

I wcale nie zamierzał jej całować.

Czy na pewno?

Tylko że teraz już wiedział, że ona ma go za kogoś w rodzaju nieudolnego bawidamka. Co zakrawało na ironię, gdyż nieudolność stanowiła luksus, na który nigdy nie mógł sobie pozwolić. A poza tym, do diabła, w tej chwili rzeczywiście przyglądał się jej cerze, chociaż starał się, aby tego nie zauważyła.

No i w blasku wpływających przez okno promieni słonecznych... cóż, porównanie z perłami wcale nie było przesadzone. Od panny Vale biło zdrowiem, świeżością... żywotnością. W jakimś sensie wydawało się, że cała błyszczy.

– Bo faktycznie jest ładna – rzucił ostrożnie.

– Och, proszę nie przesadzać z wylewnością.

Jules poczuł, że znowu zbiera mu się na śmiech, i nie mógł nad tym zapanować.

– Czyżbym miał panią przepraszać w imieniu całego rodu męskiego za to, że powtarzamy ciągle ten sam komplement pod pani adresem? Czy to nie lepsze, niż gdyby nie otrzymywała pani żadnych?

– Kiedy się wciąż słyszy jedną i tę samą pochwałę, trudno nie dojść do wniosku, że jest to jedyna godna zauważenia cecha danej osoby.

Nadal mówiła z rozbawieniem. Jakby nic nie było w stanie zbić jej z tropu. Jules pomyślał, że dotąd chyba jeszcze nie spotkał aż tak dobrze panującej nad sobą niewiasty. Z drugiej strony, można się było domyślać, że opanowania nauczyła się w pracy, mierząc się z trudnymi charakterami swoich uczennic. W porównaniu z nimi jakiś tam markiz nie stanowił dla niej wielkiego wyzwania.

– Niech pani ma dla nas trochę litości. W końcu nie wszyscy jesteśmy poetami. Sądzimy, że kobiety pożądają komplementów, więc je im prawimy. Proszę też rozważyć możliwość, iż pani wielbiciele mogli aż tak zachwycić się pani cerą, że cała reszta umknęła ich uwagi.

– Och, cóż za genialna teoria! Warta przemyślenia.

– Pani oczy są pomijane w komplementach?

– A zamierza je pan skomplementować, lordzie Dryden?

– Gdzieżbym śmiał. Mogłaby pani uznać, że moje pochwały są zbyt marne, i wyszedłbym na durnia.

Uśmiechnęła się do niego, wyraźnie zadowolona. Może nawet zaskoczona.

Jules ze zdziwieniem stwierdził, że on również się uśmiecha. I że odczuwa absurdalną satysfakcję z faktu, że sprawił jej przyjemność.

Minęła chwila, podczas której królowały uśmiechy, a powietrze stało się tak osobliwie naelektryzowane, że oddychając nim, Jules odnosił wrażenie, iż przestał cokolwiek ważyć.

Czemuż to nikt nie chwalił jej uśmiechu? Był zaiste uroczy. A jej oczy o trudnej do określenia barwie – wciąż nie mógł się zdecydować, czy są zielone, czy szare – rozświetlały się wraz z nim niczym lampy, w rogach ust zaś pojawiały się dołeczki przypominające o tym, że ma do czynienia z nauczycielką – dołeczki wydawały się równie czarującym, jak i koniecznym dodatkiem do uśmiechu, zupełnie jak znaki przystankowe w zdaniu lub podpórka na książki na końcu rzędu... no cóż, książek.

Mało poetyckie, ale przynajmniej była to metafora.

– Może wina leży po mojej stronie. – Phoebe z udawanym zastanowieniem przytknęła palec do brody. – A może rzecz w tym, że nie spotkałam jeszcze mężczyzny, którego wyobraźnię uznałabym za godną rozpalenia.

Zabrzmiało to tak, jakby rzucała mu wyzwanie.

– To całkiem możliwe – zgodził się, choć bardzo powściągliwie.

Z jakim typem mężczyzn mają kontakt nauczycielki? Z farmerami? Pastorami? Z nauczycielami? Wojskowymi? Czyżby panna Vale prowokowała go, żeby się do niej zalecał?

Jego? Markiza?

Który, tak się przypadkiem składało, lubił wyzwania. Prawie tak bardzo jak nie lubił zobowiązań. Oraz wymuszonych zakładów.

– Była pani kiedyś w Londynie? – spytał.

Osobliwie się zawahała.

– I owszem.

– Można tam spotkać... najróżniejszych ludzi.

Uznała to za bardzo zabawne.

– Sugeruje pan, że powinnam poszerzyć krąg znajomości, jeśli chcę wysłuchiwać więcej komplementów? O to niech się pan nie martwi. Tak się składa, że wybieram się za granicę. Bardzo daleką zagranicę. Po drodze na pewno spotkam wielu ciekawych mężczyzn.

Jules, zafascynowany konwersacją, wbrew sobie coraz bardziej się w nią wciągał.

– A dokąd to się pani wybiera?

Kolejne osobliwe zawahanie.

– Planuję pojechać do Afryki.

– Afryki! – Równie dobrze mogła powiedzieć, że wybiera się na Księżyc. Jak, na Boga, powinien odpowiedzieć na tego rodzaju stwierdzenie? Do Afryki wyjeżdżają misjonarze. Może potrzebują na miejscu nauczycieli? – Jedzie tam pani do… do pracy? – dokończył pytanie ostrożnie, słowo „praca" dodając po krótkiej pauzie.

Phoebe parsknęła śmiechem.

Był to najładniejszy dźwięk, jaki słyszał od dawna, przyjemniejszy dla ucha od każdej opery lub musicalu, ładniejszy od śpiewu ptaków lub stukotu kopyt na torze wyścigowym, od westchnień kochanki lub każdego innego ulubionego przez niego dźwięku. Jej oczy zupełnie zniknęły, głowę odchyliła w tył, tak że mógł nawet dostrzec jej zęby trzonowe. Sycił się tym widokiem, zdumiony nim i wielce uszczęśliwiony.

– Och, Boże mój, lordzie Dryden. Szkoda, że nie widział pan swojej miny, kiedy wymawiał słowo „praca". Chyba wie pan, że praca nie zalicza się do siedmiu grzechów głównych. Ale zgadza się, sądzę, że pojadę do Afryki właśnie do pracy.

– Przy… przy jakiejś misji? – Gorączkowo szperał w umyśle, szukając jakichkolwiek informacji o Afryce oraz powodów, dla których ludzie się tam udawali. – Będzie tam pani uczyła?

– Tak.

– Bo jest pani taka… pobożna?

Patrzcie państwo, teraz to on próbował z nią flirtować.

Posłała mu uśmiech będący przeciwieństwem pobożności. Leniwy i zalotny.

Ale milczała. Jej odpowiedzią był uśmiech, który, ku zaskoczeniu Julesa, podniósł mu włoski na karku i wywołał ciepło w dolnych partiach ciała.

– A może udaje się pani na misję, bo potrzebuje się pani zreformować – powiedział, zniżając głos.

To pytanie również pominęła milczeniem.

Zaczynamy się peszyć, madame nauczycielko?

– Jadę do Afryki, bo najzwyczajniej mam ochotę pozwiedzać świat.

– Niektórzy zaczynają od Włoch. Lub Brighton.

– Ja pomyślałam, że zacznę od końca i w drodze powrotnej poznam miejsce, które inni poznają na początku.

Jules głośno się roześmiał. Było jasne, że dobrze się bawi.

– Tylko próbowałem zgadywać, zasugerowany pani zawodem.
Istnieją oczywiście jeszcze inne możliwości. Na przykład, że wybiera się pani do Afryki z powodu zobowiązań męża lub ze względu
na klimat, który, jak słyszałem, przypomina wnętrze pieca. Tylko
że moim zdaniem kobieta nie powinna...

W porę zdał sobie sprawę, co chce powiedzieć, i szybko zamilkł.

– Pracować? Proszę się nie obawiać, nikomu nie zdradzę, że
użył pan tego straszliwego słowa w mojej obecności i to kilkakrotnie.

– ...jeśli ma męża, brata lub ojca, którzy się o nią troszczą.

– No właśnie – rzuciła tylko.

A więc nikogo takiego nie było? Ale przecież jest jeszcze na tyle młoda – lub stara – że powinna mieć i męża, i ojca, i brata. Ma
obie nogi, ręce, nie jest w żaden sposób zdeformowana. Na pewno
mogłaby do tej pory wyjść za mąż, gdyby chciała. Może jest wdo-
wą? Chociaż ani na nią nie wyglądała, ani nie zachowywała się jak
wdowa.

– Rzecz w tym... że... – Zrobiła głęboki wdech. – Proszę mi
szczerze powiedzieć, lordzie Dryden, czy nigdy się panu nie nudzą te same rozrywki i zajęcia? Czy nie czuje się pan czasami...
uwięziony.

Niewyobrażalne, że to pytanie padło pod jego adresem.

– A czemu pani sądzi, że aż tak często oddaję się tym samym
rozrywkom i zajęciom, że mógłbym być nimi znudzony?

– Czytuję londyńskie gazety.

Och.

– Nie spędzam życia wyłącznie na zabawie i rozpuście, szanowna pani. W gruncie rzeczy na rozrywkę zostaje mi niewiele czasu.

– Doprawdy?

Kąciki jego ust nieznacznie wygięły się ku górze.

– Spoczywa na mnie wiele obowiązków.

– Musi pan doglądać swoich licznych posiadłości. – Dwa ostatnie słowa przeciągnęła, dołączając kpiący ton.

Cóż, rzeczywiście był właścicielem tylu posiadłości, ile miał tytułów. A nawet miał ich więcej. Przez co ciążyło na nim mnóstwo obowiązków. Na szczęście świetnie potrafił je rozdzielać i z nieomylnym wręcz wyczuciem zatrudniał u siebie najlepszych zarządców.

Przydałby mu się tylko ktoś jeszcze do doglądania licznej rodziny.

– Jakby pani zgadła. Zarządzanie nimi to niekończąca się harówka. A w plotkarskich gazetach nie znajdzie pani wzmianki o tym, że na przykład w moim majątku w Hereford kazałem ostatnio wybudować nowe kanały melioracyjne.

– Naprawdę? – rzuciła zafascynowanym głosem. – Nowe kanały melioracyjne, no, no, to dopiero.

– Ani że udało mi się kupić wspaniałą rasę owiec i że czerpię spore zyski ze sprzedaży owczej wełny.

– Owcza wełna to podobno jeden z głównych zasobów Anglii.

– Poza tym służyłem w wojsku.

– Bardzo imponujące, choć słyszałem, że wojna to nuda przeplatana gwałtem i grozą.

A więc miała styczność z wojskowymi. Ciekawe jakiego stopnia? – zastanawiał się, będąc przekonany, że żołnierze z oddziału, którym dowodził, byliby nią zauroczeni. Wszyscy jak jeden mąż twierdzili, że wojna wydawała im się znośniejsza nie dzięki ślicznotkom, a bardziej dzięki tym kobietom, które charakteryzowały się niespożytą energią i werwą.

– Och, wojna to nie tylko to. Jeśli ktoś z oddaniem udziela się w armii, ma okazję poznać niezliczoną ilość przekleństw oraz złapać całą gamę różnych chorób. Nie wspominając o interesujących bliznach.

– A pan złapał jakąś chorobę? – Pytanie niestety zostało zadane bardziej tonem zaciekawienia niż troski.

– Żadnej, która mogłaby zabić mnie lub panią w trakcie tej rozmowy.

Znowu na jej ustach wykwitł uśmiech, z początku subtelny, potem coraz wyraźniejszy. Podobało mu się, że dzieje się to tak wolno, gdyż uśmiech stopniowo rozświetlał jej oblicze, co przypominało wschodzące słońce. Lub jakby patrzył na... początek. Czegokolwiek.

Jules pomyślał, że jest niebezpiecznie blisko uczucia... no cóż, szczęśliwości, z braku lepszego słowa... choć zarazem nerwy miał jak postronki, naciągnięte tak mocno jak struny w klawesynie. Już nie pamiętał, kiedy ostatnio prowadził rozmowę, która by go aż tak zaintrygowała. I to w dodatku z kobietą. Nie potrafił przewidzieć, co Phoebe powie w następnym zdaniu, a to się rzadko zdarzało w przypadku innych jego rozmówców.

Z drugiej strony chyba nigdy wcześniej nie miał okazji konwersować z nauczycielką.

Uwięziony.

I teraz, gdy o tym wspomniała, nagle faktycznie poczuł wokół siebie ściany niewidzialnego więzienia.

– I jeszcze w wojsku można zawrzeć dozgonne przyjaźnie – dodał stonowanym głosem, czując potrzebę bronienia szacownej instytucji. – Lepiej wiedzieć, kto w razie czego będzie skłonny oddać za człowieka życie.

– A pan to wie?

– Wiem. A pani?

Dziwne, ale wydało mu się, że jej oczy przysłonił jakiś cień. Jednak już po chwili zniknął. A Jules kolejny raz w trakcie rozmowy mógł się upewnić, że oczy kobiety zdradzały jej każdą emocję.

– Przyjaciele są ważni – oznajmiła, ignorując pytanie.

Uniósł brwi, żeby wiedziała, iż zauważył unik, na co ona odpowiedziała niewinnym wygięciem własnych brwi. Tak czy inaczej uważał, że panna Vale raczej nie ma szans na ukrycie tego, co czuje, tak żywe miała spojrzenie i tak wiele zdradzające. Jej żywiołowa, skomplikowana natura zdawała się przenikać każdą maskę, za jaką próbowała się schować.

Jules, otrząsnąwszy się z tych rozważań, zmusił się do powrotu do rzeczywistości.

– A pani często odczuwa znudzenie, panno...?

A niech to szlag. Był na tyle dobrze wychowany, że zrobiło mu się wstyd, że zapomniał jej nazwiska.

– Vale – podsunęła słodkim głosikiem. Ale bez urazy. Raczej była rozbawiona.

Nie umiał się powstrzymać: naprawdę był ciekaw. Nigdy by mu nie przyszło do głowy, że któraś ze znajomych mu dam mogłaby być aż tak znudzona, że wpadałaby na pomysł wyjazdu i to aż do Afryki. Panie z towarzystwa zaprzątało tak wiele spraw, często mało dla niego zrozumiałych, chociaż czasami dość uroczych, jednak zebrane w całość lub gdy, nie daj Boże, dyskutowały o nich w jego obecności, wywoływały one w nim tę rozedrganą panikę, której nie odczuwałby nawet pod groźbą przystawionego mu do czoła pistoletu. Chodziło o te wszystkie drobiazgi z życia kobiet z wyższych sfer. Haftowanie, modystki i tym podobne.

A tu miał do czynienia z kobietą pracującą. Jakim cudem czuła się znudzona?

– Jestem wdzięczna losowi, że pozwolił mi znaleźć pracę w akademii. Uczennice to sama przyjemność, a panna Endicott jest ogromnie uczciwym i życzliwym pracodawcą. Przypuszczam, że trzeba być przeklętym wybujałą wyobraźnią, żeby się w takich okolicznościach nudzić.

– A pani, jak rozumiem, została nią przeklęta?

Zadał to pytanie z czystej ciekawości, choć ostrożnie, gdyż w przeszłości dane mu było poznać jedną lub dwie niewiasty obdarzone fantazją. Pisywały kwieciste wiersze, zaczytywały się w powieściach o duchach i na wieczornych musicalach wyśpiewywały namiętne arie. A na zakończenie romansu, mimo że grzecznie odprawione i obdarowane drogim pożegnalnym prezentem, potrafiły rzucać w człowieka wazonami.

– Być może.

– Stąd Afryka? Z podszeptu wyobraźni?

– Tak sądzę.

Wyraźnie nie miała ochoty rozwijać tematu i Julesowi przyszło do głowy, że być może i nim się już znudziła.

– Pani wyobraźnia zaskakuje rozmiarem.

– Albo to moje znudzenie jest aż tak rozległe.

Znowu się uśmiechnął.

Panna Vale głęboko westchnęła. Widać było, że próbuje zwalczyć jakąś silną emocję. Prawdopodobnie bolesną. Spuściła wzrok, szukając czegoś, na czym mogłaby go skupić, i jej wybór padł na globus. Jules odnosił dziwne wrażenie, że czekała, aż uczucie, które nią zawładnęło, minie, i że aby tak się stało, musiała unikać patrzenia na niego.

– Może problem tkwi w ludziach, którymi się pani otacza, panno Vale.

Szybko na niego spojrzała.

– Mam wspaniałych znajomych – odparła z wyraźną urazą.

Spojrzeli sobie twardo w oczy.

Jules, poczuwszy w sercu ukłucie, w którym ze zdziwieniem rozpoznał zazdrość, nagle bardzo mocno zapragnął się dowiedzieć, kim są owi znajomi. Ale właśnie z powodu zazdrości postanowił nie drążyć tematu i zamiast tego, dziwnie oczarowany, lecz też zaniepokojony wbitym w niego spojrzeniem nauczycielki, rzekł:

– Potraktuję to zatem jako komplement pod swoim adresem, zważywszy, że znajduję się obecnie w pani otoczeniu.

– Może pan sobie traktować moje słowa, jak się panu żywnie podoba, lordzie Dryden – odparła uszczypliwie. – Ja chciałabym tylko wiedzieć, czy przeszła już panu chęć pocałowania mnie?

Zręcznie przejęła od niego prowadzenie rozmowy. Wróciła do wątku flirtu, znowu napomykając o „całowaniu", które podziałało na niego jak granat rzucony w poduchę z pierza.

Który chwilę później eksplodował w jego umyśle.

I potem mógł już myśleć tylko o tym, jak by to było, gdyby ją pocałował i jak nieprawdopodobne mu się to teraz wydawało, że znowu nawiązała do tematu zakładu.

Jules wcale nie był pewien, czy Phoebe mu się podoba. Chociaż z całym przekonaniem mógł powiedzieć, iż konwersacja, jaką prowadzili, bardzo go wciągnęła. Na pewno szybko jej nie zapomni.

Ani panny Vale.

– Jeśli w przyszłości przyjdzie pani ochota, by ktoś ją pocałował, sugerowałbym zmianę sposobu prowadzenia rozmowy – odparł oschle.

– Nie tak bardzo chodzi o to, czy mam ochotę być całowana – powiedziała szybko, wcale nieobrażona ani zażenowana – ile o osobę, która miałaby to robić.

Jego spojrzenie powędrowało wtedy do jej ust, bo jakże miało tam nie powędrować? Opisałby je słowami: drobne i... miękkie. Były jasnoróżowe. Połówka serca wsparta na dość wydatnym dolnym łuku.

Po plecach przemknęło mu znajome, choć niespodziewane mrowienie. Coś jak zapalony lont.

Phoebe zauważyła, że gapi się na jej usta, i połówka serca uniosła się w kąciku.

– Czy już ktoś panią wcześniej całował? – Z jakiegoś powodu musiał to wiedzieć.

– A czemu pan pyta? Czyżby się pan obawiał, że w porównaniu z tamtymi pocałunkami pański wypadnie blado?

Chryste, jakże ona potrafiła na wszystko znaleźć odpowiedź. I jeszcze patrzyła mu przy tym prosto w oczy. Podejrzewał, że doskonale zdawała sobie sprawę, jak silne wrażenie na nim wywiera. Uznał, że jej oczy są koloru... zielonego? Były przejrzyste i duże, rzęsy jasne na końcach, brwi prawie niewidoczne, w kształcie dwóch małych skrzydełek. Subtelne cienie jej twarzy pozwalały dopatrywać się spokojnej natury i uległości właścicielki. Tak uważało wielu mężczyzn.

Lecz panna Vale była tego zaprzeczeniem.

– Kiedy ja panią pocałuję, zapomni pani o wszystkich innych pocałunkach.

Słowa padły szybko i były przepełnione ogniem.

Spostrzegł, że Phoebe wstrzymała oddech i znieruchomiała. I chociaż podejrzewał, że w duchu przeklinała ten fakt, jej rzeczywiście piękną karnację oblał lekki rumieniec. Wyglądało to jak jutrzenka wypływająca na blady nieboskłon.

Krótko mówiąc, udało mu się zaszokować i ją, i siebie. W drodze do ust słowa jakimś cudem ominęły rozum. A to mu się rzadko zdarzało.

A więc nie był jej obojętny jako mężczyzna. I mimo pozorów, jakie stwarzała, wcale nie była aż tak pewna siebie. Być może flirt służył jej do utrzymywania mężczyzn na dystans.

Czego się tak obawiała?

Jules nie do końca był przekonany, czy chce to wiedzieć.

A ponieważ rozmowa dotarła do martwego punktu, między nimi zapadła krępująca cisza.

– Szybciej bym dała wiarę pańskim słowom, lordzie Dryden, gdybym nie podejrzewała, że to samo mówił pan już setkom innych kobiet – odezwała się wreszcie Phoebe niedbałym tonem, choć Jules wyraźnie dosłyszał w nim znak zapytania.

Nie zamierzał odpowiadać, gdyż rzeczywistość wyglądała tak, że nigdy wcześniej nikomu czegoś podobnego nie mówił. Dotychczas, jeśli zapragnął pocałunku kobiety, zwykle go otrzymywał bez specjalnych zabiegów z jego strony. Był markizem Drydenem, zamożnym arystokratą, który wyglądał... cóż, tak jak wyglądał. Uważał, że mógł się zaliczyć do grona szczęśliwców, że po ojcu odziedziczył oczy, a nie charakter.

Ale skoro panna Vale nawet jego oryginalne myśli odbierała jako wyświechtane formułki, to wywarcie wrażenia na tej kobiecie będzie...

Czyżby naprawdę zaczął się zastanawiać, jak jej zaimponować? Nauczycielce?

Czas sobie przypomnieć, kim jest i w jakim celu przybył do akademii.

– Cóż, żałuję, że tak pani uważa, bowiem moje słowa były absolutnie spontaniczne. – Zadał sobie trud, żeby jego głos zabrzmiał niedbale.

Wolno przechyliła głowę na bok, być może, aby spojrzeć na jego twarz pod innym kątem i dostrzec coś więcej pod maską znudzenia, ale nawet jeśli jej się to udało, jej mina niczego nie zdradziła.

A potem jedno jej ramię nieco się uniosło i opadło.

Nawet nie chciało jej się wykonać pełnego gestu.

Powinno go to rozbawić, lecz milczał. Nie był pewien, co ma powiedzieć w sytuacji, gdy ich rozmowa osiągnęła aż takie wyżyny.

Panna Vale jednak nie miała problemów z mówieniem. Po raz kolejny dała mu powód do podziwiania jej opanowania.

– Mam jeszcze dzisiaj spotkanie z grupą uczennic, którym muszę przekazać ostatnie instrukcje. Nie chciałabym się na nie spóźnić – powiedziała przepraszająco uprzejmym, ale też zdystansowanym tonem.

Jego milczenie odebrała jako zgodę na odejście, więc się odwróciła i oddaliła w głąb korytarza. On zaś pozostał na miejscu i być może dlatego, że rozmowa wytrąciła go z równowagi, gdy odprowadzał nauczycielkę wzrokiem, w oczy rzuciło mu się naraz kilka szczegółów dotyczących jej wyglądu, jakby panna Vale był brylantem o wielu fasetach: szyję miała smukłą i jasną, wąskie plecy kończyły się zgrabnie zaokrąglonymi biodrami, a opadające na kark kosmyki delikatnych złocistych włosów mieniły się tak samo mocno jak najdroższe haftowane suknie z jedwabiu jego siostry.

Wszystkie te szczegóły, dziwnie istotne, wzbudziły w nim nieufność i zarazem fascynację, jakby patrzył na nieodkryty dotąd nowy gatunek człowieka.

Po powrocie do swojego pokoju Phoebe usiadła za biurkiem i spojrzała w dół na niedokończony list, który po chwili zastanowienia zmięła w kulkę i rzuciła przez ramię Charybdzie.

Później zaś, ponieważ w duchu wciąż była tą samą szaloną dziewczyną, co niegdyś, sięgnęła po następną kartę i zanurzywszy pióro w kałamarzu, zaczęła pisać.

Droga Lisbeth!

Dziękując za zaproszenie, spieszę donieść, że z wielką ochotą do Ciebie dołączę i że już nie mogę się doczekać naszego spotkania. Jeszcze raz dziękuję, że o mnie pomyślałaś.

Z wyrazami oddania
Phoebe Vale

6

Phoebe wygładziła fałdy sukni i wyciągnęła rękę, natychmiast po-
chwyconą przez lokaja. Z powozu, który po nią przysłano, zdołała
wysiąść, nie świecąc pończochami ani podwiązkami, choć nawet
gdyby tak się stało, oblicze lokaja na pewno nie zmieniłoby wyrazu,
tak dobrze wyćwiczona była służba Redmondów.

– Phoebe!

Lisbeth zbiegła z marmurowych schodów olbrzymiego domu,
chwyciła Phoebe w objęcia, potem szeroko rozpostarła ramiona,
żeby jej się przyjrzeć, a następnie na każdym policzku wycisnęła
po jednym całusie, co zdaniem zaskoczonej Phoebe było bardzo
kontynentalnym zachowaniem.

Trochę to potrwało, nim po tym żywiołowym powitaniu prze-
stało jej wirować w głowie.

– Jakże się cieszę, że cię widzę! Wyglądasz wspaniale, Phoebe!
Bardzo zdrowo! – zachwycała się Lisbeth.

– Cóż, wielkie dzięki za miłe słowa! Każda dziewczyna marzy
o zdrowym wyglądzie.

Lisbeth, która wszystko odbierała dosłownie, nie zwróciła uwagi
na ironiczny wydźwięk odpowiedzi.

Ale zasadniczo było to miłe stworzonko. Bez wątpienia zwróciła
uwagę na spacerową suknię Phoebe, tę, którą Phoebe miała na sobie
podczas poprzedniej wizyty przed dwoma laty. Mimo to uprzejmie
powstrzymała się przed wypowiedzeniem rutynowego komplementu, jaki tradycyjnie przy powitaniu rzucają młode damy na całym
świecie. Suknie Phoebe były w najlepszym razie stosowne, z czego
obie świetnie zdawały sobie sprawę.

– Ale dość o mnie. Jeszcze raz bardzo dziękuję, że o mnie pomyślałaś. Poza tym jakaś ty śliczna, Lisbeth!

To była prawda, przy której wygłoszeniu Phoebe odczuła tylko lekkie szarpnięcie zazdrości. Dwa lata usunęły w niebyt pulch-
ne kształty, jakich Lisbeth nabrała w dzieciństwie. Jej oczy zrobiły się duże i bardzo niebieskie, nosek tak delikatny jak ostrze

najcieńszego noża, a usta bezsprzecznie nieraz już porównywano do pąku kwiatowego.

Nie ulegało też wątpliwości, że panna, często chwalona – prawdopodobnie nazbyt często – nabrała dużej pewności siebie, choć zarazem sprawiała wrażenie nadmiernie podekscytowanej jak dziecko przed rozdaniem świątecznych prezentów.

Lisbeth ujęła Phoebe pod ramię i poprowadziła ją do wspaniałego foyer, tymczasem milczący lokaje w perukach i liberii zabrali kufry, niosąc je z taką powagą, jakby nieśli trumny.

Ale nie skierowali się z nimi ku marmurowym schodom, gdzie na piętrze znajdowały się pokoje rodziny i gościnne.

Phoebe patrzyła, jak służący wchodzą do foyer, po czym skręciwszy w lewo, znikają za drzwiami prowadzącymi na dziedziniec...

...na tyłach którego stały kwatery dla służby.

Wprawdzie nie dla tej najniższego sortu – kucharzy i lokajów – tylko dla opiekunek, guwernantek, zarządców, wizytujących urzędników sądowych i tym podobnych, ale jednak. Phoebe się zastanawiała, ilu jeszcze „przyjaciół" rodziny umieszczono w tych pokojach.

Wzrok Lisbeth powędrował za jej spojrzeniem.

– Ciotka Redmond kazała przygotować dla ciebie pokój w południowym skrzydle. Jest bardzo ładny! Naprawdę!

Fanchetta Redmond skrupulatnie pilnowała, aby pod jej dachem nie dochodziło do przekraczania granic klasowych, i ulokowanie Phoebe na piętrze rodzinnym na pewno nie przeszło jej nawet przez myśl.

Phoebe nie była zaskoczona. A przynajmniej niespecjalnie. Niemniej, żeby się odezwać, musiała najpierw dla uspokojenia głęboko zaczerpnąć powietrza.

– Jestem o tym przekonana, jak też i o tym, że to pokój w sam raz dla mnie.

Lisbeth kiwnęła głową, jakby to było tak oczywiste, że nie wymagało komentarza, i na tym temat się zakończył.

– Jestem szczęśliwa, że mimo tak nagłej prośby mogłaś przyjechać. Ale za to czekają nas wspaniałe chwile. Tylko sobie wyobraź,

Phoebe! Przyjedzie tylu dystyngowanych gości. Sama się przekonasz, kiedy ich zobaczysz. Aż oniemiejesz ze zdumienia! Wymyśliłam, że wybierzemy się wszyscy na spacer do ruin, żeby je szkicować, więc mam nadzieję, że zabrałaś ze sobą swój szkicownik. Wuj Isaiah też szykuje jakąś niespodziankę, wieczór rozrywki. Kolacje mają być wystawne; podobno podadzą moją ulubioną potrawę: jagnięcinę w mięcie! A w niedzielę pójdziemy razem do kościoła. I zaraz ci przekażę największą nowinę. No może to nie nowina, a tylko pobożne życzenia, ale po balu sytuacja na pewno się zmieni. No i wieczorem przewidziane jest spotkanie w salonie, żeby goście się ze sobą zapoznali. Ubierz się więc w najlepszą suknię, a ja ci nawet podeślę pokojówkę do pomocy w ułożeniu włosów.

W ten sposób Phoebe zostało przypomniane, że Lisbeth, choć niepozbawiona rozumu, rzadko go używa. Nawet wtedy, gdy coś ją zaciekawiło, wystarczały jej wyjaśnienia uzyskane od osób bardziej od niej zainteresowanych zdobywaniem wiedzy. Tak czy inaczej uznała, że słuchanie paplaniny dziewczyny jest całkiem przyjemne, trochę jakby słuchała świergotania ptactwa w ogrodzie. Chociaż gdyby miało się to przedłużyć, mogłoby być nużące; Phoebe wolała rozmowy na konkretne tematy. Jednak kilka dni na pewno wytrzyma.

Ponadto, skoro Lisbeth postanowiła traktować ją jak przyjaciółkę... cóż, niech tak będzie – Phoebe też ją będzie tak traktowała.

Pomimo że ich pokoje znajdowały się w różnych skrzydłach domu.

Oraz tego, że Phoebe nigdy nie dopuściłaby Lisbeth do swoich najskrytszych myśli; domyślała się, że gdyby dziewczyna je poznała, skończyłoby się na silnym szoku.

– No to świetnie, wszystko ci powiedziałam, więc teraz pani Blofeld zaprowadzi cię do twojego pokoju. Tylko pamiętaj, żebyś za dwie godziny zeszła do salonu na wieczorek zapoznawczy.

Pokój rzeczywiście był przyjemny. Chociaż przez cienką ścianę słyszała czyjeś chrapanie. Prawdopodobnie jakiegoś zarządcy, który przybył do suwerena, Isaiaha Redmonda, zdać raport ze stanu, w jakim się znajdują któreś z jego włości.

Dywan był gruby. Łóżko wygodne, pościel wypełniona pierzem. Na próbę Phoebe uderzyła pięścią w poduszkę. Pierze, jak się patrzy! Pomyślała o Charybdzie, która byłaby zachwycona, gdyby mogła się na takiej poduszę wylegiwać, ale kotka została w akademii pod opieką posługaczki Mary. Pod oknem stało biurko, a dywan, choć to nie był savonnerie (termin znała z plotkarskich gazet), to jednak jakością wielokrotnie przewyższał szmaciany dywanik z jej pokoju w szkole panny Marietty Endicotte.

Rozwiesiła w szafie suknie, co zajęło jej mniej niż nic, po czym z kufra wyciągnęła szkicownik i usiadłszy przy biurku, leniwie przełożyła pierwszą stronę. Po chwili zawahania węgiel do malowania śmigał już po kartce, pozostawiając na niej śmiałe, niemal nieświadomie i szybko kreślone linie. Na wypadek gdyby miała już nigdy więcej nie zobaczyć markiza, chciała uwiecznić jego podobiznę, a bała się, że wkrótce nie będzie umiała przywołać jej z pamięci.

Kiedy skończyła, oblicze markiza wydawało się składać z samych cieni, zamaszystych maźnięć, ostrych łuków i wklęsłości, co było dosyć ironiczne, zważywszy, że portret przedstawiał mężczyznę, którego przewisko brzmiało Lodowy Lord.

Potem, żeby nie patrzeć na tę twarz, szybko zamknęła szkicownik i z powrotem wrzuciła go do kufra.

Dwie godziny później zgodnie z obietnicą Phoebe zeszła na dół i podążając za odgłosem rozmów, weszła do salonu zdominowanego przez kominek zdobiony rzeźbami cherubinów i jesiennej roślinności. Salon był duży i ciepły, stały w nim najróżniejszego typu siedziska oraz kilka gazowych lamp, gdyż Isaiah Redmond lubił innowacje.

Phoebe przywołała na twarz uprzejmy uśmiech i trzymając się blisko ściany, ukradkowo wśliznęła się do pomieszczenia zapełnionego modnie odzianymi gośćmi. Pierwszy wpadł jej w oczy sam patriarcha, Isaiah Redmond. Był to mężczyzna wysoki, w podeszłym już wieku, jednak wciąż przystojny, choć spojrzenie miał ostre jak brzytwa. Ciągnęła się za nim reputacja człowieka niewybaczającego przewin; uważano, że nie jest bezpiecznie mu się przeciwstawiać, mimo że Redmond był obdarzony zwodniczo ujmującym urokiem. Phoebe nieraz słyszała plotki – bo kto ich nie słyszał – o tym, jak daleko Redmond potrafił się posunąć, gdy mu na czymś zależało. Plotki gwałtownie narastały, gdy temat dotyczył Colina Eversea i tego, jak prawie zawisł na stryczku. A niektórzy twierdzili nawet, że to Redmond był odpowiedzialny za zniknięcie jego najstarszego syna, Lyona. Jednak najczęściej mieszkańcy Pennyroyal Green winą za to obciążali Olivię Eversea oraz legendarną klątwę, wskutek której podobno raz na pokolenie między kimś z rodu Eversea i rodu Redmondów zakwitała miłość – co miało prowadzić do tragicznych konsekwencji. Olivia Eversea zbywała tę gadaninę śmiechem, twierdząc, że to nonsensy, jednak nawet Waterburn, amator przedziwnych zakładów, nie chciał ryzykować zakładu dotyczącego prawdopodobnego ślubu. Mimo wszystko on też lubił wygrywać, a dobrze sobie zdawał sprawę, że w tym wypadku szanse na to są mniej niż znikome. Wyglądało zatem, że piękna Olivia jak była, tak pozostanie panną.

Phoebe, wdzięczna losowi za pewność, że nie zastanie w salonie Olivii, powiodła po nim wzrokiem, natychmiast spostrzegając Jonathana Redmonda, który z każdym dniem coraz bardziej przypominał swego brata, Lyona. Obok niego stał następny przystojniak, przyjaciel Jonathana, lord Argosy, częsty gość w Sussex i towarzysz Jonathana w wyprawach do gospody Pod Świnką i Ostem oraz na niedzielne msze w kościele.

Jej serce zadrżało, gdy ujrzała znudzone oblicze jasnowłosego olbrzyma, Waterburna. Jeśli on tu był, to…

Czując, że zwilgotniały jej dłonie, wytarła je w fałdy sukni. W rozmowie z markizem Waterburn wspominał, że prawdopodobnie obaj zostali zaproszeni na to samo przyjęcie. Phoebe nie miała śmiałości się rozglądać, jednak choć jeszcze nie dostrzegła markiza, to wszystko w jej ciele mówiło, że jest gdzieś blisko. Po chwili ujrzała jego szerokie plecy. Obok Jonathana na pasiastej kanapie siedziała Lisbeth, która z przejęciem o czymś opowiadała. Markiz nachylał się ku niej, zapewne, aby lepiej ją słyszeć.

Nagle lekko się odwrócił, być może wyczuwając między łopatkami czyjeś intensywne spojrzenie.

A gdy dostrzegł Phoebe, wykonał cały obrót i wolno się wyprostował.

I potem znieruchomiał.

Lisbeth akurat wybuchnęła perlistym śmiechem, być może śmiejąc się z dowcipu, który sama powiedziała, po czym widząc, że markiz się odwrócił, wesoło postukała go w ramię...

Kremowym wachlarzem.

Pokrytym ręcznie malowanymi różowymi pączkami, między którymi wiły się delikatne zielone łodyżki.

Phoebe wbiła w wachlarz tak intensywne spojrzenie, że ten zaczął jej się rozmazywać przed oczyma. Usłyszała dzwonienie w uszach i przez chwilę – przez jeden przeklęty moment – miała wrażenie, że świat usuwa jej się spod stóp, więc żeby się nie przewrócić, szybko przywarła plecami do ściany.

No cóż, naturalnie. Przecież wiedziała, że markiz pragnie tylko tego, co najlepsze, niepowtarzalne, wyjątkowe, najpiękniejsze.

I chodziły słuchy, że rozgląda się za kandydatką na żonę.

A Lisbeth pisała w liście, że ma jej do przekazania jakąś... niespodziankę.

Milczenie markiza musiało niechybnie trwać zbyt długo, gdyż Lisbeth, podniósłszy zagniewany wzrok na markiza, powiodła nim po linii jego spojrzenia.

I wtedy na jej twarzy wykwitł wyraz zdumienia, który jednak dość szybko się ulotnił. Najwyraźniej Lisbeth uznała, że markiz przygląda się Phoebe tylko dlatego, że jej wygląd tak bardzo odstawał od wyglądu reszty gości. Toteż, już spokojna, wesoło skinęła ręką, przyzywając Phoebe do siebie.

Phoebe jednak pozostała tam, gdzie stała; jej stopy nie chciały oderwać się od podłoża.

Lisbeth zaczęła ją przywoływać z większym wigorem i krok po kroku Phoebe jakoś zdołała przemierzyć pokój, chociaż czuła się, jak ciągniony za powróz oporny byk. Oczywiście miała nadzieję, że nikt tak tego nie postrzega.

– Phoebe, będziesz tak miła i przyniesiesz mi torebkę? Jest na górze, w mojej sypialni. Leży na łóżku.

Co do diabła...?

Phoebe wlepiła w Lisbeth zdumione spojrzenie.

Ale Lisbeth tylko się uprzejmie i wyczekująco uśmiechnęła.

Phoebe nic nie powiedziała, chociaż jej wzrok nieco stwardniał. Nie jest służącą. Nie wynajęto jej, żeby biegała na posyłki. A przynajmniej nie było o tym mowy w liście.

Ale Lisbeth chyba doskonale zdawała sobie z tego sprawę, tyle że najwyraźniej testowała umiejętności towarzyskie Phoebe lub cała sytuacja była przedstawieniem na rzecz markiza, żeby się zorientował, kim Phoebe jest i w jakiej roli występuje.

– Lord Dryden – odezwał się markiz, gdy już się wydawało, że Lisbeth, zapominając o manierach, nie dokona prezentacji.

Phoebe dygnęła.

– Miło mi poznać, milordzie – odpowiedziała, mając wrażenie, jakby jej uprzejmy głos dochodził do niej zza grubej szyby. – I przepraszam, ale muszę wykonać polecenie. Wygląda na to, że Lisbeth bardzo potrzebuje swojej torebki.

I po tych słowach gwałtownie się odwróciła i opuściła salon w ten sam sposób, w jaki do niego weszła. Szybko i przez nikogo niezauważona.

Przez nikogo poza jedną osobą.

Śmieszna sprawa, ale w chwili, gdy panna Vale wyszła, w salonie zrobiło się ciemniej, choć to było popołudnie i wpadające przez wysokie okna promienie słoneczne mocno rozświetlały cały pokój, jakby Redmondom z racji ich wysokiego stanu przysługiwała również większa ilość światła.

Jules nie tłumacząc się, oznajmił, że musi wyjść, choć przyrzekł, że niedługo wróci. Posłał przy tym ciepły uśmiech w stronę Lisbeth, która z nowym wachlarzem wyglądała naprawdę pięknie. Z drugiej strony, Lisbeth wyglądałaby pięknie, nawet gdyby trzymała w dłoniach jeża. Niemniej Jules był zadowolony, że tak świetnie udało mu się dobrać prezent i że sprawił nim obdarowanej tak wiele radości.

O tym, dokąd idzie, w pełni zdał sobie sprawę dopiero, gdy skręcił za róg i zatrzymał się w drzwiach, tak aby móc widzieć plecy kobiety, o której nie potrafił zapomnieć.

Panna Vale zmierzała w stronę schodów, ale się nie spieszyła. Idąc, lekko falowała biodrami, w które Jules wpatrywał się jak w wahadełko hipnotyzera, zarazem się zastanawiając, jakie to nogi i podwiązki kryją się pod tą szarą suknią w wyblakłą pepitkę.

Kiedy już przesunął wzrokiem po całej długości sukni, jego spojrzenie zatrzymało się na postrzępionym brzegu i widniejącej na nim niewyraźnej białej linii, która wyglądała, jakby powstała od wielokrotnego użycia żelazka oraz spruwania nici, tak aby po przełożeniu sukni na drugą stronę można ją było przeszyć na nowo i nosić dalej.

Na tę myśl szybko oderwał wzrok od sukni, a na jego czole pojawiła się głęboka zmarszczka.

Był zakłopotany. Miał do czynienia ze zwykłą nauczycielką, która nawet jeśli miała szlacheckie korzenie, to na pewno nie w najbliższej rodzinie, a co najwyżej wśród przodków sprzed pokolenia lub jeszcze dalszych. W Anglii roiło się od takich kobiet jak panna Vale, egzystujących na obrzeżach arystokracji, które od ubóstwa dzieliło tylko jedno nieszczęśliwe zrządzenie losu. A ponadto, na litość boską, przecież biodra każdej kobiety falują mniej lub bardziej. Oczywiście nie licząc bioder jego ciotki, lady Windemere, której przysadzista sylwetka przypominała mały powóz na resorach.

Zobaczył, że panna Vale zatrzymuje się przy oknie w wykuszu. Mimo że wysłano ją po torebkę, jakby była pokojówką. Jules w duchu przyklaskiwał tej małej rebelii; zupełnie nie pojmował, po co Lisbeth torebka na przyjęciu.

Tymczasem Phoebe, zapatrzona w zielony krajobraz za oknem, który tak dobrze poznała w trakcie lat spędzonych w Sussex, myślała o tym, że jeśli zacznie w myślach recytować urywki z dzieła Marka Aureliusza, to może pozbędzie się przygnębienia. Czuła się jak idiotka, a przecież dotąd takie uczucie nigdy jej nie nawiedzało. Idiotki nie znają na pamięć wersów z Marka Aureliusza.

Ukryta w wykuszu, doskonale widziała i słyszała, co się dzieje w salonie.

– Nie wiedziałem, że została pani zaproszona na przyjęcie.

Rozpoznałaby ten głos wszędzie. W ciemności, w tłumie, w snach. Mimo to, kiedy się wolno odwracała, jej serce biło jak oszalałe.

Ale przygnębienie już ją opuściło – była bardziej niż pewna, że markiz wyszedł z salonu za nią.

Uspokój się, surowo upomniała swe rozdygotane serce.

– Nie tyle zostałam zaproszona, co... – Nagle zmieniła zdanie. – Cóż, nie bardzo wiem, kiedy miałabym pana o tym powiadomić. A na przyjęcie przybyłam na zaproszenie Lisbeth.

– Hm. Lisbeth jest zbyt stara, żeby potrzebować guwernantki, panno Vale, i o ile mi wiadomo, nikt z Redmondów nie uczęszczał do akademii, w której pani pracuje. Matka Lisbeth oraz hrabina Ardmay jeszcze nie przyjechały, a ja znam pannę Lisbeth Redmond od dwóch sezonów i...

Hrabina Ardmay? A kto to taki, u licha...

A tak! Violet Redmond. Obecnie żona hrabiego.

– Zatem, chyba się nie pomylę, jeśli uznam, że przez kilka następnych dni będzie pani występowała w roli... no powiedzmy, kogoś w rodzaju płatnej damy do towarzystwa?

Phoebe wymusiła na sobie blady uśmiech.

– Przyznam, że zabrzmiało to dość dwuznacznie, szanowny panie.

– Nie sugerowałem niczego zdrożnego, a tylko próbowałem panią rozśmieszyć. Przecież oboje wiemy, że jest pani bardzo świątobliwą osobą.

Phoebe z trudem powstrzymywała śmiech, chociaż wiedziała, że zamiast się śmiać, powinna pójść po torebkę.

– Tak czy inaczej, całkiem słusznie pan dedukuje. Matka Lisbeth, która nie mogła przyjechać, uznała, że Lisbeth powinna mieć towarzyszkę w zbliżonym wieku. Więc Lisbeth zwróciła się do mnie. Kiedyś, gdy była młodsza, udzielałam jej prywatnych lekcji i między nami nawiązała się nić przyjaźni. A obecnie moim zadaniem jest, jak sądzę, chronienie jej przed takimi osobnikami jak pan.

W odpowiedzi na to śmiałe stwierdzenie oczy markiza zamigotały rozbawieniem.

– Ach, więc jest pani przynętą. Jak te drewniane kaczki wpuszczane na jeziora w sezonie łowieckim?

– Sugeruje pan, że pana przyciągam, lordzie Dryden?

Uśmiechnął się do niej leniwie.

Ona odpowiedziała mu takim samym uśmiechem.

To było doprawdy zaskakujące... jak bardzo przyjemne było to ich przekomarzanie, jak szybko rozpalało w nich...

– Chyba nie jest pani dużo starsza od swojej podopiecznej, panno Vale?

– Ach widzę, że podstępnie próbuje pan poznać mój wiek. Ale tak, znów ma pan rację. No proszę, kto by pomyślał. Jest pan równie sprytny, jak bogaty. Jednak ma pan do czynienia z kobietą obeznaną ze sprawami świata, która nie da się naciągnąć na taką, nazwijmy to, błazenadę.

– Och, jaka szkoda.

Mimo że tego nie chciała, Phoebe musiała się uśmiechnąć.

– No cóż, niestety tak jest. Tyle lat byłam zmuszona opierać się błazenadzie, że stało się to, widzi pan, moją drugą naturą.

To było ostrzeżenie. Ale i wyzwanie.

Przyjął je do wiadomości, posyłając jej jeden z tych swoich uśmiechów, szybkich i łobuzerskich, tych, które zapierały dech w piersiach.

– W takim razie proszę mi opowiedzieć, na czym polegają obowiązki płatnej damy do towarzystwa?

Oparł się o ścianę, jakby się szykował na dłuższą rozmowę.

O Boże. To się źle skończy. Phoebe rzuciła nerwowe spojrzenie w stronę salonu. Następnie w kierunku schodów.

A potem, niech Bóg ma ją w swojej opiece, ona też oparła się o ścianę.

– No cóż... nie do końca jest to jasne. Sądziłam, że przede wszystkim będę musiała rozsyłać uprzejme uśmiechy, rozmawiać z gośćmi, wysłuchiwać paplaniny Lisbeth i znosić obecność Jonathana. W sumie to dość nieokreślona rola, dająca pole do improwizacji. Jednak Lisbeth wysłała mnie po torebkę i obawiam się, że w ten sam sposób przebiegnie reszta mojej wizyty. Oczywiście, dzięki Lisbeth moja praca tutaj to sama przyjemność – dodała pospiesznie. – Wszyscy wiedzą, że to bardzo miła, słodka i czarująca panna.

– To prawda, że jest ogromnie czarująca – zgodził się markiz po chwili zastanowienia.

Phoebe wolałaby, żeby jego głos nie brzmiał aż tak żarliwie.

– W takim razie może powinien pan rozmawiać z nią, a nie ze mną, lordzie Dryden. – Trochę za ostro. A niech to.

– Już rozmawiałem – odparł, wyraźnie rozbawiony jej irytacją.

– I już pan wyczerpał wszystkie tematy? Zadziwiające. Mnie się zawsze wydawało, że jeśli rozmowa jest prowadzona w odpowiedni sposób, to bardzo trudno jest ją zakończyć.

Markiz spojrzał w stronę salonu i po chwili wahania rzekł:

– Kłopot w tym, że nikt tu nie rozmawia ze mną w sposób, w jaki pani to czyni.

Tym razem nie żartował, swoją szczerością zaskakując i siebie, i Phoebe. Na moment między nimi zapadła niezręczna cisza.

– Może dlatego, że żaden z gości nie wybiera się jak ja do Afryki i że wszystkim zależy na pańskim zdaniu.

– Ach tak, rzeczywiście. Pani przecież jedzie do Afryki. Nic dziwnego, że podjęła się pani dodatkowego zajęcia. Wszak za przywilej smażenia się w tropikalnym słońcu na pewno trzeba słono zapłacić.

– I znów pan zgadł! – zawołała wesoło.

– Sama pani widzi, panno Vale, że dobrze rozumiem problemy ludzi pracy.

– Może lepiej, gdyby pan przestał zastanawiać się nad światem pracy, lordzie Dryden, a zajął tym, co panu wychodzi najlepiej.

– A niby co to takiego pani zdaniem?

O Boże, nigdy by nie pomyślała, że dorosły mężczyzna może... mruczeć. Ton głosu markiza natychmiast przywołał w jej wyobraźni serie żywych obrazów, z których każdy powodował mrowienie na plecach i żaden nie nadawał się, żeby się nim z kimś podzielić. Nigdy.

– Cóż, trudno powiedzieć. Nie zastanawiałam się nad tym, bo w ogóle mało o panu myślałam. – A niech to, jej głos był lekko ochrypły.

– Wie pani, co sądzę?

– Nie, choć podejrzewam, że zaraz mi pan powie.

– Sądzę, że od naszej rozmowy na temat całowania nie przestała pani o mnie myśleć nawet przez chwilę.

Słowa „całowanie" użył, jakby to była broń. Poczuła się przez nie przyszpilona niczym motyl.

– Ależ oczywiście, że przestałam.

Żeby móc o tobie marzyć.

Lekki uśmieszek powiedział jej, że markiz doskonale zdaje sobie sprawę z jej kłamstwa.

Znowu zerknęła ku schodom, potem w stronę salonu, gdzie Lisbeth z dumą wymachiwała przed twarzą nowym wachlarzem.

Wielkim wysiłkiem woli Phoebe zmusiła się do opanowania rozedrganych nerwów.

Markiz musiał wyczuć, że zamierza uciec, gdyż szybko wypowiedział zdanie, które sprawiło, że zamarła w miejscu.

– A ja o pani myślałem, panno Vale.

Westchnęła.

– Doprawdy, lordzie Dryden, chyba sama dam panu te dziesięć funtów, bo to męczące patrzeć, jak się pan wysila, żeby zdobyć mój pocałunek.

Sądziła, że go rozbawi, on jednak błysnął ku niej oczyma, w których dostrzegła coś na kształt rozdrażnienia lub nawet zagniewania.

– Przysięgam na wszystko, że nie podjąłem zakładu zaproponowanego przez Waterburna. Jeśli jednak ponownie się do mnie z tym zwróci, to...

Teraz to ona się zirytowała. Jules natychmiast to wyczuł i z intuicją dyrygenta orkiestry, nie chcąc dopuścić do przerwania rozmowy, szybko poprowadził ją na inne tory.

– Nie wiem, czy pani ma pojęcie, ale jestem głową dużej rodziny. Muszę utrzymywać siostry, brata, siostrzeńców, kuzynki, kuzynów. Zasadniczo jestem patriarchą rodu. I już samo to wymaga ode mnie wielu poświęceń i zabiegów, choćby podejmowanych w tym celu, żeby nie oszaleć.

Ale mówił tak, jakby chciał coś udowodnić.

Phoebe nic nie odpowiedziała, tylko spojrzała w stronę gości w salonie. Jonathan musiał droczyć się z Lisbeth, bo ta mocno się zaczerwieniła, co wcale nie dodawało jej uroku.

Markiz powędrował wzrokiem za jej spojrzeniem.

– Ten wachlarz bardzo mi ją przypomina – rzekła nagle, chcąc narzucić rozmowie bezpieczny dystans.

– Właśnie dlatego go wybrałem.

Z jakiegoś powodu było to najgorsze, co mógł powiedzieć. Delikatny róż, wdzięk, kruchość, drobne łodyżki podpierające pąki – markiz musiał się bardzo uważnie przyglądać Lisbeth. Phoebe była bardzo ciekawa, jakie to uczucie być obiektem tak dokładnej analizy, takiego zainteresowania.

– Jak ona jest wyjątkowy, różany i delikatny – mruknęła.

– Specyficzny oraz kosztowny – dodał z bladym uśmiechem markiz. – Ale oczywiście również taki, jak go pani opisała. Czy pani nigdy nie otrzymała prezentu, który uważałaby za idealnie dla niej dobrany, panno Vale?

Mówił tonem niezwykle łagodnym, co tylko jeszcze bardziej rozsierdziło Phoebe, gdyż w jej uszach pytanie zabrzmiało, jakby w rzeczywistości markiz chciał powiedzieć: niby dlaczego miałaby pani otrzymywać tego typu prezenty, skoro jest pani tylko zwykłą nauczycielką.

Phoebe pomyślała o utkniętych głęboko w kufrze rękawiczkach z koźlęcej skórki, najładniejszej rzeczy, jaką miała, które w pewnym sensie były też jej utrapieniem, gdyż gdy je wkładała, reszta jej odzieży wyglądała bardzo ubogo. Ponadto rękawiczki osłabiały w niej postanowienie, aby nie pożądać pięknych przedmiotów, niedostępnych dla niej ze względu na mizerność jej nauczycielskiej pensji – jak choćby ten kapelusz w sklepie Postlethwaite'a. Niemniej zamierzała je włożyć tego wieczoru, choć czuła się w nich trochę jak rebeliantka z powodu osoby, od której otrzymała ten piękny dar.

Tak czy inaczej o rękawiczkach nie myślała jako o idealnym prezencie, podejrzewała bowiem, że mężczyzna, który ją nimi obdarował, a który przemknął przez jej życie szybko niczym błyszcząca spadająca gwiazda, uczynił tak bardziej z kaprysu niż w wyniku prawdziwie ciepłych uczuć do niej.

Mimo to i tak je lubiła. W końcu, na litość boską, były z kremowej koźlęcej skórki i takich nigdy nie znalazłaby u Postlethwaite'a.

– Przypuszczam, że dużo zależy od ofiarodawcy i jego intencji. Mnie chyba sprawiłby przyjemność prezent świadczący o tym, że jestem dobrze ofiarodawcy... znana.

Zaraz po wypowiedzeniu tego stwierdzenia mocno się speszyła. Widziała, że markiz był nim zaszokowany.

– Znana...? – powtórzył z zastanowieniem, odwracając ku niej twarz.

– Na tyle, żeby prezent był... wyjątkowy... dopasowany do mnie. Do mojego gustu i zainteresowań. Niekoniecznie musiałoby to być coś drogiego. Po prostu coś... co miałoby dla mnie jakieś znaczenie.

Wzruszyła ramionami na znak, że uważa, iż opowiada brednie. Było jej trochę wstyd, że się tak uzewnętrznia.

Markiz jednak znowu przybrał zadumany wyraz twarzy.

– Sądzi pani, że to w ogóle możliwe, żebyśmy kogoś poznali tak dobrze?

– Zabawia się pan w filozofa, lordzie Dryden? W biały dzień, kiedy jeszcze wszyscy są trzeźwi?

Roześmiał się krótko, ale nie wyglądał na szczególnie wesołego.

– Czy pani wie... że ja nigdy nie postępuję lekkomyślnie?

Zaskoczył ją tym nagłym wyznaniem, sprzecznym z opisami w gazetach jako lekkomyślnym, beztroskim hulaką.

Miała ochotę zapytać, jak w takim razie nazwałby ich rozmowę, w której mówili między innymi o całowaniu, w połączeniu z faktem, iż w tym samym czasie inna dama bawi się kosztownym wachlarzem, który on jej podarował.

– A wyścigi konne, na których postawił pan dziesięć tysięcy funtów?

Prychnął z rozdrażnieniem.

– Postawiłem na bardzo szybkiego konia. Reszta była bardzo wolna, o czym doskonale wiedziałem. Poza tym mam niezawodny instynkt. Ale czy pani, panno Vale, nigdy nie przyszło na myśl, że to, co piszą w gazetach... może być tylko interpretacją tego, jaki naprawdę jestem? Że wnioski o moim charakterze wyciągane są na podstawie szczątkowych informacji i faktów z mojego życia? Że najzwyczajniej mogą być błędne?

Phoebe chwilę rozważała pytanie.

– Jeśli piszą o panu nieprawdę, to dlaczego pan tego nie ukróci?

– Plotki na mój temat dostarczają wielu osobom mnóstwo rozrywki. Nie widzę potrzeby im tego odbierać. Poza tym czasami to użyteczne, że nie jest się dobrze znanym.

– Jakiż pan wielkoduszny.

Usta zadrgały mu w kącikach.

– Hm. Używa pani wielkich słów. Jak to nauczycielka.

– Może „niepoprawny" bardziej przypadłoby panu do gustu?

– Dziwne, ale w pani ustach zabrzmiało to jak pochwała.

– Zapewniam, że nie takie były moje intencje.

– Wydaje się, że ma pani prawdziwy dar do nauczania. Podobało mi się, jak przywołała pani do porządku te dwie młode panny w sklepie Postlethwaite'a. Straszenie Markiem Aureliuszem to świetna metoda. Żałuję, że jej nie znałem, bo użyłbym jej wobec moich podwładnych w wojsku.

– Och, nie posuwałabym się aż tak daleko i nie nazywałabym tego darem. Potrafię zapanować nad tymi dziewczętami głównie dlatego, że kiedyś sama byłam taka... jak one. Wiem, co na nie działa, i znam sztuczki, dzięki którym chętniej się uczą. Sam więc pan widzi, że mało w tym mojej zasługi.

– Jest pani nazbyt skromna.

– Zapewniam, że mówię prawdę.

– Będzie pani tęskniła za swoimi uczennicami, kiedy wyjedzie do Afryki?

Uśmiechnęła się blado.

– O tak, przypuszczam, że tak. Przynajmniej przez jakiś czas. Ale uczę dopiero od czterech lat, więc sądzę, że moje wychowanki szybko o mnie zapomną. Jestem przekonana, że wszystkie w przyszłości dobrze wyjdą za mąż i że będą z nich wspaniałe żony oraz gospodynie zarządzające swoimi domostwami łagodnie, choć ze zdecydowaniem. Nauczanie to coś... co mi się tylko przytrafiło. Chociaż oczywiście jestem wdzięczna, że mogę wykonywać ten zawód, który zresztą bardzo lubię.

– Coś, co się pani przytrafiło? – powtórzył po chwili. Z zadumą. Jakby zamierzał zapamiętać te słowa. – Tak czy inaczej jestem przekonany, że ma pani wrodzony autorytet. Wiem, co mówię, gdyż potrafię rozpoznać tę cechę u ludzi.

– Innymi słowy, nie jestem delikatna ani kosztowna.

Markiz lekko się uśmiechnął.

– A więc to jest prawdziwy powód pani ucieczki i to aż tak daleko? Chce pani sama decydować, kim będzie i czym się zajmie?

Zaskoczona, gwałtownie odwróciła ku niemu głowę i gdy już odzyskała mowę, wycedziła przez zęby:

– Ucieczki?

Sądząc po błysku w oczach markiza, można się było domyślić, że gratulował sobie przebiegłości.

– Nigdy w życiu przed niczym nie uciekałam. I co pan rozumie przez „prawdziwy powód"?

– Już wyjaśniam. Czy ze wszystkich możliwości, ze wszystkich rzeczy dostępnych na świecie, Afryka naprawdę zajmuje pierwsze miejsce w pani sercu? A nie przypadkiem mąż i rodzina?

– Nigdy nie mówiłam, że mam coś przeciwko małżeństwu. Proszę sobie przypomnieć, iż wspominałam o mężczyznach, których poznam w podróży.

– Bo w Anglii odpowiedniego pani nie znajdzie, tak?

– Mało prawdopodobne.

– W całej wielkiej Anglii?

Zaszurała niecierpliwie nogami.

– Dlaczego tak pan docieka, lordzie Dryden?

– Dlatego, że unika pani jasnych odpowiedzi, panno Vale.

– Unikam, gdyż mam nadzieję, że znudzi się pan tematem i go porzuci.

Roześmiał się krótko.

– Kiedy czegoś pragnę, potrafię wykazać się cierpliwością.
Phoebe spięła się jak cięciwa w łuku. Pragnienia. To właśnie one
były powodem tego, że zjawiła się w domu Redmondów. Pragnęła
się tu znaleźć, gdyż wiedziała, że markiz też będzie. Chciała, żeby
z nią rozmawiał, żeby dał jej spokój, i…

W zasadzie, czego on od niej chce? O co mu chodzi?

– Być może – zaczął wolno, jakby coś sobie właśnie uświadomił – historia pani życia mogłaby być prezentem dla mnie.

Uczucie nieprzyjemnego ucisku w żołądku powiedziało jej, że
nie podoba jej się kierunek, w jakim zmierzała rozmowa.

– Och, szanowny panie, żadna ze mnie Szeherezada, żebym
miała zabawiać pana opowieściami.

Zbyt późno uzmysłowiła sobie, że porównanie jest dość niefor-
tunne, biorąc pod uwagę historię mściwego arabskiego despoty, który pozbawił głów trzy tysiące dziewic, zanim znalazł tę właściwą –
czyli Szeherezadę – której opowieści na tyle mu się spodobały, że
postanowił oszczędzić jej życie. Przez ponad tysiąc arabskich nocy
Szeherezada snuła swe opowieści, aż w końcu surowy stary drań
zapłonął do niej miłością i się z nią ożenił, choć wcześniej musiała
mu jeszcze powić trójkę potomstwa.

– Szeherezada – powtórzył zdziwiony markiz, wymawiając każdą
sylabę z emfazą. Na jego twarzy malowały się rozbawienie i coś jakby
zafascynowanie. – Kolejne długie i trudne słowo. Widać, że jest pani
oczytana, panno Vale. A to znaczy, że nie muszę pani uzmysławiać, iż
opowieść o Szeherezadzie należy do tych z rodzaju skandalicznych.

Phoebe westchnęła.

– Cóż z tego, skoro jest powszechnie znana.

Ale najmłodszym uczennicom nie pozwalała jej czytać.

– Oraz bardzo intrygująca. Zupełnie jak to, że przyrównała pani
siebie do Szeherezady. Cóż panią z nią może łączyć? Przecież nie
proszę, aby opowiadała mi pani swoją historię przez tysiąc i jedną
noc. Nic też nie zagraża pani życiu. Ja chciałbym usłyszeć tylko jedną historię… pani losów. Może być w formie skrótowej.

A niech to diabli.

Phoebe wcale nie miała ochotę robić markizowi podobnych prezentów. Wolała nie oglądać jego miny, gdy już usłyszy streszczenie przebiegu jej życia.

Siląc się na znudzony i swobodny ton, odrzekła:

– Ale panu niczego przecież nie potrzeba. Ma pan wszystko.

Wyraźnie rozbawiony, szeroko się uśmiechnął.

– Nie chodzi o potrzeby, panno Vale, ale o pragnienia. Mam ochotę wysłuchać pani opowieści, bo cenię sobie rzeczy rzadkie i wyjątkowe. To moja cecha wspólna z arabskim królem z opowieści.

– Bardzo okrutnym władcą, pragnę przypomnieć, który się domagał, aby opowieści Szeherezady były wciągające. Zapewniam pana, że moja jest bardzo zwyczajna i nudna.

– Och, śmiem wątpić.

– A to czemu?

I markiz, zaskakując tym Phoebe, zawahał się, jakby naprawdę się zastanawiał nad odpowiedzią lub nad tym, czy w ogóle powinien jej udzielać. Spojrzawszy w stronę salonu, przesunął wzrokiem po znajdujących się w nim gościach, choć Phoebe się wydawało, że wcale ich nie widzi. Kiedy się odezwał, jego słowa owinęły się wokół niej miękko niczym futro z norek.

– Ponieważ chodzi o historię dotyczącą pani.

Umknęła przed nim wzrokiem, czując, że nagle trudno jej złapać oddech, tak silne emocje ją ogarnęły. Niebezpieczne, niebezpieczne. Ten głos, prośba, ten mężczyzna i jego doskonale brzmiące słowa. Bo Phoebe nigdy nie miała nikogo, dla kogo jej losy coś by znaczyły, i słowa markiza, przebiwszy mury, które wokół siebie wzniosła, dotknęły pragnienia, które już dawno skazała na wygnanie. O którym, na szczęście, już dawno zapomniała.

W jednej sprawie nie kłamała: jej historia rzeczywiście była zwyczajna... w pewnych kręgach.

– Ale ja jeszcze nie otrzymałam podarunku od pana, lordzie Dryden.

Flirt to wyśmienity sposób na uniknięcie odpowiedzi. Z drugiej strony przy markizie nie umiała się powstrzymać. Zmuszał ją do tego, jak deszcz zmusza rośliny do zakwitnięcia.

Odchylił głowę w tył i cicho się roześmiał.

– Świetna zagrywka. Lecz dobrze, panno Vale. Podarek za podarek. Otrzyma pani ode mnie prezent, jeśli najpierw ja dostanę prezent od pani. Gdyż tak się smutno składa, że często występuję w roli obdarowującego, a rzadko obdarowywanego. Co pani na to?

To wyznanie ją zaskoczyło, po chwili jednak zrozumiała, w czym rzecz. Prawdopodobnie wszyscy zakładali, że markiz ma wszystko, o czym można marzyć. A poza tym nikt nie chciał się narazić na jego krytykę, którą zapewne wyraziłby milczącym uniesieniem brwi: To? Chcesz mi podarować coś takiego? Mnie?

W milczeniu przyglądała się Lisbeth w salonie. Rozmawiała teraz z lordem Argosym, prawdziwym rozpustnikiem, jak głosiła plotka, oraz nałogowcem zakładów, które jednak, w przeciwieństwie do markiza, często przegrywał. Ponadto mówiono, że ma romans z pewną skandalicznie się prowadzącą owdowiałą hrabiną. A wszystko przez sławną pannę Cynthię Brightly, która ponoć złamała mu serce, wychodząc za Milesa Redmonda. Było jednak widać, że mimo narzuconej sobie pozy znudzonego arystokraty lord doskonale się bawi. Najwyraźniej jeszcze nie nauczył się dobrze udawać wyniosłości.

Gdy się go porównało z markizem, wydawał się... jakby niedokończony. Chłopiec, który się tylko bawił, udając hulakę. Podobnie rzecz się miała z Lisbeth. Ona też sprawiała wrażenie bardzo niedoświadczonej. Razem stanowili dobraną parę. Jak komplet składający się ze srebrnej zastawy śniadaniowej, czajniczka do herbaty, miseczki z dżemem i łyżeczek. Z perspektywy osoby pochodzącej znikąd, nienależącej do nikogo, wszyscy oni wydawali się Phoebe bardzo różni, a zarazem dziwnie jednakowi.

I choć świetnie wiedziała, iż zafascynowanie markiza jej opowieścią nie potrwa długo, rzekła:

– Urodziłam się w Londynie.

Markiz szybko się do niej odwrócił.

Starała się udawać, że nie widzi jego badawczego spojrzenia, i przesuwając leniwie wzrokiem po gościach w salonie, przytupywała lekko nogą, jakby wybijała rytm krążącym po jej głowie myślom.

– Tak? I? – Ponaglił ją.

– I gdybyśmy się znali tysiąc nocy i jedną, możliwe, że usłyszałby pan ciąg dalszy tej historii, lordzie Dryden.

Oderwała plecy od ściany i odeszła ku schodom, po drodze posyłając markizowi przez ramię enigmatyczny uśmiech.

Widziała, że patrzy za nią pełnym podziwu wzrokiem.

Szybko wspięła się na piętro i gdy tam dotarła, przyciskając dłoń do serca, oparła się o ścianę, bo właśnie wtedy skończyły się jej zasoby brawury. Przyłożyła rękę do gardła, zdumiona silnym pulsowaniem żyły na szyi. Jednak fakt, że gdziekolwiek by się dotknęła, wszędzie jej ciało było rozpalone, stanowił pomocne przypomnienie o tym, że faktycznie igra z ogniem. Nagle pożałowała, że nie ma przy sobie wachlarza.

I to przywołało postać Lisbeth.

A ta myśl, jak na ironię, natychmiast ją ostudziła.

Szybko więc ruszyła do sypialni Lisbeth po przeklętą torebkę.

7

Wieczorna kolacja okazała się smakowitą, choć osobliwą i spędzoną w samotności karą, gdyż Phoebe została oddelegowana na sam kraniec stołu, gdzie usadzono ją obok głuchawego dżentelmena, który zwracał się do niej krzykiem, w związku z czym ona też musiała mówić podniesionym głosem. I oczywiście za każdym razem, gdy darła się do staruszka, reszta biesiadników spoglądała na nią ze zdziwieniem. Co do markiza i Lisbeth, to siedzieli obok siebie przy drugim końcu stołu, i ilekroć głowa markiza odwracała się w stronę sąsiadki, Phoebe odczuwała to tak dotkliwie, jakby ktoś smagał ją biczem.

Na nią markiz spojrzał tylko cztery razy – liczyła.

Ale to on poszukiwał jej wzroku, a ona była tą, która go pierwsza odwracała.

Kierował nią instynkt samozachowawczy: chciała chronić dumę i serce oraz wydać się bardziej tajemnicza.

Po kolacji szybko udała się do swojego pokoju i natychmiast sięgnęła po szkicownik, żeby znowu spróbować narysować portret markiza. Tym razem rysunek zawierał więcej szczegółów. Wiedziała już na przykład o małej bladej szramie w pobliżu ust.

Na szkicu markiz wyszedł bardzo królewski i ponury, lecz to nie do końca oddawało rzeczywistość. Jakoś nie potrafiła odpowiednio go ująć, coś jej ciągle umykało, coś było dla niej niedostępne, jak sam markiz podczas kolacji. Niezadowolona, wepchnęła szkicownik z powrotem do kufra i rzuciła się plecami na łóżko.

Rano obudziła się niewyspana po nocy niespokojnych snów, stwierdzając z niesmakiem, że zasnęła w ubraniu.

Deszcz padał przez cały dzień.

Nie mocno, za to bez przerwy. Phoebe szybko się przekonała, że dżdżysta pogoda oznacza uwięzienie w jednym z wygodnych i ciepłych saloników w domu Redmondów w towarzystwie Lisbeth. Umilając sobie czas haftowaniem, musiała wysłuchiwać jej paplaniny, podczas gdy męska część gości gdzieś zniknęła, prawdopodobnie w gospodzie Pod Świnką i Ostem, do której panowie udali się, żeby pograć w strzałki – przynajmniej ci młodsi. Markiz, który tylko na chwilę pojawił się przy stole śniadaniowym, zaraz potem udał się z Isaiahem Redmondem na jakieś rozmowy, przypuszczalnie na temat pieniędzy lub innych spraw, o jakich lubią dyskutować zamożni dżentelmeni.

Do Phoebe i Lisbeth na krótko dołączyła Fanchetta Redmond. Przyniosła ze sobą tamborek do wyszywania oraz lodowatą wyniosłość. Wyszyła kilka kwiatków, zerknęła na zegar na kominku i z bezosobowym uśmiechem opuściła salonik ku wielkiej uldze Phoebe. I chyba również Lisbeth, gdyż jej paplanina w obecności ciotki zredukowała się do połowy. Pani Redmond, zważywszy na jej urodę słodkiej blondynki, nikłe zdolności interlokutorskie oraz lekceważenie, z jakim traktowały ją jej własne dzieci, wydawała się osobą dość pustą i tępawą, ale Phoebe nigdy nie czuła się przy niej swobodnie. Nawet w kościele, oddzielona od niej kilkoma rzędami ławek. Uważała bowiem, że ludzie pod przykrywką tępoty często ukrywają wiele innych cech, nie zawsze przyjemnych dla otoczenia.

– Dzisiaj będzie wieczorek muzyczny, Phoebe. – Oczy Lisbeth iskrzyły się zachwytem. – Wuj Isaiah szykuje niespodziankę.

O Boże. Phoebe lubiła grać na fortepianie, ale choć miała pewne umiejętności, to nie grzeszyła talentem, tymczasem Lisbeth, którą sadzano do fortepianu, jeszcze zanim nauczyła się chodzić, grała naprawdę dobrze. Phoebe wcale nie miała ochoty stawać z nią do rywalizacji.

Lisbeth słusznie zinterpretowała wyraz jej twarzy.

– Niepotrzebnie się denerwujesz, Phoebe, bo prawdopodobnie nie będziesz proszona o grę. Ale możesz przewracać mi nuty, gdyż mnie pewnie o to poproszą. Jeśli tylko mój występ znajduje się w planach wuja. Choć nie sądzę, żeby był na to czas. Na dzisiejszy wieczór zjadą się sąsiedzi z całej okolicy, wuj Isaiah zaprosił madame Sophię Licari, tę sławną sopranistkę, żeby dla nas zaśpiewała!

Dziewczyna, cała rozpromieniona, klasnęła radośnie w dłonie.

Phoebe oczywiście czytała o signorze Licari w gazetach.

– Czy to dobra śpiewaczka?

– O mój Boże, Phoebe, nie słyszałaś jej jeszcze?

Odpowiedź na to niedorzeczne pytanie brzmiała oczywiście „nie".

– Jest głos jest niesamowity, a ona sama bardzo elegancka i piękna, a także trochę przerażająca. Mówi się, że... – Lisbeth zniżyła głos – ...że miewa częste romanse.

Lisbeth speszona własną śmiałością, oblała się rumieńcem.

– Nie mów! Naprawdę? A to dopiero! Dorosła niezamężna kobieta i ma romanse. Wprost niewiarygodne.

Lisbeth oczywiście nie zauważyła ironii.

– I skandaliczne, wiem, ale to kobieta światowa i tak pięknie śpiewa, że nikt jej tego nie ma za złe.

Może powinnam zacząć śpiewać, pomyślała Phoebe.

– Zwłaszcza panowie, jak się domyślam.

– Phoebe! – Lisbeth udała, że jest oburzona, zapewne uważając, że tak wypada, choć Phoebe podejrzewała, że w rzeczywistości, ponieważ nikt z nią nie rozmawiał na te tematy, zżerała ją ciekawość.

Później przez chwilę milczała.

– Myślisz, że markiz... że Jules też coś takiego robi?

Do salonu wkroczyli Jonathan, Waterburn i Argosy, i przeszedłszy do kanap przed kominkiem, ciężko się na nie zwalili. Phoebe ze względu na pokojówki miała nadzieję, że nie są ubłoceni.

– To znaczy co? – zwróciła się do Lisbeth, udając, że nie wie, o co chodzi.

Rozzłościło ją, że Lisbeth mówi o markizie Jules, co było zdrobnieniem od Juliana, i stąd jej przekora. Zresztą nie chciała rozmawiać o kochankach markiza. Jeśli Lisbeth to interesuje, niech sobie poczyta gazety. Phoebe może jej nawet zakreślić odpowiednie strony w tych egzemplarzach, które ze sobą przywiozła. Przy okazji ostrzegając, że czeka ją duża próba. Kochanki markiza zawsze opisywano jako zabójczo piękne. Czytała nawet, że jakiś młody człowiek skręcił sobie kostkę, gdyż kiedy próbował dojrzeć ostatnią zdobycz markiza, wypadł w operze z balkonu.

– No wiesz... sądzisz, że on... – Lisbeth szeroko otworzyła oczy i wymownie poruszyła brwiami.

– Obawiam się, że wciąż nie pojmuję. – Phoebe z trudem hamowała śmiech.

– Że bierze sobie kochanki – rzuciła Lisbeth z poirytowaniem i nieco zbyt głośno, gdyż głowy siedzących w saloniku mężczyzn natychmiast zwróciły się w jej stronę.

Phoebe zmarszczyła brwi.

– Bierze dokąd?

Lisbeth była już purpurowa.

– Ty się chyba ze mną droczysz – sapnęła z urazą.

Panna Redmond, która wszystko odbierała dosłownie, a siebie samą traktowała odrobinę zbyt poważnie, nie potrafiła sobie radzić w sytuacjach, gdy ktoś się z nią przekomarzał. Nie umiała tego pogodzić ze swoim statusem diamentu pierwszej wody.

I właśnie dlatego Jonathan tak uwielbiał ją torturować – dziewczyna, gdy się sprzeczali, niezmiennie purpurowiała i zaczynała krzyczeć piskliwym głosem – Phoebe jednak nie znajdowała w tym przyjemności. Lisbeth nie umiała ciągnąć zabawy, a Phoebe, jeśli to możliwe, lubiła konwersować z równymi sobie.

– Jestem przekonana, że ma kochanki. Lub miał – odparła. – Jak zresztą wszyscy wielcy panowie.

Była to niezaprzeczalna prawda, choć chyba żadna matka nie chciałaby, aby płatna dama do towarzystwa oświecała w ten sposób jej córkę. Ale Phoebe nie do końca kierowała się dobrem Lisbeth. Niech ona też nie śpi po nocach, dręczona niepewnością, myślała złośliwie.

Lisbeth przez chwilę milczała, roztrząsając to, co usłyszała. W końcu jednak przełknęła jakoś niemiłą wiadomość, zapewne pocieszając się stwierdzeniem, że mężczyźni mają zwyczaj robić różne rzeczy, które kobiety najzwyczajniej muszą tolerować, nawet jeśli ich nie pochwalają.

– Ale oczywiście, gdyby się ożenił, na pewno porzuciłby ten obyczaj ... – Zabrzmiało to jak kolejne pytanie pod adresem przyjaciółki.

Phoebe siłą woli powstrzymała chęć przewrócenia oczyma. Kto dopuścił do tego, że to dziewczę dorosło, nic nie wiedząc na temat mężczyzn? Na litość boską, ma przecież pod ręką kuzyna, Jonathana. A jej inny kuzyn, pan Miles Redmond, napisał książkę o swoich podróżach po południowych morzach, sławną z poruszających opisów tubylczych kobiet, które całe dnie chodzą nagie od pasa w górę.

Potem jednak przypomniała sobie, że Lisbeth lubi pozyskiwać wiedzę przez zadawanie pytań.

– Oczywiście – zapewniła i dodała żartobliwie: – Bo też po co mu kochanka, gdyby miał żonę?

Powiedziała tak już tylko dla własnej rozrywki, bo o ile wiedziała, jej stwierdzenie w przypadku markiza pokrywało się z prawdą.

Po tym Lisbeth nieco się uspokoiła.

– Wiesz, że wszyscy oczekują, że się pobierzemy – zwierzyła się, zniżając głos. Jej twarz płonęła rumieńcem dumy i onieśmielenia.

Ruchy palców Phoebe, przeciskających igłę przez materię wyszywanki, stały się wolniejsze.

Nie wszyscy.

– A jak ty się na to zapatrujesz, Lisbeth?

Na litość boską! Między nimi były tylko dwa lata różnicy. Ona też jest młodą kobietą. Nie powinna rozmawiać z Lisbeth tym macierzyńskim tonem, jakby była guwernantką lub jakby mężczyźni i seks oraz tym podobne sprawy już jej nie interesowały lub pozostawały poza jej zasięgiem. Jednak wrodzona życzliwość, niech ją szlag, walczyła o lepsze z rozumem, a rozum podpowiadał, żeby przygnieść Lisbeth krytyką.

Phoebe przez chwilę wyobrażała sobie, że to czyni, po czym ucieka przed konsekwencjami do Afryki. W końcu jednak porzuciła ten niedorzeczny pomysł.

Czego pragnie Lisbeth? Czy w ogóle to wie? Czy jest tylko narzędziem ambicji i pożądań wpływowych rodziców i markiza?

– Myślę, że... – Lisbeth odchyliła głowę i marzycielsko się uśmiechnęła – że nie ma nic piękniejszego niż zostać jego żoną. Markiz jest taki... taki...

Przerwała, jakby zagubiona w podziwie.

Tak, jest, i to bardzo.

– ...słodki.

Boże, nie. Czy ta dziewczyna zawsze musi palnąć jakąś bzdurę?

Phoebe zapomniała się i cicho prychnęła. Szybko jednak udała, że to kaszel. Lisbeth popatrzyła na nią z lekkim niepokojem i czymś w rodzaju zaciekawienia. Na pewno jeszcze nigdy nie zdarzyło jej się prychnąć w towarzystwie, bo to było bardzo prostackie zachowanie. I pewnie się zastanawiała, jak to się robi.

Tak czy inaczej, myślała Phoebe, może markiz rzeczywiście jest dla niej słodki. Obchodzi się z nią z szacunkiem, życzliwością i delikatnością jak z kosztowną wazą z chińskiej porcelany.

Do flirtowania i uprawiania miłości miał inne kobiety.

– I oprócz tego markiz bardzo mi imponuje – dodała Lisbeth. – To najlepsza partia w całym Londynie.

– No tak, to rzeczywiście ogromnie imponujący mężczyzna.

Najlepsza partia? Ta dziewczyna mówiła o markizie jak o jakiejś zdobyczy.

Lisbeth, chyba lekko zaskoczona zbyt entuzjastycznym tonem Phoebe, podniosła na nią zaciekawione spojrzenie.

– Tak mi się przynajmniej wydaje – pospieszyła z wyjaśnieniami Phoebe, uznawszy, że najlepiej zrobi, gdy będzie powtarzała wypowiedzi Lisbeth, co jej oszczędzi wyrażania własnych opinii lub kłamania.

– I wszyscy wiedzą, że zaspokaja się tylko tym, co najlepsze – dodała Lisbeth.

Zaspokaja. Można się zaspokajać tym, co najlepsze?

– Dlatego tak go podziwiasz, Lisbeth?

Dziewczyna popatrzyła na nią ze szczerym zdziwieniem. I z lekka naganą.

– Nie uważasz, że to raczej on podziwia mnie?

Pytanie sugerowało, że Lisbeth jest właśnie tym najlepszym, czym markiz mógł się zaspokoić.

Było jasne, że uważała, iż Phoebe wszystko się poplątało.

Po kolacji, podczas której Phoebe znowu usadzono przy odległym krańcu stołu obok podstarzałego szlachcica, który z opuszczoną na piersiach głową spokojnie drzemał, panowie i panie, jak wymagał zwyczaj, grzecznie się rozdzielili – żeby odpocząć od swojego towarzystwa? – po czym wszyscy zostali zaproszeni do sali balowej, w której w rzędach stała już co najmniej setka krzeseł i zbierali się podekscytowani goście – miejscowa arystokracja oraz ta z Londynu, która bawiła na wsi, a także osoby, które Redmondowie po prostu lubili. Phoebe włożyła jedną ze swych dwóch lepszych sukien – tę z gołębioszarego jedwabiu, zupełnie pozbawioną ozdób, nie licząc lśniącej srebrnej przepaski pod biustem – oraz ukochane eleganckie rękawiczki, dzięki którym, jak miała nadzieję, jej strój choć po części dorównywał pięknym strojom reszty gości.

W małej sali balowej było bardzo ciepło, jak zresztą w całym domu Redmondów, w którym generalnie panowała wysoka temperatura, przynajmniej w porównaniu ze słabo ogrzewanymi pokojami w akademii panny Endicott.

Markiza, który na kolacji znowu został usadzony obok bardzo podekscytowanej Lisbeth, nigdzie nie było widać, nawet gdy do sali przybyli pozostali goszczący u Redmondów panowie.

Lisbeth chyba też zauważyła jego nieobecność, gdyż tak mocno wymachiwała wachlarzem, jakby to mogło sprowadzić go do sali lub jakby chciała sobie w ten sposób przypomnieć, że wachlarz jest od niego. I choć uśmiechała się do swoich sąsiadów i wymieniała z nimi uprzejmości, wyraźnie było widać, że jest coraz bardziej podenerwowana.

I zapewne z tego powodu powiedziała:

– Phoebe, bądź tak miła i pobiegnij po mój szal, dobrze? – Pobiegnij. Phoebe mówiła pięcioma językami, a ta dziewczyna każe jej biec po jakiś szal. – Tobie też się pewnie przyda – dodała wielkodusznie. – Więc po drodze weź też i swój.

Zdaniem Phoebe posłanie jej po szal było zwykłym kaprysem, gdyż w domu było gorąco jak w zaciśniętej dłoni.

Twardo popatrzyła na Lisbeth, ale ta wyraźnie nie miała sobie nic do zarzucenia. Czekała, że Phoebe wykona polecenie.

W tym momencie do salonu wszedł jakiś człowiek, który przystąpił do układania nut. Na ten widok oczekujący goście zaczęli się z ekscytacją wiercić na krzesłach. Phoebe nie chciała uronić nawet jednej nutki z koncertu.

– Oczywiście – mruknęła, wzdychając w duchu.

Okręciła się na pięcie i prawie biegiem rzuciła się do schodów po szal. Kiedy już go miała w rękach, szybko zbiegła do foyer i przez dziedziniec pomknęła do swojego pokoju. Przeklęta Lisbeth.

– Dokąd pani tak pędzi, panno Vale? Czyżby ziściły się moje marzenia i w salonie wybuchł pożar, a koncert został odwołany?

8

Phoebe zatrzymała się jak wryta i rozejrzała, chcąc sprawdzić, skąd dochodzi głos.

– Tutaj – pomógł jej markiz.

Ach! Tam jest. Oparty o kolumnę, był zaledwie zarysem sylwetki, którą z cienia wyławiał blask srebrzystego księżyca, padające z okien światło kandelabrów oraz słabe światełka kilku latarenek zawieszonych na ścianie domu, żeby przechodząca przez dziedziniec służba nie pogubiła się w mroku. Stał w pobliżu jednej z nich i ponuro ćmił cygaro. Wokół niego krążyło kilka owadów, zbliżając się i oddalając od czerwonej końcówki.

– Tak – odrzekła. – Dom stanął w płomieniach, a ja uciekłam, całą resztę gości zostawiając ich losowi.

Krótko się roześmiał.

– Nie lubi pan muzyki i sopranistek, lordzie Dryden?

– Och, przeciwnie. Bardzo je lubię – odrzekł z ponurym rozbawieniem i zaciągnął się cygarem, jakby to było jedyne dostępne źródło tlenu. Koniuszek cygara rozżarzył się czerwienią niczym oko diabła. Markiz wydmuchnął niebieski dymek w czyste nocne niebo.

Gdy dym opadł, Phoebe wymownie zakaszlała.

– O, proszę wybaczyć – przeprosił markiz nieszczerze.

– Czy wolno mi być aż tak śmiałą i zapytać czemu, skoro lubi pan słuchać sopranistek...

– Zaskakujące, że prosi pani o pozwolenie na bycie śmiałą.

– ...stoi pan tutaj i pali? Wydawało mi się, że w domu państwa Redmondów dba się o zwyczajową kolejność rzeczy. Po kolacji panowie odeszli wypić drinka i wypalić cygaro, panie zostały w jadalni i plotkowały o panu. A teraz wszyscy wspólnie słuchają koncertu.

– Plotkowały o mnie – powtórzył. – To zabawne, co pani mówi, panno Vale.

– Ale tak było.

Choć w rzeczywistości nie słyszała, żeby któraś z dam poruszyła temat markiza.

Ten lekko się uśmiechnął. Wyglądał tak, jakby się zastanawiał, jakiej odpowiedzi udzielić.

– Palę – powiedział w końcu – żeby stercząc tutaj, nie zanudzić się na śmierć.

Phoebe się roześmiała.

Markiz odwrócił ku niej twarz, uśmiechnięty, jakby patrzył na słońce. A potem nagle znieruchomiał i przestał się uśmiechać. Powietrze między nimi zrobiło się naelektryzowane. Gdyby Phoebe wytężyła wzrok, bez wątpienia ujrzałaby w oczach przyglądającego się jej markiza odbijające się w nich galaktyki gwiazd. Bo teraz tylko one widniały na niebie, które się zachmurzyło, przysłaniając księżyc.

Przyszpilona tym spojrzeniem nie mogła się ruszyć.

Szal będzie musiał zaczekać, pomyślała, choć jak na ironię żałowała, że go przy sobie nie ma, i kusiło ją, żeby okryć się szalem Lisbeth. Na ramionach czuła zimne igiełki chłodnego powietrza.

– Mówi się, że signora Sophia Licari to najlepsza sopranistka na całym kontynencie.

– Bo tak rzeczywiście jest – potwierdził markiz z ponurym rozbawieniem. – A oprócz tego signora Licari... – kolejny raz wydmuchnął dym z cygara... – może się poszczycić doskonałą celnością w rzucaniu przedmiotami.

Celnością...

Och!

Phoebe z trudem powstrzymała śmiech.

– Zdaje mi się, że zaczynam rozumieć, lordzie Dryden. Czyżby to ona była tą kobietą, która kiedyś zwróciła się do pana słowami... *ciò è che cosa penso al vostro regalo*?

To było po włosku i znaczyło: Oto, co sądzę o twoim prezencie, ty sukinsynu!

Ale Phoebe podejrzewała, że markiz doskonale to wiedział. W końcu był światowcem.

– Nie oszukiwała pani, twierdząc, że zna kilka obcych języków, panno Vale. Może powinna pani zapomnieć o Afryce i zostać szpiegiem Korony.

Był poirytowany.

A ona rozbawiona.

– Obawia się pan, że signora, kiedy pana ujrzy, rzuci w pana którąś z pamiątek rodowych Redmondów? W salonie stoi ich całe mnóstwo.

– Wolę jej nie kusić. Choć tamto wydarzenie miało miejsce wiele lat temu i całkiem prawdopodobne, że signora już o mnie zapomniała.

Ton wypowiedzi oraz uśmiech, jaki jej towarzyszył, sugerowały jednak, że to wręcz niemożliwe.

Phoebe wolno pokręciła głową, zdumiona taką arogancją. Niemniej trudno jej było zachować powagę.

Markiz westchnął.

– Prawda jest taka, że wolałbym uniknąć krępujących scen, a istnieje duże prawdopodobieństwo, że signora Licari mogłaby zapragnąć... dać wyraz swoim emocjom... za pomocą czegoś więcej niż tylko śpiew. Poza tym nie chciałbym, aby ktoś z gości przypomniał sobie moją... znajomość ze sławną sopranistką i po kilku kieliszkach porto rozprawiał o niej z innymi gośćmi. Ktoś mógłby się poczuć... urażony, a tego też bym nie chciał.

„Ktoś", czyli Lisbeth, która chyba padłaby z oburzenia, gdyby się dowiedziała, że była kochanka – kochanka! – markiza rzucała w niego przedmiotami i wyklinała go po włosku.

Poza tym mogłoby to zagrozić przyszłym obiecującym planom współpracy między markizem a Isaiahem Redmondem.

No i jak to zwykle było, gdy chodziło o markiza, Phoebe opanowało kilka emocji jednocześnie, choć na koniec górę wzięła ciekawość.

– Czym w pana rzuciła?

– Koniecznie musi pani kontynuować ten temat?

Sprawiał wrażenie zakłopotanego, co tylko wzmogło jej rozbawienie.

– Cóż, nie tyle chodzi o przymus, co o pragnienie. A ja pragnę...

Markiz parsknął śmiechem.

– To była skrzynka na cygara. Całe wydarzenie trwało sekundę i skończyło się na tym, że straciłem pasemko włosów z boku głowy.

– Nie, to nieprawda!

Markiz wyszczerzył zęby w szerokim uśmiechu.

– Ma pani rację, nieprawda, choć serce trochę mi jednak zadrżało, kiedy ta broń przelatywała koło mojego ucha. Na szczęście wojna uczy człowieka refleksu, więc szybko się uchyliłem, a skrzynka trafiła w wazon, który spadł i się roztrzaskał. Mój służący, Marquard, natychmiast zebrał skorupy, a signora Licari wypadła z pokoju jak burza. Wraz z uprzejmym wyjaśnieniem, dlaczego nasze drogi powinny się rozejść, podarowałem jej naszyjnik, a ona rzuciła we mnie pudełkiem na cygara. Słyszała pani o czymś takim, panno Vale?

Phoebe wyobraziła sobie całą scenę, a zwłaszcza moment, kiedy pełen gracji markiz umyka przed atakiem, może nawet chroniąc głowę między ramionami lub chowając się za kanapą...

Ale pewnie zasłużył sobie na takie traktowanie.

– Lordzie Dryden, trochę mnie uderza fakt, że...

– Interesujący dobór słów.

– ...często jest pan... kojarzony z... kobietami...

– Kojarzony! – Bardzo go to rozbawiło. – Jakże subtelnie powiedziane.

– ...kobietami o wybuchowym temperamencie. Co jest dość zaskakujące, zważywszy, że jest pan tak bardzo... – Phoebe szukała w pamięci odpowiedniego słowa – opanowany.

Jego reakcja była natychmiastowa i zupełnie niespodziewana. Markiz zesztywniał i tak szybko odwrócił głowę w jej stronę, że Phoebe zrobiła krok w tył.

Kiedy się odezwał, mówił tak oziębłe, że z miejsca sobie przypomniała, że ma do czynienia z osobą utytułowaną, zamożną, wzbudzającą powszechną trwogę, szanowaną. A wszystko z jak najsłuszniejszych przyczyn.

– Tak bardzo jaki? – Każde słowo zostało wypowiedziane z naciskiem i rozwlekle.

– Opanowany – powtórzyła odważnie z takim samym naciskiem, dziwiąc się zarazem, że aż tak się zdenerwował. Przecież był opanowany, a poza tym kto by się obrażał za takie określenie.

Przez chwilę intensywnie się w nią wpatrywał, potem przymrużył oczy, co wyglądało, jakby, strzelając z kuszy, namierzał cel.

Na koniec jednak... oczywiście zachowując opanowanie... odwrócił od niej wzrok.

Jego postawa, mimo że opierał się o kolumnę, była bez zarzutu. Opadające ramiona i garbienie się to nie był styl markiza.

Mocno zaciągnął się cygarem.

– Proszę wyjaśnić – powiedział, wypuściwszy dym.

– Nie przyszło panu do głowy, że kobiety tak bardzo... do pana lgną właśnie ze względu na pańskie... opanowanie?

Prychnął krótkim, pozbawionym wesołości śmiechem.

– To naprawdę zabawne, jak starannie dobiera pani słowa, panno Vale. Jednak wciąż pani nie rozumiem.

– Jest pan zawsze tak bardzo... opanowany... lub, jeśli pan woli, zrównoważony, tak bardzo się pan kontroluje, że... Cóż, proszę pomyśleć na przykład o ogniu. Żeby zlikwidować chłód panujący w pomieszczeniu, musi płonąć mocniej i wyżej. Więc gdybym miała, z całą życzliwością dla pana, doprowadzić to porównanie do końca, to rzekłabym, że pańskie towarzyszki, żeby pokonać pański chłód, są wręcz zmuszone czasami wybuchnąć... a to się może kończyć rzucaniem przedmiotami.

– A więc taki jestem, pani zdaniem? – spytał ostro. – Tak mnie pani postrzega? Uważa pani, że jestem oziębły? Chłodny i wyniosły? Czy tak mnie opisują w gazetach?

– Nie – zaprzeczyła bez wahania, nadając głosowi kojący ton, bowiem wyczuła, że w jakiś sposób zraniła markiza. Ale w rzeczywistości tak właśnie o nim myślała. – Nie – powtórzyła jeszcze łagodniej. – Potrafię odróżnić oziębłość od... ostrożności.

Znowu starannie dobierała słowa. Markiz nie był głupi i na pewno by się oburzył, gdyby zasugerowała, że jest wrażliwy i chroni się przed zranieniem. Wszyscy przecież go znali jako człowieka niezniszczalnego, nieodgadnionego. Jego nerwy ze stali, serce jak forteca, przebiegły intelekt i tak dalej, i tak dalej. Cała legenda o nim zbudowana była na tych właśnie cechach.

Z ust wydarło mu się krótkie sapnięcie. Jakby chciał westchnąć, ale się powstrzymał.

– Nie jestem pozbawiony namiętności, panno Vale.

– Och, nawet przez chwilę tak nie myślałam.

Poderwał ostro głowę, żeby na nią spojrzeć. Wiedział, że tylko udaje niewinność, że prowokację odziała w płaszcz ostrożnie dobieranych słów.

Przez chwilę z zadumą ćmił cygaro. Phoebe potarła dłonią ramię. W środku rezydencji Redmondów panowały tropikalne temperatury, ale na dziedzińcu wyraźnie się czuło, że to już jesień.

– Widzi pani, panno Vale... Od bardzo wczesnego wieku byłem obarczony odpowiedzialnością za wiele spraw. Miałem zaledwie siedemnaście lat i wciąż się uczyłem, gdy zmarł mój ojciec, pozostawiając mnie z długami i olbrzymimi obowiązkami. Wszyscy w rodzinie, niczym pisklęta domagające się pokarmu, przybiegali do mnie, prosząc, abym ich ratował. Musiałem podejmować decyzje, ważne i trudne, i... impulsywność to był luksus, na który nie mogłem sobie pozwolić. Człowiek najwięcej się uczy w trudnych okolicznościach. Przede wszystkim precyzji i wyczucia czasu. Gdybym popełnił chociaż jeden błąd, wszystko się mogło rozpaść. Ale w końcu udało mi się spłacić długi, odzyskałem majątek i zapewniłem członkom rodziny dostatnie życie.

Markiz próbował się przed nią tłumaczyć.

Wcześniej kpiła sobie z jego licznych posiadłości, teraz jednak dotarło do niej, że w rzeczywistości był to... ciężar. Zrzucony na barki siedemnastolatka. Duże majątki ziemskie, rezydencje i rodziny nie zarządzają się same. O wszystko od wczesnych lat młodości dbał markiz. I czynił to z sukcesem, tak że rodzina powróciła do świetności.

Phoebe zrobiło się wstyd, że sobie z niego podkpiwała.

– Ktoś inny, mniej sprawny, mógłby wszystko zaprzepaścić – przyznała. – Mógłby się załamać pod ciężarem odpowiedzialności.

Markiz szeroko otworzył oczy, jakby myśl, że jego poczynania mogłyby się zakończyć fiaskiem, nigdy nie przyszła mu do głowy. Potem krótko się roześmiał. Bez wesołości, za to jakoś tak melancholijnie.

– Czasami miałem wrażenie, że balansuję na cienkiej linie – powiedział nieobecnym głosem. Możliwe, że wspominał przeszłość.

– A teraz?

– A teraz... – Zastanawiając się, odchylił głowę w tył. – Teraz przezorność i precyzja stały się moją drugą naturą. – Znowu się roześmiał, równie krótko i ponuro jak poprzednio. – Zawsze robię to, co należy, w odpowiednim momencie i z odpowiednich pobudek. – Zerknął na nią z ukosa. – No prawie zawsze – poprawił się tajemniczo.

Mężczyzna, który nigdy nie popełnił błędu. Wcielenie gracji, wyjątkowości. „Dziecko szczęścia", „lekkomyślny hulaka", tak o nim pisały gazety. Który stał się legendą, którego podziwiano i naśladowano, choć nikomu się to w pełni nie udawało.

– Pewnie czasami odczuwał pan lęk?

Po zastanowieniu wzruszył jednym ramieniem, po czym, nie myśląc o tym, wyciągnął rękę, żeby chwycić lecącą do lampy ćmę.

– Uważam, że dokonał pan wielkiej rzeczy – oznajmiła miękko Phoebe.

– Być może, ale teraz już chyba pani rozumie, dlaczego tak mnie to śmieszy, kiedy pisze się o mnie, że jestem lekkomyślny. Nigdy nie pozwalam sobie na... – zdmuchnął ćmę z dłoni, choć wiedział, że znów będzie próbowała dostać się do światła, gdyż taka była jej natura. – ...lekkomyślność.

Teraz już Phoebe widziała to w całej wyrazistości. Markiz był jak żongler, jak linoskoczek. Musiał pamiętać o precyzji, mieć wyczucie czasu... inaczej mógł zginąć.

– Powinien pan być z siebie bardzo dumny – oświadczyła nieśmiało, choć zarazem z żarliwością. – Pańska rodzina ma szczęście, że pana ma.

– Jestem z siebie dumny – odparł po chwili swobodnym tonem. – I moja rodzina też jest ze mnie dumna.

Odwrócił się do niej szeroko uśmiechnięty.

Phoebe pokręciła głową, zaskoczoną jego arogancją, choć zarazem taka pewność siebie, prawdopodobnie wrodzona, bardzo jej imponowała.

– Przyrzekłem matce, że odzyskam wszystkie ziemie, które sprzedaliśmy, i pospłacam długi. Działając cierpliwie przez wiele lat, w końcu odbudowałem świetność rodziny. Uratowałem jej honor. Zaiste kruchy to towar, który, choć zdobywany przez wieki, może zostać roztrwoniony przez jednego tylko człowieka. Do odzyskania został mi już tylko ostatni skrawek ziemi położonej tutaj w Sussex. Nie była ona przypisana do tytułu szlacheckiego, który ojciec przegrał w karty. Dom na niej stojący stanowił posag mojej matki. Wychowywała się tutaj. Ciekawe, czy pani zgadnie, do kogo teraz należy.

Phoebe nie musiała zgadywać. Była pewna, że chodzi o Redmondów.

– Czy odzyskanie tych gruntów wiąże się z jakimś warunkiem?

Markiz spojrzał na nią ostro, prawdopodobnie zaskoczony przebiegłością jej pytania. Potem lekko się uśmiechnął. Uśmiech był zarówno słodki, jak i gorzki.

– Oczywiście. Mało w życiu otrzymuje się za darmo, a już z pewnością nie od Isaiaha Redmonda. Ale należę do osób, które dobrze wiedzą, że każde działanie pociąga za sobą jakieś skutki, i znam się na prowadzeniu interesów. Nie mogę więc mieć do niego pretensji. A warunek, jaki postawił, nie jest… – zrobił pauzę – szczególnie uciążliwy. – Zwrócił twarz ku Phoebe i dalej mówił już ostrożnym tonem. – Majątek jest przypisany do innego posagu.

Nie jest uciążliwy. Phoebe doskonale wiedziała, że warunek to Lisbeth Redmond.

Była zaszokowana. Markiz traktował kwestię małżeństwa jak wszystko inne w swoim życiu. Z precyzją i mając na względzie cel, jaki sobie wytyczył.

– Mnie raczej nurtuje pytanie… kto się troszczy o panią, panno Vale?

Sprytny sposób, żeby odciągnąć jej uwagę od tego, do czego w zasadzie już się przyznał.

Postanowiła, że też zrobi unik.

– Mogłabym zapytać o to samo pana, lordzie Dryden.

Wyglądał na szczerze zaskoczonego.

– Och, zatrudniam całą chmarę służących. Chociaż jak sądzę, najbardziej dba o mnie Marquard. Poza tym są jeszcze osoby takie jak Sophia Licari...

– Nie o to mi chodziło – przerwała mu łagodnie, inaczej ciągnąłby tę wyliczankę w nieskończoność, a ona nie chciała tego słuchać.

Markiz wkrótce miał pojąć za żonę dziewczynę niesamodzielną, delikatną, wymagającą rozpieszczania. W jego życiu pojawi się kolejna osoba, o którą będzie się musiał troszczyć.

Komu on powierza swoje ciężary? Prawdopodobnie nawet nie wie, jak to się robi.

Popatrzył na nią przeciągle, po czym odwrócił wzrok.

– A co do mojego opanowania... na swoją obronę chcę powiedzieć, że nigdy nie mówiłem tym rzucającym przedmiotami kobietom, że je kocham.

Och, na litość boską. Ci mężczyźni!

– Cóż, no to teraz już wszystko jasne. Ponieważ nic pan im nie deklarował, na pewno żadnej nawet przez myśl nie przyszło, żeby się w panu zakochać. Naprawdę dziwne, że w czymś pana rzucały. – Roześmiał się i tym razem jego śmiech zabrzmiał bardzo chłopięco. – Nie wie pan, markizie, że kobiety też są ludźmi? – rzuciła z poirytowaniem Phoebe. – A poza tym niewiele osób może się poszczycić taką samokontrolą, jaką pan wykazuje.

– Chwileczkę, chwileczkę. – W jego głosie znów się pojawiły ostrzegawcze nuty. – Sądzi pani, że choć przez moment myślałem inaczej? Że traktuję kobiety przedmiotowo?

– Nie, ja tylko...

Oderwał plecy od kolumny i zrobił krok w jej stronę. Widać musiał się wyprostować, żeby mieć pewność, iż to, co powie, będzie odpowiednio odebrane.

– Panno Vale, układ, jaki zawrę z rodziną Redmondów, odpowiada obu stronom. Nikt nikogo do niczego nie zmusza. Ponadto jestem człowiek szczodrym, opiekuńczym i o wiele bardziej utalentowanym, niż to się słyszy w plotkach. Signora Licari na pewno potwierdziłaby moje słowa. I choć nie umiem zapobiec, żeby nie doszło do ranienia uczuć, to pragnę pani uzmysłowić, że kobiety, które mają powodzenie, potrafią być równie aroganckie, jak mężczyźni, którzy się za nimi uganiają. No i zapewniam, że gdy układy, o jakich mowa, dobiegają końca, zranieniu ulega przede wszystkim duma.

Podejrzewała, że markiz dobrze zdawał sobie sprawę, iż nie jest tak wyrafinowana, jak on i właśnie dlatego używał zwrotów typu „o wiele bardziej utalentowany".

– Nie wspominając o roztrzaskanych skrzynkach na cygara i wazonach – udało jej się wydusić.

– Czasami i owszem.

W tym momencie Phoebe poczuła, że trudno jej złapać oddech.

Dopiero teraz dotarło do niej pełne znaczenie zwrotu „o wiele bardziej utalentowany", którego markiz użył właśnie po to, żeby się teraz nad nim zastanawiała. W ciągu zaledwie sekundy wyprowadził ją na tak szerokie wody, na jakich dotąd nigdy nie była.

Widziała, że się jej przygląda, więc przełknąwszy wstyd, rzekła:

– Tak czy inaczej... chodziło mi o to, że to są... – machnęła ręką – kobiety, a nie Isaiah Redmond, z którym dobija pan targu życzliwym uściskiem dłoni. Może pan sobie stosować zasady, jakie obowiązują w interesach, ale emocje zawsze pozostaną emocjami. Ich nie można... ująć w karby. Nawet panu się to nie uda.

Zbyt późno zdała sobie sprawę, że jej wypowiedź zabrzmiała stanowczo zbyt żarliwie.

Markiz wlepiał w nią oniemiałe spojrzenie.

– Widzę, że znane są pani burzliwe uczucia, prawda, panno Vale.

Znów ten głos. Taki niski i miękki, że czuła, jak się jej podnoszą włoski na karku.

Trochę to dziwne, że to właśnie z jej ust, osoby, która musiała okiełznać swoją dzikość, maskując ją strojem uległości, padały takie słowa. Była ostatnią, która miała prawo robić komuś podobne wykłady.

– Nie – skłamała.

Na co on tylko uśmiechnął się półgębkiem.

– Przysięgam, że nigdy nie podarowałem diamentowego naszyjnika Isaiahowi Redmondowi – oznajmił w końcu.

A potem śmiali się oboje, wyobrażając sobie tę scenę. Porywczość rozwiała się w powietrzu jak dym.

Markiz westchnął.

– Zgadzam się, że może miała pani rację w kwestii tego, że nie bardzo potrafię z wdziękiem kończyć... związki. Gratuluję, pani nauczycielko. Znów mnie pani czegoś nauczyła.

– A teraz jest pan w jakimś związku? – Pytanie wymsknęło jej się z ust, zanim zdążyła się powstrzymać.

Zapadła cisza. Markiz dziwnie się wahał, jakby pytanie go zaskoczyło.

– Nie – odparł w końcu ostrożnym tonem, spojrzawszy jej w oczy.

A potem czekał, sądząc, że Phoebe zechce coś jeszcze dodać.

Ale ona się bała, że to on powie coś jeszcze.

Na szczęście w tym momencie w ciszę między nimi wdarły się dźwięki fortepianu.

Występ się rozpoczął.

9

Phoebe miała wrażenie, że muzyka opływa ją ze wszystkich stron niczym miękkie fale. Z napięciem czekała na każdy kolejny dźwięk, kolejną nutę, które choć to się wydawało niemożliwe, były jeszcze piękniejsze od poprzednich.

Potem, prawie niezauważalnie, do melodii granej na fortepianie dołączył głos śpiewaczki. Z początku słyszalny tylko w przerwach między uderzeniami klawiszy, choć już po chwili stał się donośniejszy, wyższy... Śmiało przebijał się przez brzmienie instrumentu.

Dobry Boże... głos był tak olśniewający, że słuchanie go sprawiało ból. Phoebe miała wrażenie, że wnika w jej ciało i całe je sobą wypełnia.

Nie zdając sobie z tego sprawy, wyciągnęła rękę i chwyciła markiza za rękaw surduta. Jakby się bała, że z zachwytu uleci w powietrze.

– Co to za pieśń? Błagam, niech mi pan powie, jaki ma tytuł? – spytała rozgorączkowanym szeptem.

Gdyby wiedziała, że w chwili gdy go dotknęła, markiz wstrzymał oddech... gdyby zauważyła wyraz jego twarzy... może cofnęłaby dłoń, zmieszana ukrytym pod maską zaskoczenia pożądaniem.

Lub rzuciłaby się markizowi w objęcia.

Muzyka nią zawładnęła. Zamknęła oczy.

– To *L'Olimpiade* Galuppiego – odparł w końcu markiz, również szeptem. Rozumiał, że teraz to on ma za zadanie ostudzić gorączkę Phoebe oszołomionej nowym doznaniem, jakim było słuchanie pięknej arii. – Libretto napisał poeta Metastasio. *L'Olimpiade* opowiada o... o... powiedzmy, że o miłosnej rywalizacji. Powstała na kanwie *Erato*.

Miłosna rywalizacja? – pomyślała Phoebe. No, no, temat na czasie.

Przez chwilę nie mogła wydobyć z siebie głosu. Piękno muzyki sprawiało jej cierpienie.

Więc uczyniła to, co zawsze, gdy chciała je złagodzić: zasięgnęła informacji.

– *Erato*? Szósta księga *Dziejów* Herodota z Helikarnasu?

– Herodota z Helikarnasu? – Markiz pokręcił głową. – Ona powiedziała: Herodot z Helikarnasu – powtórzył, unosząc twarz do nieba. – Znowu trudne zwroty. Czy czytała pani wszystko, co jest do przeczytania, panno Vale?

– To prawda, dużo czytam. Ale proszę odpowiedzieć.

– Tak, chodzi o Herodota.

Jej oczy były teraz szeroko otwarte. Markiz znieruchomiał. Zupełnie jakby na ramieniu usiadł mu piękny ptak, a on nie chciał go wystraszyć gwałtowniejszym ruchem.

Po chwili Phoebe cicho westchnęła.

A potem się uśmiechnęła i lekko pokręciła głową, jakby się chciała pozbyć odurzenia.

– Mój Boże – wymamrotała na koniec.

– Pierwszy raz słyszy pani arię operową, panno Vale?

Głos markiza brzmiał bardzo łagodnie, jak jeszcze nigdy dotąd. Phoebe nie była przekonana, czy jej się to podoba. Tego typu delikatność kojarzyła jej się z litością. A litości nienawidziła. Jednak w wypowiedzi markiza nie było nawet odrobiny ironii.

– Tak, pierwszy – odparła głosem przepełnionym pokornym żalem. – Ja po prostu... nie miałam pojęcia. Proszę mi wybaczyć. Nie chciałam...

Markiz pokręcił głową, zmuszając ją tym do zamilknięcia.

Oboje słuchali, jak głos jego byłej kochanki wspina się na niewyobrażalne wyżyny skali, a potem szybuje jak ptak, kpiąc sobie z przekonania, że istnieją jakieś ograniczenia tego, do czego jest zdolne ludzkie gardło. A cała ta śpiewna akrobatyka była tak przepiękna, tak przejmująca, że signora Licari mogłaby swym głosem poprowadzić armię wojsk na Jerycho i osiągnąć to samo, co osiągnął Jozue, tyle że bez trąb.

– Na niektórych to tak po prostu działa – odezwał się markiz ciepło. – Nie na wszystkich, ale na niektórych tak.

Phoebe nagle zdała sobie sprawę, że czuje jego ciepły oddech na policzku. Kiedy zdążył tak blisko się przysunąć? Jednak nie zmieniła pozycji.

– Pamiętam, jak pierwszy raz słuchałem opery – kontynuował. – To było...

– Ciii.

Uśmiechnął się szeroko, błyskając zębami w ciemności.

Głos Sophii Licari znowu wzbił się na wyżyny, żeby po chwili opaść w serii karkołomnych ozdobników. Ten głos kusił, wzywał, droczył się ze słuchaczami, błagał i na koniec osiągnął nutę, która według praw fizyki powinna roztrzaskać kryształowy żyrandol nad głowami publiczności.

Tłum gości zebrany w sali balowej Redmondów wybuchł oklaskami.

Phoebe czuła się zarówno wyczerpana, jak i całkowicie spełniona.

– Po czymś takim oklaski wydają się nie na miejscu – mruknęła.

– Och, wręcz przeciwnie, zapewniam – odrzekł markiz z ironią. – Nasza diwa uwielbia, kiedy jej się oddaje hołdy. Niech pani pamięta, panno Vale, że choć Sophia ma boski głos, to jednak jest tylko człowiekiem. Instrumentem. Kosztownym, wymagającym i szybko się nudzącym instrumentem o nadziemskich uzdolnieniach. Chrapie jednak równie głośno, jak śpiewa, i kąpie się rzadziej, niż powinna.

Phoebe parsknęła śmiechem, ale zaraz z zawstydzeniem przygryzła usta.

– Jak pan może! Nie powinien pan opowiadać takich rzeczy. Dżentelmen tak nie postępuje.

– Obsypywałem ją prezentami, zapewniałem luksusy, a ona chciała mnie zabić. Ja tylko… wszyscy jesteśmy ludźmi, panno Vale. Nikt nie jest bez wad. Każdy ma jakieś słabostki, a piękno tkwi w oku patrzącego, który czasami nie widzi rzeczywistości.

Czyżby to była próba przekonania jej do siebie? Chce jej powiedzieć coś ważnego?

Może to, że wszyscy w towarzystwie mylą się co do niego?

– Domyślam się, że panu składanie hołdów nie przychodzi łatwo, lordzie Dryden?

– I znowu ma pani rację – odparł z ponurym uśmieszkiem, po czym z żalem popatrzył na wypalone cygaro.

Dopiero w tym momencie Phoebe zauważyła, że kurczowo zaciska dłoń na rękawie jego surduta. Zawstydzona, szybko zabrała rękę.

– Przepraszam – szepnęła. – Nie wiedziałam… Jeszcze raz przepraszam.

– Nie ma za co – odparł z porywczością niepasującą do okoliczności. – Naprawdę nie ma za co – dodał już łagodniej.

Phoebe wciągnęła jego zapach – męski, uderzający do głowy, charakterystyczny tylko dla niego. Czuła też bijące od markiza gorąco, jakby stała przy ognisku. Wrażenie było zarazem kojące i budzące niepokój.

Nie pamiętała, kiedy ostatnio kogoś dotknęła, czy to po to, aby poczuć się bezpieczniej, czy też dla ochrony lub z powodu podekscytowania.

Ale przecież markiz na co dzień zajmował się ochranianiem ludzi.

Jeśli tylko akurat nie uchylał się przed rzucanymi w niego pudełkami na cygara.

Kiedy znów się odezwał, mówił cicho, jakby nie był pewny, jak zostanie odebrany.

– Wiem, że powinienem udawać, iż nie lubię opery albo że ledwie ją toleruję, bo tego się oczekuje od prawdziwego mężczyzny, ale dla mnie opera to zjawisko... transcendentne. Oczywiście w sytuacji, gdy na scenie pojawia się prawdziwy talent. Dodam tylko, że widzę ogromną różnicę między operą a większością musicali. Te, jak dla mnie, są... – przerwał, szukając odpowiedniego słowa – ... denerwujące.

Phoebe w reakcji na to wyznanie nie umiała się powstrzymać i parsknęła śmiechem, który natychmiast ją otrzeźwił po uniesieniu wywołanym muzyką. Już nie czuła się dziwnie niezręcznie.

– Potrafi pani grać na fortepianie, panno Vale?

Znowu się roześmiała.

– Skąd ten przestrach w pańskim głosie, lordzie Dryden? Tak, potrafię, ale nie gram wybitnie, chociaż bardzo to lubię. – I żeby go ostrzec, szybko dodała: – Bez wątpienie przeżywałby pan katusze, słuchając mojej gry. Co się zresztą może zdarzyć w trakcie naszego tutaj pobytu.

– Och, ze względu na panią zachowam się wtedy bardzo uprzejmie. Nie będę ziewał, wiercił się i szurał krzesłem.

– To wielce uprzejme z pana strony. Ulżyło mi.

Markiz łaskawie skinął głową.

Phoebe się uśmiechnęła i potarła ramiona. Rozgorączkowanie muzyką już jej minęło, dlatego teraz wyraźnie czuła na odsłoniętych częściach ciała zimne igiełki chłodu nocy.

Z zamiarem okrycia ją własnym surdutem markiz zaczął go z siebie ściągać.

Gdy Phoebe zdała sobie sprawę, co się święci, zaskoczona, szybko się cofnęła.

Markiz znieruchomiał, a potem, bez słowa i z nieodgadnioną miną, z powrotem odział się w surdut.

Oboje skrępowani przez chwilę milczeli, a markiz, który chyba nie wiedział, co zrobić z rękoma, bawił się końcówką cygara, której zarazem przyglądał się z niejakim wyrzutem.

A przecież był znany ze swojego opanowania.

Phoebe podejrzewała, że tak samo jak ona jest wstrząśnięty tym, jak bardzo jego gest wydawał się na miejscu, jak bardzo był spontaniczny i automatyczny. Markiz chciał ją ochronić.

A ona się uchyliła.

Ale to dlatego, że jest zwykłą nauczycielką. Markiz nie powinien okrywać jej swoim surdutem. Zresztą nie była przyzwyczajona, żeby ktoś się nią opiekował.

– Lisbeth pięknie gra na fortepianie – powiedział ze sztuczną swobodą. – Można by nawet rzec, że ma prawdziwy talent.

Oraz pieniądze. Urodę. Widoki na przyszłość. Rodzinę. Piękne stroje. I wachlarz, który ci się z nią kojarzy.

Czy ma również twoje serce?

A może je też podporządkowałeś układom biznesowym?

– To prawda – przyznała, ponieważ nade wszystko ceniła szczerość, a poza tym w tych okolicznościach wypadało tak powiedzieć.

Wypadało, a poza tym tak jest bezpieczniej.

Bzdura. Nie chodzi o bezpieczeństwo, ale o to, że jesteś tchórzem, zganiła się w myślach, czując, jak rozrywa ją ból.

Nagle chiński szal Lisbeth, który zaciskała w dłoniach, zaczął ją parzyć. Nerwowym ruchem odwróciła głowę w stronę drzwi. A niech to! Ile czasu minęło, odkąd wyszła po szal?

Markiz musiał wyczuć, że zamierza uciec, gdyż szybko powiedział:

– Nigdy nikomu nie mówiłem o wazonach, skrzynkach na cygara i tak dalej...

Phoebe zamarła.

Wzięła głęboki oddech, a jej serce zerwało się do gwałtownego galopu. Po części była wściekła, po części poirytowana. Uważała, że to bardzo niesprawiedliwe, iż los zetknął ją z tym niesamowitym mężczyzną i muzyką rozrywającą serce swym pięknem. Ona też jest tylko człowiekiem i choć potrafiła być silna, to daleko jej było do opanowania markiza. Miała ochotę mocno tupnąć nogą w ziemię.

Proszę mnie nie obciążać swoją przyjaźnią. Nie dzielić się ze mną swoimi przemyśleniami! Nie chodzić za mną, gdyż nic dobrego z tego nie wyniknie. Mam tylko dwadzieścia dwa lata. Nie znam odpowiedzi na wszystkie pytania. Chciałam tylko być blisko ciebie.

– Może zwierzył się pan akurat mnie, bo nic panu z mojej strony... nie grozi.

Jestem nikim. Nie śmiałabym o tobie plotkować. Poza tym mieszkam na wsi.

Ale sama w to nie wierzyła. Jednak była ciekawa reakcji markiza.

Ten zaś wolno podniósł głowę, a ona, przesuwając wzrokiem po jego profilu, czuła się tak, jakby ta twarz na wieczność wyryła się w jej sercu.

Kiedy się odezwał, jego głos znowu brzmiał łagodnie. Z nutką niedowierzania.

– Och, grozi, panno Vale, jak najbardziej grozi.

Zdanie ociekało dodatkowym znaczeniem. Kryły się za nim ostrzeżenie i obietnica, konsternacja i gorzko-słodka ironia.

A ponieważ, mimo niepewności i dzielących ich różnic, oboje w głębi ducha byli niepokornymi, dzikimi naturami, na ich ustach w tym samym momencie zakwitły podobne uśmiechy: przewrotne i leniwe.

Phoebe pokręciła głową. W wyrazie zdumienia lub ostrzegawczo, lub z poirytowaniem. Sama nie wiedziała.

Odległość między nimi, zbyt duża, a zarazem na tyle mała, że graniczyło to z niestosownością, tętniła dwuznacznością. Trochę to było śmieszne, gdyż w rzeczywistości, na mocy prawa naturalnego, powinna być teraz w jego ramionach.

Ale w tym momencie ktoś znowu zaczął grać i Phoebe na dźwięk szybkich, żywych tonów aż podskoczyła.

– Pójdę już, bo chciałabym wysłuchać dalszej części występu z bliska – oznajmiła, siląc się na swobodny ton. – W końcu to nie ja mam na pieńku z signorą Licari, a jej głos jest naprawdę piękny i wyjątkowy. I donośny. Kiedy skończy, na pewno będzie to słychać, a pan będzie wiedział, że może bezpiecznie wracać do reszty gości.

Markiz westchnął, ze zrezygnowaniem godząc się z tym, że Phoebe przerwała czarowną chwilę.

– Czy ta dama zostaje na noc pod tym dachem?

– Trudno odesłać sławną sopranistkę do gospody Pod Świnką i Ostem, żeby spała w składziku za barem. Ale o ile dobrze zrozumiałam, signora Licari ma jakieś zobowiązania w Londynie, więc chyba wyjedzie niedługo po występie.

– Może to ja powinienem się wynieść do gospody.

– Jest jeszcze stodoła.

Markiz posłał jej wesoły, chłopięcy uśmiech. Phoebe była ciekawa, czy jemu też ulżyło, że między nimi do niczego nie doszło.

Jak długo trwała jej nieobecność? Przynajmniej tyle, ile aria. Czyli dość długo. Phoebe poczuła, że ogarnia ją panika. Nie było już czasu, żeby poszła po własny szal. Podniosła szal Lisbeth i powiedziała:

– Lisbeth może tam umierać z zimna, więc…

Okręciła się na pięcie i szybko odeszła, głośno stukając obcasami. Był to denerwujący dźwięk, jakby ktoś, lub coś, ją ścigał.

To moje własne pragnienia, pomyślała melodramatycznie.

Była już prawie przy drzwiach, gdy usłyszała markiza.

– Gdzie w Londynie, Szeherezado?

Odwróciła się do niego i zrobiła kilka kroków. Markiz pytał o miejsce jej urodzenia.

– Seven Dials. – Przemyśl to sobie, lordzie Dryden, kiedy będziesz tu stał w mroku. – I jest mi pan winien podarek – dodała, po czym przy wtórze bicia serca oraz staccato kroków zniknęła w domu.

10

Phoebe zdała sobie sprawę z tego, jak bardzo zmarzła, dopiero kiedy weszła do domu i pędem, ślizgając się na marmurowej posadzce, pobiegła do salonu. Ale gdy była już blisko, zwolniła kroku i przybrała postawę, jakiej się oczekuje od nauczycielki lub damy do towarzystwa – wyprostowała plecy i szła, stawiając jedną stopę przed drugą, zupełnie jakby chodziła... po cienkiej linie.

Interesujące, że akurat to ją łączyło z markizem.

Po dotarciu do drzwi zajrzała do salonu, chcąc, jeszcze zanim wejdzie do środka, przekonać się, jak wygląda sławna sopranistka. Signora Sophia Licari stała przy fortepianie, opierając na nim jedną dłoń, zupełnie jakby to był wytresowany dziki zwierz oczekujący na kolejną komendę. Zresztą z powodu złotobrązowej burzy zaczesanych do góry i spiętych błyszczącymi wsuwkami włosów śpiewaczka sama wyglądała jak dzikie zwierzę – lwica. Była ubrana w elegancką melodramatycznie szkarłatną suknię o pięknym dekolcie, bardzo wąską w talii, a jej niesłychanie długie rzęsy spoczywały na policzkach, gdyż solistka, z której gardła wydobywały się wręcz niebiańskie dźwięki, śpiewała z zamkniętymi oczyma i głową odchyloną w tył.

Na jej szyi lśniły diamenty, które jednak, będąc tak subtelne jak napierśnik wikinga, nie wyglądały na prezent od markiza. Ten z pewnością wybrałby bardziej gustowną i kosztowną kolię. Możliwe więc, że signora Licari znalazła sobie nowego mecenasa. W każdym razie, chcąc być uczciwą, Phoebe nie mogła powiedzieć, że sopranistka wygląda na osobę, która w porywie wściekłości rzuca ciężkimi przedmiotami. Podobnie jak u markiza jej dostojeństwo było wręcz namacalnie wyczuwalne. Poza tym charakteryzowała ją jakaś odmienność, zdaniem Phoebe zauważalna dla wszystkich. Gdy się na nią patrzyło, miało się wrażenie, że mówi: „Nie jestem taka jak wy, zwykli śmiertelnicy. Jestem kimś wyjątkowym, nadzwyczajnym".

Ale i markiz nie był zwyczajnym człowiekiem i nawet takie boginie jak signora Licari ulegały jego czarowi.

Mnie też byłoby się z nim trudno rozstać, gdyby kiedykolwiek był mój, przemknęło Phoebe przez głowę.

Jednak rzeczywistość wyglądała tak, że kiedy markiz opowiadał o sopranistce, można było wyraźnie dostrzec, że nigdy w pełni nie oddał jej swego serca. Phoebe była o tym tak przekonana, jak o tym, że doskonale wie, jakiego koloru są jej oczy lub że ma pieprzyk w kąciku ust, lub że następnego dnia znów wzejdzie słońce.

A nie oddał serca Sophii Licari, bo los przeznaczył go mnie, pomyślała i aż prychnęła, poirytowana tą niedorzeczną i niebezpieczną myślą.

Zajrzała w głąb salonu, żeby popatrzeć na publiczność. Widok był tak osobliwy, że obiecała sobie w duchu, że kiedy tylko będzie mogła, opisze go Postlethwaite'owi. Siedzący w rzędach na wyłożonych pluszem krzesłach pięknie odziani ludzie mieli twarze czerwone od zbyt wysokiej temperatury panującej w domu. Lord Waterburn spał z otwartymi ustami i odchyloną głową. Siedzący w ostatnim rzędzie Jonathan Redmond i lord Argosy wprawdzie sprawiali wrażenie, jakby słuchali występu z wielką atencją, jednakże ich dłonie ukradkiem się poruszały. Panowie ponad wszelką wątpliwość grali w rozłożone na udach karty. Phoebe dostrzegła, że Jonathan podaje towarzyszowi zrolowany banknot, prawdopodobnie jednofuntowy.

Isaiah i Fanchetta, onieśmielający gospodarze, siedzieli w pierwszym rzędzie i wydawali się pochłonięci koncertem.

W pewnej chwili Isaiah chwycił żonę za rękę i położył ją sobie na kolanie.

Phoebe była zafascynowana tym gestem. Czy Isaiah wykonał go tylko, żeby się popisać przed gośćmi, czy śpiew signory Licari rzeczywiście aż tak go poruszył, że musiał chwycić dłoń swojej pięknej, acz przerażającej żony? Bardzo ludzkie zachowanie jak na kogoś takiego jak on.

Lisbeth, wyglądająca tak, jakby pieśniarka ją do siebie przyciągała, wychylała się na krześle do przodu. Wydawało się, że nie widzi niczego dokoła.

Phoebe smutno się uśmiechnęła. Wprawdzie była zadowolona, że Lisbeth dała się ponieść muzyce, jednak nie zmieniało to faktu, iż patrząc na dziewczynę, odczuwała również zazdrość. Lisbeth jak zawsze była bardzo piękna i pociągająca. Doskonała kandydatka na żonę dla markiza.

Którą niewątpliwie bardzo pragnęła zostać. Wachlarz od markiza zaciskała w dłoniach tak mocno, jakby to był sam markiz.

Signora Licari zakończyła arię jedną rozciągniętą w nieskończoność nutą. Phoebe z podziwem pomyślała, że sopranistka musi mieć płuca jak miechy.

Rozległy się oklaski i diwa uprzejmie skłoniła głowę.

Phoebe wykorzystała okazję i szybko przebiegłszy salę, usiadła na krześle obok Lisbeth, po czym delikatnie trąciła ją łokciem w bok. Lisbeth odebrała szal, prawie na nią nie patrząc, tak była zaabsorbowana osobą wspaniałej artystki. Na tyle zaabsorbowana, że na szczęście nie zauważyła przeciągającej się nieobecności markiza.

– Dziękuję. Słyszałaś, jak ona śpiewa, Phoebe? Czyż nie jest magiczna?

– Nigdy dotąd czegoś takiego nie słyszałam. Dziękuję ci, że mnie zaprosiłaś i że mogłam tego wysłuchać.

Podziękowania były szczere. Bez względu na wszystko Phoebe wiedziała, że nigdy nie zapomni występu.

Lisbeth popatrzyła na nią zaskoczonym wzrokiem, by po chwili przybrać łaskawą minę.

– Och, Phoebe, tak się cieszę, że mogę z tobą dzielić te...

Na jej twarzy nagle pojawił się wyraz pustki.

Mocno zamrugała.

I podniosła szal do nosa... po czym go opuściła.

A potem szybko nachyliła się do Phoebe i ją też powąchała.

Phoebe odchyliła się w tył.

Lisbeth przestała ją wąchać, za to zmarszczyła brwi, jakby nie była zdecydowana, czy powinna powiedzieć to, co jej chodziło po głowie.

– Phoebe...?

– Coś się stało, Lisbeth?

– Ty... ty pachniesz dymem z cygar. – Ostatnie słowa Lisbeth wypowiedziała z jawną odrazą.

Chryste!

Phoebe poczuła, że robi jej się słabo. Wybałuszyła oczy na Lisbeth.

Lisbeth też się jej przyglądała z miną wystraszonego dziecka, które ma nadzieję, że ktoś je zaraz zapewni, że pod łóżkiem nie kryją się żadne potwory.

Phoebe chciała coś powiedzieć. Naprawdę chciała. Do głowy przyszło jej kilka wymówek i na pewno by je wyartykułowała, gdyby tylko jej usta i mózg miały ze sobą kontakt, zamiast trwać w otępieniu wywołanym poczuciem winy i przerażeniem.

– To nie Phoebe pachnie cygarami, głupia gąsko, tylko ja. – Jonathan nachylił się ku nim z tyłu tak niespodziewanie, że obie podskoczyły. – Poza tym jej nie stać na cygara, jakie my zwykle palimy.

Phoebe wiedziała, że Jonathan się z nią droczy; widziała błysk rozbawienia w jego oczach. Ale potem jego spojrzenie powędrowało w dół na jej rękawiczki i jego oczy zrobiły się okrągłe. Przez twarz przemknął mu dziwny wyraz – zaskoczenia? – którego nie potrafiła do końca rozszyfrować. Ale kiedy znów na nią spojrzał, jego twarz z powrotem wyrażała życzliwość.

Uczucie, że zaraz zemdleje, nadal jej nie opuszczało, mimo to jakoś zdołała zmusić się do bladego uśmiechu, ciesząc się zarazem, że w końcu odzyskała kontrolę nad ustami.

– Pewnie masz rację. – Lisbeth, nachylając się do Jonathana, powąchała i jego. – Bo ty rzeczywiście śmierdzisz, Jon. – Zmarszczyła nos, znowu powąchała szal, zmarszczyła czoło, tylko w jej wydaniu marszczenie czoła wyglądało pięknie, wzruszyła ramionami, po czym już ze stoickim spokojem zarzuciła szal na ramiona.

Jonathan po dżentelmeńsku rozprostował go na jej plecach, jakby tym gestem chciał na zawsze zamknąć temat zapachu dymu z cygar.

Potem zerknął na Phoebe i choć na pewno do niej nie mrugnął, to odniosła wrażenie, że w jego badawczych oczach dostrzegła – czy to możliwe? – wyraz sympatii. Dziwne, nigdy by nie podejrzewała, że Jonathan Redmond może być zagadkowy. I wyrafinowany.

Jednocześnie przypomniała jej się scena, gdy Isaiah Redmond chwycił żonę za rękę. I to, że markiz całe życie balansował na cienkiej linie. Jedyną rzeczą, na którą zawsze mogła liczyć, był jej spryt. Tak wiele razy miewała rację. Świadomość, iż w rzeczywistości nic nie wie, była bardzo dezorientująca, choć zarazem zmuszała do pokory. Ludzie często wyciągają wnioski na temat innych na podstawie zaledwie szczątkowych informacji, w dodatku przefiltrowanych przez uprzedzenia, jakie żywią.

Nawet markiz pytał, czy jest możliwe poznanie kogoś do końca.

Znowu rozległa się gra na fortepianie, więc Lisbeth, zapominając o dymie i cygarach, szybko zwróciła się w stronę wykonawcy i podparłszy brodę splecionymi dłońmi, na usta przywołała słodki uśmieszek zachwytu. Zdaniem Phoebe była to kolejna poza często ćwiczona przed lustrem.

Potem zaczęła śpiewać signora Licari i jej głos wypełnił pierś Phoebe silnymi wibracjami, jakby jej serce wtórowało śpiewowi. Schyliła głowę i z wielką nadzieją ostrożnie powąchała swój szal. I odmówiła w duchu dziękczynną modlitwę, gdyż również i jej szal pachniał dymem z cygar.

Co znaczyło, że pachniał nim.

Przymknęła oczy i ulegając chwili słabości, wyobraziła sobie, że jest opatulona surdutem markiza, ciepłym, chroniącym ją przed chłodem. A wszystko dlatego, że ona do niego należała.

Dzwony kościelne jeszcze nie zaczęły bić, słońce dopiero co wstawało, jednak pan Postlethwaite zdążył już otworzyć sklep i właśnie zamierzał upić pierwszy łyk herbaty, gdy dzwoneczki przy drzwiach głośno się rozdzwoniły. Pan Postlethwaite szeroko się uśmiechnął, gdy zobaczył, kto zawitał do jego sklepu. Był to sam wielki lord Głębokie Kieszenie.

Pan Postlethwaite szybko zerknął w stronę okna. Niestety, na ulicy nie dostrzegł powozu markiza, a szkoda, bo gdyby markiz przybył powozem, na pewno wszyscy by to zauważyli i chcąc naśladować popularnego arystokratę, również zajrzeliby do sklepu. Jednak zamiast powozu przed witryną stał wierzchowiec – olbrzymi czarny koń, którego sierść błyszczała jak czubki wypolerowanych męskich butów. Postlethwaite domyślał się, iż markiz, zjawiając się na koniu, sądził, że nikt go nie rozpozna. Że przybył incognito. Odstawiwszy filiżankę na spodek, nisko się pokłonił.

– Jestem zachwycony i zaszczycony, że znowu pana widzę, lordzie Dryden. Czy prezent, który pan kupił, spodobał się? A może nie miał pan jeszcze okazji go wręczyć?

– Sądzę, że prezent był bardzo trafiony, i ponownie dziękuję za pomoc przy jego wyborze.

Pan Postlethwaite był zachwycony, że może prowadzić tę jakże kurtuazyjną rozmowę.

– Chętnie służę pomocą. Mamy wspaniały wybór męskich rękawiczek, jeśli jest pan nimi zainteresowany, lordzie.

Znowu te rękawiczki! Jules mógłby przysiąc, że w oczach sprzedawcy dostrzegł diabelski błysk przekory.

Mimo to zmusił się do wypowiedzenia słów, których wyartykułowania ogromnie się obawiał. Czuł jednak tak silny przymus, że nawet strach nie mógł go powstrzymać. Poza tym nigdy nie był tchórzem.

– Dzisiaj, drogi panie, interesują mnie kapelusze.

Pan Postlethwaite w milczeniu przeniósł wzrok na jego czuprynę.

– Nie dla mnie – szybko wyjaśnił Jules. – Chodzi o damskie kapelusze.

– Oczywiście, sir.

Jules wolałby, aby to „sir" zabrzmiało trochę bardziej szczerze. Mimo że w sklepie przebywał nie więcej niż trzy minuty, czuł, że już w tej chwili traci resztki godności.

Ponieważ jednak całą noc spędził na tworzeniu i odrzucaniu różnych strategii, zupełnie jakby szykował się na wojnę, nie mógł teraz zrezygnować z przeprowadzenia swojego planu, mimo że był całkowicie irracjonalny i zupełnie nie w jego stylu – nigdy dotąd nie postępował irracjonalnie.

Tak czy inaczej, wiedział, że wykona to, co sobie zaplanował, choć początkowo chciał tę misję zlecić lokajowi lub kamerdynerowi.

– Pragnie pan przejrzeć całą kolekcję, jaką zebraliśmy, czy ma pan jakiś konkretny kapelusz na myśli, sir? Mogę panu pokazać...

Jules przerwał przemowę sprzedawcy, unosząc jeden palec. Żeby odszukać właściwy egzemplarz, musiał się odnieść do... geografii.

Pan Postlethwaite ze zdumieniem patrzył, jak markiz, przemierzając sklep, uważnie się po nim rozgląda, niczym podróżnik odkrywca.

Jules zaś powtarzał sobie w myślach instrukcje, które zamierzał przekazać lokajowi, gdyby to jego wysłał po kapelusz.

Stań w rogu sklepu, tam, gdzie o trzeciej po południu jest najjaśniej, choć zapewne o wpół do ósmej rano nie będzie tak samo jasno. Ustaw się dokładnie naprzeciwko lustra wiszącego za ladą, bo właśnie w tym miejscu stała Phoebe, kiedy ją pierwszy raz zobaczyłem. Upewnij się, że widzisz swoje odbicie w lustrze.

Potem szybko się okręć i wybierz kapelusz wiszący po twojej prawej stronie. Ma wstążki w kolorze ciemnej lawendy, a jedwabne kwiaty, które go zdobią, są w różnych odcieniach fioletu.

Tak. To ten. Słomkowy, drobno tkany, będzie pasował do owalu jej twarzy. Jules domyślał się, że właśnie o to chodziło Phoebe, gdy się zachwyciła kapeluszem. Ale czy kolory wstążki i kwiatów będą pasowały, o tym już nie miał pojęcia, choć przypuszczał, że Phoebe to wiedziała. Kobiety znają się na takich rzeczach. On wiedział tylko, że kiedy zastał ją tamtego dnia w sklepie, wpatrywała się w kapelusz, jakby to był święty Graal.

Ach te kobiety, pomyślał z rozbawieniem.

Tak czy inaczej, był szaleńczo szczęśliwy, że dostrzegł kapelusz, gdyż jeszcze nigdy aż tak bardzo nie pragnął zrobić komuś przyjemności.

– Ach, to piękny kapelusz, choć jest nieco dro...

Pan Postlethwaite chciał powiedzieć „drogi", ale markiz uciął jego wypowiedź jednym spojrzeniem. Pomysł, że coś, a zwłaszcza kapelusz, mogłoby być za drogie dla niego, był absurdalny.

Sprzedawca natychmiast uciekł za ladę, żeby zwiększyć dystans między sobą a bijącym od markiza poirytowaniem. Julesowi było to jak najbardziej na rękę.

– Dobrze, że wybrał pan akurat ten kapelusz, lordzie, bo pewna młoda dama od dawna próbuje wypalić w nim dziurę wzrokiem.

– Cieszę się zatem, że mogłem go uratować przed tak smutnym losem, panie Postlethwaite.

W pokoju było zimno, a wpadająca do środka przez lekko rozchylone zasłony szara poświata świadczyła o tym, że dzień się dopiero budzi. Phoebe była zdziwiona, że nie czuje na piersi ciężaru śpiącego na niej kota. Szukając miękkiej sierści, poklepała łóżko. I wtedy sobie przypomniała, gdzie jest, i usłyszała cichy stukot. To pokojówka rozpalała ogień w kominku.

Phoebe usiadła w łóżku.

Pokojówka odwróciła się do niej i nieśmiało uśmiechnęła. Biały czepeczek zsunął jej się na tył głowy, więc naciągnęła go z powrotem na miejsce, zostawiając na czole odcisk ubrudzonego węglem kciuka.

Phoebe uśmiechnęła się życzliwie do służącej, która podniosła się z klęczek i szybko przeszła do drzwi. Pilnowanie ognia w kominkach w całym domu i zapalanie świeczek było syzyfową pracą.

Przed samym wyjściem pokojówka odwróciła się i powiedziała:

– Przed pani drzwiami stała paczka, panienko, więc ją wniosłam do środka.

I zniknęła.

Paczka? Phoebe mocno wychyliła się z łóżka, żeby dojrzeć pakunek. Pudło było duże i okrągłe, takie, w jakie pakuje się…

Zerwała się z łóżka jak oparzona i rzuciła do paczki.

Natychmiast rozpoznała, że pochodzi ze sklepu Postlethwaite'a. Czyżby Postlethwaite przesłał jej prezent? Wydawało się to mało prawdopodobne, chyba że właściciel sklepu przeszedł na jakąś tajemniczą wiarę i postanowił rozdać majątek. W każdą niedzielę jak reszta mieszkańców miasteczka uczęszczał na mszę, ale hołdy oddawał – w drugiej kolejności po Stwórcy – wszechmocnej mamonie. Phoebe nie miała złudzeń, że sprzedawca mógłby cenić ją bardziej od zysków, choć była pewna, że zajmowała wysokie miejsce w rankingu osób, które darzył szacunkiem.

Usiadła na dywanie przed świeżo rozpalonym kominkiem i skrzyżowawszy nogi, palce stóp okryła koszulą.

A potem uroczyście podniosła wieko i zaczęła ostrożnie przedzierać się przez warstwy bibuły.

Przed oczyma błysnęło jej coś fioletowego.

O Boże.

Była tak podekscytowana, że na chwilę musiała się zatrzymać. Odwróciła głowę w stronę łóżka, jakby się spodziewała, że ujrzy w nim samą siebie wciąż pogrążoną we śnie.

Powróciła do rozpakowywania pudła, drżącymi dłońmi wyciągając szeleszczącą bibułkę. Głowę miała lekką, jakby unosiła się na wodzie.

Gdy ujrzała złoty słomkowy rąbek, podniosła oczy na sufit i bezgłośnie zawołała: Alleluja!

Roztrzęsionymi palcami wyjęła kapelusz oraz dołączony do niego liścik. Był napisany charakterem, którego nigdy wcześniej nie widziała – wysokimi, zamaszystymi, równymi literami.

Chciałbym Cię lepiej poznać.

Podpis był zbędny i faktycznie nie było go pod notatką.

Serce Phoebe wypełniło się nagłą radością. Roześmiała się na głos, wesoło, pełną piersią.

Domagała się prezentu i markiz spełnił jej życzenie.

Wpatrywała się w kapelusz, myśląc, że nie wolno jej oderwać od niego oczu, inaczej na pewno zniknie.

Potem uznała, że najlepiej zrobi, jeśli go włoży, co też uczyniła, zawiązując wstążkę pod szyją. Pasował doskonale.

Jakby był zrobiony specjalnie dla niej.

Nie wiedziała, jak powiadomić Lisbeth, że cały poranek spędzi w pokoju, przeglądając się w lustrze. Bo właśnie na to miała największą ochotę.

Wstała i przeszła do lustra. Zaczęła się w nim oglądać, kręcąc głową na wszystkie strony.

Skąd on wiedział?

To była kolejna lekcja dowodząca, że świat nie wygląda tak, jak jej się wydaje. Sądziła, że markiz u Postlethwaite'a rozglądał się po sklepie, jeśli nie krytycznie, to co najmniej obojętnie. Ale on zeskanował pomieszczenie bardzo uważnie, niczym dowódca wojsk pole bitwy przed walką, i dostrzegł wszystko, łącznie z potarganą młodą kobietą, która z lubością wpatrywała się w pewien konkretny kapelusz.

Chciałbym Cię lepiej poznać.

Ponieważ zawsze była ciekawa przyczyn tego, co się wydarzało, zaczęła snuć różne teorie na temat markiza i jego podarku. Zastanawiała się, czy to rodzaj rozrywki – znudzony arystokrata zainteresował się zwykłą nauczycielką, bo to dla niego coś nowego. A może spodobała mu się ich szermierka słowna? Lub szuka nowej partnerki w zastępstwie ostatniej... choć Phoebe wiedziała, że nie jest w typie markiza. On przecież gustował tylko w tym, co najświetniejsze. Najlepsze. Interesowały go kobiety w typie signory Licari.

Tylko że Phoebe wiedziała teraz coś, czego nikt w towarzystwie nie rozumiał: markiz nie był frywolną i lekkomyślną osobą. Niczego nie robił bez przyczyny. Więc i kapelusz musiał stanowić część... jakiejś strategii...

Na myśl przychodziły jej te i inne teorie, ale na koniec wszystkie spalały się w ogniu radości, jaka ją przepełniała. Jak ćmy lecące do światła.

Pomyślała o tej, którą markiz złapał w locie i wypuścił i która potem i tak poleciała ku lampie.

Nie miała wyboru – choć ryzykowała życie, musiała dotrzeć do źródła ciepła i światła.

11

Phoebe była w błędzie. Jules nie miał zielonego pojęcia, dlaczego kupił ten przeklęty kapelusz.

I świadomość ta dręczyła go bardziej niż cokolwiek dotąd.

Jedyne, co wiedział, to to, że pozostawał pod wpływem działania tajemniczej siły, która kazała mu kupić kapelusz. Siły, której nie potrafił się oprzeć, która kompletnie nim zawładnęła, przyćmiewając zdrowy rozsądek. Bardzo mu się to nie podobało, zwłaszcza że jednym z objawów jej działania był niepokój, który nie pozwalał mu usiedzieć na miejscu. Nie należał do osób, które marnowałyby energię, chodząc bez celu. A jednak gdy dotarł do kościoła, w którym zjawił się, jeszcze zanim dzwony zaczęły wzywać wiernych na mszę, wszedł na teren cmentarza i krążąc między starymi nagrobkami, począł liczyć pogrzebanych tam od 1500 roku członków rodzin Redmondów i Eversea. Na cmentarzu leżało też sporo Hawthorne'ów, dwóch lub trzech Endicottów oraz ktoś o nazwisku Ethelred. I gdy on się zastanawiał, ilu z tych zmarłych zginęło z ręki sąsiada, w tym samym czasie wynajęty przez Postlethwaite'a dyskretny posłaniec doręczał prezent do rezydencji Redmondów z instrukcją, żeby przekazał go lokajowi, który następnie miał równie dyskretnie zanieść paczkę pod drzwi panny Phoebe Vale.

W końcu poirytowany otaczającymi go oznakami ludzkiej śmiertelności wszedł do kościoła i usiadł w ławce Redmondów.

Jules nie był praktykującym wiernym; zwyczaj uczęszczania na mszę porzucił, kiedy tylko osiągnął dorosłość. Teraz przekonał się, że ławki kościelne są nadal tak samo twarde jak niegdyś. Niewygodne siedzenie, prawdopodobnie specjalnie tak uformowane, aby wierni mieli okazję poznać ból pokuty, wpijało mu się w uda i w plecy. Kościół był niewielki i został wybudowany prawdopodobnie już wtedy, gdy pierwsi Eversea i Redmondowie okładali się pałkami po czerepach, czyli w roku 1066. Panowała w nim kojąca cisza, w której wyczuwało się setki lat odmawianych tu modlitw.

Chwilę później rozpoczęło się coś, co można by opisać jedynie jako stateczny masowy najazd. Tłum wchodzących do kościoła osób składał się głównie z kobiet, którym Jules przyglądał się uważnie rozpalonym wzrokiem. Przede wszystkim patrzył na głowy i widząc morze najróżniejszych w kształcie kapeluszy ozdobionych wstążkami i kwiatami, tak się zdenerwował, że spociły mu się dłonie, które musiał wytrzeć w uda.

Stwierdził też ze zdziwieniem, że twarze wszystkich kobiet zaraz po wejściu kierowały się w jedną stronę, po czym pojawiał się na nich wyraz błogości i zachwytu. Jakby patrzyły na jakiś skarb lub piękny obraz. Ale gdy powiódł wzrokiem za spojrzeniami, okazało się, że nie chodziło o skarb, lecz o patykowatego osobnika o jasnych włosach i pociągłej przystojnej twarzy oraz błękitnych oczach, których blask roznosił się po kościele zupełnie jak blask wpadających do niego przez witrażowe okna promieni słonecznych. W swojej sutannie pastor wyglądał tak samo szykownie jak Jules w swoim najlepszym surducie od Westona. Jakby się w niej urodził. A sposób, w jaki spoglądał na wiernych... poza, w jakiej stał... kazały przypuszczać, że jest osobą o dużym poczuciu humoru.

Pastor, widząc, że Jules mu się przygląda, przywitał się z nim skinieniem głowy. Jules odpowiedział tym samym gestem, po czym znów odwrócił wzrok w stronę wejścia.

Do kościoła wkraczał właśnie oddział rodziny Eversea: Jacob i Isolda oraz niesławny Colin z żoną. Jules słabo znał tych ludzi, ale przecież wszyscy – czyli cała Anglia – wiedzieli, kim jest Colin.

Kiedy w drzwiach pojawił się Isaiah Redmond, markiz pomyślał, że dostanie zawału. Za Redmondem szli jego żona Fanchetta, potem Jonathan, lord Argosy i Lisbeth... na której dłużej zatrzymał wzrok, gdyż jej uroda należała do rodzaju tych, które nawet gdy człowiek tego nie chciał, przyciągają uwagę. Wyglądała jak anioł stawiający się na służbę. Gdy go zauważyła, jej oczy się rozpromieniły. Posłała mu wdzięczny uśmiech, precyzyjnie wyważony, jakby w kolekcji przygotowane miała uśmiechy na każdą okazję.

Jules jednak nie potrafił zapanować nad ciekawością i oderwawszy oczy od Lisbeth, popatrzył na wejście...

Alleluja! Phoebe przyszła w kapeluszu.

Serce mu podskoczyło, zupełnie jak widzowie na meczu krykieta po trafionym strzale.

Wyglądała pięknie, choć mogło to mieć coś wspólnego również z uśmiechem, jaki widniał na jej ustach, i z blaskiem, jaki z niej emanował.

Szła, rzucając spod ronda nowego nakrycia głowy ukradkowe spojrzenia i oczywiście natychmiast go spostrzegła. I jakżeby mogło być inaczej, skoro wpatrywał się w nią tak intensywnie, jakby chciał ją przewiercić wzrokiem na wylot.

Ich oczy się spotkały i przez chwilę patrzyli tylko na siebie. Jules odniósł wrażenie, że Phoebe lekko się zarumieniła. Jej uśmiech był tak piękny, że o tym, iż wstrzymuje oddech z zachwytu, zdał sobie sprawę dopiero, gdy usłyszał bicie dzwonów. I z przerażeniem pomyślał, że jego policzki też są pewnie czerwieńsze niż zwykle. Dobry Boże. Czuł, że cały płonie.

Phoebe spojrzała w lewo. I w prawo. A potem, starając się uczynić to jak najdyskretniej… pozdrowiła go skinieniem głowy.

Odpowiedział jej szerokim uśmiechem.

Lisbeth, która nie zauważyła, co się działo między nim a Phoebe, pomyślała, że uśmiech jest przeznaczony dla niej, i pojaśniawszy na twarzy, również schyliła głowę.

I wtedy oczywiście wszyscy w kościele odwrócili się, żeby sprawdzić, z kim się tak promiennie wita.

Jules usłyszał szelest powiewających na kapeluszach kwietnych stroików i ocierających się o ławki muślinowych sukni. Jakby przez łany zboża powiał wiatr. Słuchać też było trzask kości, tak bardzo wszyscy wykręcali szyje, żeby tylko na niego spojrzeć. Co nieco go zbiło z tropu, bo choć był przyzwyczajony do tego, że ludzie się na niego gapią, to jednak, żeby nie zranić uczuć Lisbeth, a przynajmniej nie wprawić jej w zakłopotanie, nie mógł w jednej sekundzie zetrzeć uśmiechu z ust.

O Boże.

Z drugiej strony, nie miał w zwyczaju uśmiechać się tak jawnie, jak to czynił w tej chwili. Zwykle jego uśmiech był powściągliwy; ludzie reagowali na niego uczuciem ulgi. Nie byłoby dobrze, gdyby ktoś pomyślał, że zrobił się przystępniejszy. Że zamienił się w człowieka, który szczerzy zęby z byle powodu.

Postanowił więc zmienić uśmiech na bardziej oficjalny, po czym powiódł wzrokiem po towarzyszących Lisbeth osobach – Isaiahu i Fanchetcie oraz Jonathanie Redmondach. Jonathan, na którym spoczęło jego ostatnie spojrzenie, aż się wzdrygnął pod jego wpływem. Wydawało się, że zaraz, jak uczniak na lekcji w szkole, podniesie rękę.

Obserwująca to wszystko Phoebe spuściła głowę. Jules domyślał się, że ukryła twarz, żeby nie było widać, iż pęka ze śmiechu.

Potem na szczęście wszyscy powrócili spojrzeniami do przystojnego pastora. W końcu na spotkanie z nim czekali aż cały tydzień.

Adam Sylvaine, który w Pennyroyal Green dopiero od niedawna sprawował funkcję duchowego przywódcy, miał głos doskonale pasujący do zawodu, jaki wykonywał – łagodny i życzliwy, choć zarazem doniosły i dźwięczny. A tego dnia za temat kazania wybrał sobie ni mniej, ni więcej tylko... kwestię pożądania.

Gdy zaczął przemawiać, wiele osób przekonanych, że duchowny zwraca się bezpośrednio do nich, zaczęło się niespokojnie wiercić, choć zapewne nikt nie miał pretensji o dobór tematu. Zwłaszcza panie, gdyż często to właśnie pastor stanowił przedmiot ich sekretnych westchnień.

Jules jednak nie znajdował się w gronie tych, którzy się wiercili, gdyż najzwyczajniej nie miał na to czasu – jego uwagę pochłaniały pewien kapelusz oraz kilka cali jasnej szyi widocznej między koronkami kołnierza a słomkowym rąbkiem nakrycia głowy. Wydawało mu się, że to najważniejszy skrawek ciała, na jaki kiedykolwiek patrzył. Jak zahipnotyzowany przesuwał wzrokiem wzdłuż spływających po szyi lśniących jasnych kosmykach włosów i mógł myśleć tylko o tym, jak by to było całować to słodkie zagłębienie pod brodą. Wodzić językiem po tej jedwabistości, patrzeć, jak na ramionach Phoebe pojawia się gęsia skórka, jak twardnieją jej sutki zakryte materią muślinowej sukni, jak...

Szybko upomniał się w duchu, że kościół to nie miejsce na takie fantazje. Poprawił się na twardej ławce, która wciąż wbijała mu się w plecy, i przeniósł spojrzenie na Redmondów. Posłuszni poleceniu pastora, pogrążyli się w zgłębianiu wskazanego ustępu Pisma Świętego.

Zostało postanowione (przez Lisbeth), że po mszy wszyscy udadzą się ze szkicownikami na długi spacer do ruin, po czym wrócą do domu na pożywny posiłek. Lisbeth w skrytości ducha uważała, że ładnie jej z zaróżowionymi od wysiłku policzkami, i oczywiście miała rację. Rzeczywiście zarumieniona wyglądała ślicznie.

Panowie byli mniej entuzjastycznie nastawieni do kwestii spaceru; bardziej pociągała ich perspektywa, że będą mieli okazję zestrzelić jakiegoś głuszca lub inne ptactwo. Zebrali się więc w parku i czekali na Jonathana, który właśnie nadchodził. Obok niego wlókł się jakiś stwór ledwie przypominający psa. Bardzo utuczony ogar.

Kiedy para się zbliżyła, było wyraźnie widać, że ogar jest wiekowy. Pysk miał zupełnie siwy, oczy rozwodnione.

– A to co? – spytał podejrzliwie Argosy.

– Jak to co? Pies – odburknął Jonathan obronnym tonem.

– To ma być pies?! Po co go zabrałeś? Chyba nie po to, żeby nas bronił przed dzikimi zwierzętami? Czy on w ogóle ma jeszcze jakieś zęby? Wygląda, jakby nie był w stanie utrzymać w pysku nawet najmniejszej pardwy.

Pies podniósł na Argosy'ego ślepia przepełnione wyrazem smutnej pogardy.

Jules zmierzył zwierzę krytycznym spojrzeniem.

– Zdaje się, że to psisko, zanim je wyciągnąłeś z budy, cieszyło się spokojną emeryturą. Trochę żal staruszka.

– Pies jest niezbędny na polowaniu – upierał się Jonathan. – A został tylko ten, bo resztę ojciec zabrał na polowanie w sąsiedztwie. Bez ogara nic nie upolujemy.

Jules wzruszył ramionami.

– No już dobrze, skoro to jedyny, jaki jest, to go zabierzemy. Może nas zaskoczy ukrytymi talentami.

Towarzystwo ruszyło w drogę. Ruiny znajdowały się na końcu długiej trasy prowadzącej przez las, który stawał się coraz gęstszy, im bardziej się w niego zagłębiali. Dzień był jednak przyjemny i ciepły, więc przez dłuższy czas nikt się nie skarżył. Słychać było wesołą paplaninę Lisbeth i uprzejme, zdawkowe odpowiedzi Julesa, który w odpowiednich momentach rzucał: „Niemożliwe. Naprawdę?", ale przede wszystkim zajęty był podziwianiem pleców Phoebe Vale i jej nowego kapelusza.

Skargi rozpoczęły się z chwilą, gdy las zgęstniał na tyle, że prawie nie można się było przez niego przedrzeć, gdy stało się jasne, że Lisbeth, prowadząca wyprawę, pomyliła drogę. Myśliwi w końcu się zorientowali, że flinty, które ze sobą zabrali, są im zupełnie zbędne, gdyż stary ogar w najmniejszym stopniu nie zwracał uwagi na krążące nad ich głowami dzikie ptactwo.

Leśny dukt stał się tak wąski, że mogli po nim kroczyć wyłącznie w parach. Gdy Lisbeth zaczęła się wykłócać z Jonathanem na temat kierunku, w jakim powinni dalej podążać, Jules postanowił zostawić ich samym sobie i dołączył do panny Vale.

Phoebe przywitała go tajemniczym i zarazem figlarnym uśmiechem.

– Ma pani piękny kapelusz, panno Vale. Bardzo mi się podoba – rzekł.

– Naprawdę? Nie wiem, czy pan się domyśla, ale to zupełnie nowy kapelusz.

– To chyba jednak nie do końca prawda. Słyszałem, że zanim go nabyłem, pewna młoda dama próbowała wypalić w nim dziury wzrokiem. Ma pani szczęście, że kapelusz ostał się w całości.

Phoebe posłała mu ironiczny uśmieszek.

– To samo można by powiedzieć o panu, milordzie. Pana też ciągle ktoś przewierca wzrokiem.

Jules rozbawiony uwagą roześmiał się na całe gardło. Lisbeth odwróciła się i posłała mu spod zasłony rzęs przeciągłe spojrzenie. Jules pomyślał, że przypomina spojrzenie, jakim Violet Redmond obrzucała swoich zalotników. Było naprawdę piękne. Podziękował za nie ujmującym uśmiechem, a Lisbeth, na razie usatysfakcjonowana uwagą, jaką jej poświęcił, znowu pogrążyła się w rozmowie z Jonathanem.

Jules zaś, odwróciwszy wzrok, stwierdził, że Phoebe zeszła ze ścieżki między drzewa. Powinien mieć wyrzuty sumienia, że o niej zapomniał, lecz denerwował się zupełnie z innego powodu.

– Czy wybrałem właściwy kapelusz? – spytał niepewnie.

Phoebe pozwoliła mu cierpieć przez kolejne kilka sekund. Przynajmniej tak to wyglądało.

– Właściwy.

Tak mu ulżyło, był tak szczęśliwy – i szczerze mówiąc, tak skołowany – że nie mogąc wydobyć z siebie głosu, tylko skinął głową. Jedyne, czego pragnął, to podziwiać kapelusz, co go ogromnie zdumiewało, ale też irytowało.

– Ale proszę powiedzieć, lordzie Dryden... dobrze mi w nim?

To była próba flirtu, co dla niego w tym momencie równało się z torturą, gdyż czuł się dziwnie obnażony i bezbronny.

– Czy ja wiem – odpowiedział z poirytowaniem. – Czy kapelusz miał poprawić pani urodę?

Gwałtownie się do niego odwróciła i obrzuciła zaszokowanym spojrzeniem.

– Bo jeśli tak, był to zbędny zakup – dodał.

Zobaczył, że Phoebe ze zdumienia szeroko otwiera usta. Na jej policzki wypłynął szkarłatny rumieniec.

O mój Boże!

Dopiero teraz uświadomił sobie, jak źle zabrzmiała jego uwaga.

– Nie, nie! Boże... chciałem powiedzieć, że nie potrzebuje pani poprawiać urody, gdyż nic nie sprawi, że będzie pani wyglądała lepiej niż... już pani wygląda.

Był to szokujący komplement zarówno ze względu na niezręczność, jak i znaczenie oraz szczerość, z jaką został wypowiedziany. Wypłynął wprost z głębin jego ducha, nieprzefiltrowany przez rozsądek.

Jules sam był nim zaskoczony.

Między nim i Phoebe zapadła pełna napięcia cisza. Po raz wtóry udało mu się zaskoczyć ich oboje.

Chciałby cofnąć swoje słowa. Ich następstwo było zbyt wytrącające z równowagi.

Popatrzył w stronę Lisbeth i Jonathana, na Argosy'ego i Waterburna, próbując sobie przypomnieć, kim był i jak podchodził do świata, zanim przybył do Pennyroyal Green. Uważał, że byłoby o wiele prościej, gdyby znów był taki jak kiedyś, jednak wiedział, że to niemożliwe.

W tym momencie Phoebe wzięła głęboki wdech, a on, będąc tak bardzo świadomy jej bliskości, prawie poczuł, jak rześkie powietrze wpływa do jej płuc. Zdobył się wreszcie na odwagę i zerknął na nią. Komplement sprawił, że jej twarz się rozpromieniła, a oczy zapłonęły zadowoleniem. Ale czoło znaczyła zmarszczka zastanowienia.

Mimo to milczała.

Jules przemknął wzrokiem po kapeluszu, dochodząc do wniosku, że z jakiegoś powodu ogromnie go wzrusza widok związanej pod brodą Phoebe lawendowej wstążki. Taka piękna rzecz na głowie kogoś, kto się wychował w Seven Dials, najbardziej niesławnej dzielnicy Londynu. Nic dziwnego, że Phoebe tak bardzo pragnęła kapelusza.

– A więc Seven Dials – rzucił niemal wesoło.

Phoebe leciutko się uśmiechnęła i pokręciła głową na znak, że nie spodobał jej się jego ton.

– Jak się trafia z Seven Dials do Pennyroyal Green? Była pani rozkosznym osieroconym dzieciątkiem, które zgarnął z ulicy jakiś szczodry dobroczyńca i wychował?

– Wcale nie byłam rozkoszna, tylko uparta i dzika. Wcielona diablica. Ale faktycznie zostałam zgarnięta z ulicy.

– Domyślam się, że wtedy nie używała pani takich zwrotów, jak „wcielona diablica". Kiedy panią zgarnięto, miała pani…

– Dziesięć lat. Żeby mnie złapać, musieli rozstawić sidła. Takie, jakie się zastawia na zające. Przynętą była skórka od chleba. Jakiś czas przewiązana za kostkę wisiałam głową w dół, aż w końcu mnie odcięli i zawieźli do panny Endicott, żeby mnie zreformowała.

Był tak zachwycony tym obrazkiem, że przez chwilę nie mógł mówić.

– Oszukuje pani. Tak na pewno nie było. Nikt by czegoś takiego nie zrobił.

– Już dobrze. Mówiłam metaforycznie. Ale dlaczego to pana interesuje?

117

– Zamierza się pani domagać kolejnych prezentów, zanim ujawni dalszą część swojej historii? Ostrzegam, że lepszego podarku od kapelusza nie wymyślę. A umowa jest umową, panno Vale, więc proszę opowiadać.

Na twarz Phoebe wypłynął powolny uśmiech, który po chwili objął całą twarz. Było widać, że z trudem się powstrzymuje, żeby nie wybuchnąć śmiechem.

Lisbeth, która trzymała w dłoniach naręcze jesiennych kwiatów, odwróciła się w ich stronę. Kwiaty były białe i drobne; Jules pamiętał, że nazywają się kręczynka jesienna. Lisbeth, lekko pochyliwszy głowę, przytknęła je do policzka, jakby chciała sprawdzić ich gładkość. Widok był przeuroczy i psuło go jedynie to, że Lisbeth doskonale zdawała sobie sprawę, że tak pięknie wygląda z kwiatami. Uśmiechnęła się zuchwale, po czym żwawym krokiem dołączyła do Jonathana i Argosy'ego.

W tym momencie Jules zauważył, że Phoebe, która znów weszła między drzewa, tak żeby Lisbeth nie mogła jej widzieć, zatrzymała się i uważnie czemuś przyglądała.

Zdusił ochotę, żeby się uśmiechnąć.

– Wydaje mi się, że gdzieś tutaj rośnie dzika szałwia – oznajmiła. – Przepięknie pachnie.

– Bardzo możliwe, ale opowiadała pani o swoim dzieciństwie w Seven Dials?

– Nie, wcale o tym nie mówiłam.

– Och, na litość boską. Naprawdę aż tak bardzo zależy pani na utrzymaniu w tajemnicy swojej historii?

– Nie ukrywam jej bardziej niż pan swojej.

– Ja pani co nieco wyjawiłem. Na przykład historię z pudełkiem na cygara.

– Nasze życie znacznie się różniło, lordzie Dryden. Nie sądzę, żeby…

– Żebym zrozumiał? Proszę mnie nie przyrównywać do siebie, panno Vale. Boi się pani, że panią ocenię, tak jak pani oceniła mnie?

Widział, że zdenerwował ją tą uwagą; zacisnąwszy zęby, szybko ruszyła przed siebie.

– No więc dobrze. Tylko pragnę zauważyć, że to bardzo odległe czasy. Miałam wtedy zaledwie dziesięć lat.

– A pani rodzice?

– Cóż, porzucili mnie. Najpierw jedno, potem drugie – powiedziała to wesołym tonem, ale zadyszka w jej głosie wyraźnie zdradzała, że temat jest dla niej trudny.

– Naprawdę? – spytał, starając się nie łagodzić głosu, gdyż podejrzewał, że Phoebe należy do osób nielubiących litości.

– Papa odszedł pierwszy. Mieszkaliśmy nad pubem. Pewnego dnia po prostu... nie wrócił. Mamę zaaresztowano za kradzież i dokądś ją wywieźli, przynajmniej tak mi powiedziała prostytutka, u której wynajmowaliśmy pokój. Wiem tylko, że ona też któregoś dnia zniknęła. Nie chciałam trafić do przytułku, więc uciekłam i żyłam z różnymi... ludźmi, aż pewien dżentelmen, sądzę, że był czyimś plenipotentem, zabrał mnie z ulicy, dodam, że kopiącą i gryzącą, i wywiózł do Sussex. Umieszczono mnie w szkole panny Marietty Endicotte. Do dziś dnia nie wiem, kim był mój dobroczyńca.

Chryste.

Historia, którą usłyszał, nie mieściła mu się w głowie, ale nie mógł za długo milczeć, inaczej panna Vale mogłaby się domyślić, jak duże zrobiła na nim wrażenie swoją opowieścią. Czuł się tak, jakby ktoś kopnął go w brzuch. Pragnął też, aby dzieciństwo Phoebe było zupełnie inne, ciepłe i bezpieczne.

– Ma pani innych krewnych? Braci lub siostry?

– Nic mi o tym nie wiadomo.

– Jest pani zupełnie sama.

Widząc, że Phoebe gwałtownie zamrugała, jakby jego uwaga bardzo ją zabolała, natychmiast pożałował, że ją wypowiedział.

– Och, to wcale nie jest prawda – odparła po chwili milczenia. – Nie jestem sama. Mam kota.

Zaskoczyła go. Uważał, że koty to zwierzęta użytkowe, stojące w hierarchii tylko odrobinę wyżej od szkodników, na które polują. Ich miejsce było w stodole.

– I jak ten pani kociak się nazywa?

– Charybda. Przywiozłam go ze sobą z Londynu i obawiam się, że jak na kota jest już staruszkiem. Chociaż wciąż dość dziarskim.

– Nazwała pani kota imieniem... morskiego potwora?

Gdzieś w mglistych wspomnieniach z Eton jego umysł wyszperał informacje dotyczące mitologii. „Znaleźć się między Scyllą a Charybdą", tak brzmiało potoczne powiedzenie oznaczające sytuację, w której niebezpieczeństwo zagraża z dwóch stron. Charybda była córką Posejdona, nimfą zamienioną w potwora morskiego połykającego statki.

– Stąd wiedzieli, że jestem inteligentna – mruknęła z ironią Phoebe. – Z powodu imienia, jakie nadałam mojej kotce. Bo jest tak trudne do wymówienia.

– A gdzie się pani nauczyła czytać? Że nie wspomnę o tym, że czytała pani grecką mitologię.

– Pan McBride, aptekarz z St. Giles, podarował mi książeczkę obrazkową z mitami, którą... no cóż, wystarczy powiedzieć, że dostał ją od któregoś z klientów. Podejrzewam, że to również on opowiedział o mnie jakiemuś innemu klientowi i ten dobry człowiek uznał, że powinnam trafić do Sussex do panny Endicott. Poza tym moja mama umiała czytać, nie wiem, gdzie się tego nauczyła, ale dla mnie było zawsze oczywiste, że potrafi to robić, a ja, kiedy mi czytała, starałam się za nią podążać. Przypuszczam, że właśnie w ten sposób poznałam litery. Wiem tylko, że opanowanie czytania przyszło mi łatwo i że lubię czytać.

– Dlaczego nie nazwała pani swojego kota imieniem czegoś cennego, na przykład Dafne albo Apollo?

– Chyba dlatego że zawsze marzyłam o sprzymierzeńcu, kimś, kto by mnie chronił, a potwór Charybda był najbardziej przerażającą postacią, jaką mogłam sobie wyobrazić. Straszniejszą nawet od strażników i pijaków bijących się na ulicach. Wydawało mi się, że nawet greccy bogowie to za mało, żeby ochronić mnie przed mieszkańcami St. Giles. Chciałam mieć za przyjaciela kogoś naprawdę paskudnego.

Znowu ten czarny humor.

Ale, o matko boska, na co ona musiała się napatrzeć jako dziecko?

Dzielnica St. Giles to wyłącznie przemoc, ciemność, hałas i zgnilizna; obdarci pijacy podpierający mury odrapanych budynków, umierający w zaułkach od nadużycia dżinu. Kryminaliści swój złodziejski proceder uprawiali w zamożniejszych dzielnicach Londynu, po czym jak szczury wracali do St. Giles.

Jules popatrzył na Phoebe – na jej delikatną cerę, wysłużoną suknię, nowy kapelusz... – i przez głowę przemknęła mu straszna myśl: jako dziecko aż tak się bała, że z kociaka zrobiła sobie talizman. Ledwie mógł oddychać, kiedy to sobie wyobrażał.

Zrozumiał też, że ten wyjątkowy blask, jaki emanował od panny Vale, blask, w którym tak się lubił pławić, był tak pociągający właśnie z powodu mrocznej strony jej życia. I to ona sprawiała, że Phoebe wydawała się taka prawdziwa i realna, realniejsza niż wszyscy inni, których znał.

Phoebe miała rację. Jules nie wiedział, jak ma na to wszystko zareagować. A przecież przed poznaniem tej kobiety zawsze wiedział, co ma robić lub powiedzieć.

– I co? Czy Charybda spełniła zadanie? Jest przerażająca? – Cóż za tchórzostwo. Ale mimo wszystko uważał, że bezpieczniej jest rozmawiać o kocie.

– O tak. Bardzo. – O dziwo tym razem wydawało się, iż panna Vale mówi poważnie. – Jest cała w prążki i podczas mojej nieobecności opiekuje się nią jedna z nauczycielek z akademii.

– A co pani z nią zrobi, kiedy wyjedzie do Afryki?

– Jak to co? Oczywiście zabiorę ze sobą.

Jules zauważył, że Waterburn odwrócił w ich stronę głowę i z zastanowieniem przymrużył oczy.

– Dostrzegłeś coś, co chciałbyś zestrzelić? – zawołał do niego kpiącym tonem.

Wyraźnie znudzony, Waterburn wzruszył ramionami. Stary ogar na odgłos okrzyków również okręcił swój olbrzymi łeb, po czym ze zrezygnowaniem powlókł się dalej, krocząc tak, jakby dawał do zrozumienia, że ma dosyć świata, który już niczym nie może go zaskoczyć. No, psino, pomyślał ironicznie Jules, nie mów, że twój żywot w stajni był aż tak przygnębiający.

Kiedy znów zwrócił się ku Phoebe, nigdzie jej nie było. Zniknęła.

12

Jules rozglądał się dokoła.

Lisbeth, wesoło podskakując, wysforowała się do przodu. Kosmyki ciemnych włosów, które wymknęły się spod kapelusza, opadały na jej jasną szyję, kontrastując z nią jak czarne nuty z tłem białej kartki.

– Jesteśmy na dobrej drodze, lordzie Waterburn. Nie mylę się, Jon, prawda? Twierdziłeś, że znasz trasę. Jules, już się nie mogę doczekać, kiedy zobaczysz ruiny!

Po tych słowach Lisbeth posłała Julesowi uroczy uśmiech. Wyglądała pięknie jak kwiaty, które zebrała. Jej błękitne oczy mocno błyszczały.

Jules znowu się uśmiechnął.

– Ja też już się nie mogę doczekać – odkrzyknął, chociaż w duchu mówił sobie, że przecież chodzi o zwykłe ruiny. W tej części Anglii było ich pełno i wszystkie były równie malownicze. Czego to się nie robi dla kobiet.

– To wcale nie jest dobra droga, Lisbeth – zawołał Jonathan. – Przy właściwej stała stara ambona. A poza tym uważaj, bo jeszcze ktoś pomyli cię z sarną i postrzeli.

– Och, Jonathan! – padła pełna poirytowania odpowiedź. – Opowiadasz bzdury. Przecież jestem ubrana na biało. Nie wyglądam jak sarna.

– No to jak jednorożec.

– Do jednorożców nikt by nie strzelał.

I tak się drocząc, zniknęli z widoku.

Co u licha...? – zżymał się tymczasem Jules, zły, że nigdzie nie widzi Phoebe. Przecież się nie rozwiała w powietrzu. Znów się rozejrzał. Dęby były już prawie pozbawione liści, ale poniżej rosły krzewy głogu, wciąż gęste i kolczaste.

Nagle przy grubym pniu drzewa dostrzegł wąskie przejście.

Zajrzał tam.

I zobaczył Phoebe. Stała na pięknej, otoczonej drzewami i zaroślami polanie porośniętej bujną, jeszcze nieprzemarzniętą trawą.

Uśmiechnięta, podnosiła się z klęczek, ściskając w dłoni pęk zielonych roślin.

– Widzi pan? – Triumfalnym gestem wyciągnęła do niego rękę. – Miałam rację. Szałwia rzeczywiście tu rośnie. I jak bosko pachnie.

Przycisnęła szałwię do nosa i mocno zaciągnęła się jej zapachem.

Gdy przymknęła oczy, Jules natychmiast poczuł się tak, jakby wypełniło go jakieś światło.

Zaniemówił.

– W pewnym regionie Francji ludzie twierdzą, że szałwia pomaga zwalczyć smutek. Dlatego obsadza się nią nagrobki na cmentarzach – wyjaśniła.

– Skąd pani...

Ale nie było sensu pytać. Phoebe była oczytana i miała wiedzę o wielu dziwnych rzeczach. Wypływała z niej w najbardziej zaskakujących momentach. Jakby to były drobne prezenty, z których nie wszystkie przypadały mu do gustu. Dla niej jednak ta wiedza była ważna. Phoebe czepiała się faktów jak topielec na otwartym morzu kłody drewna. Dawały jej poczucie bezpieczeństwa.

Przyglądał się jej w milczeniu, zbyt zafascynowany, żeby się odezwać. Oczy miała zielone. Teraz był już tego pewien. Ktoś mniej wyszukany przyrównałby ich barwę do barwy liści lub mchu albo jeszcze czegoś innego, ale on z całą szczerością mógł jedynie powiedzieć, że nigdy w życiu nie widział u nikogo takich oczu. I nawet nie chodziło o ich kolor, ale bardziej o to, że w ciągu tych niewielu dni nauczył się mówić różne rzeczy tylko po to, żeby zobaczyć, jak zmienia się ich wyraz: jak się rozświetlają, gdy Phoebe się z czegoś śmiała, jak łagodnieją, gdy coś ją wzruszyło, i jak płonęły, gdy się rozgniewała. I jak mu się robiło ciepło, gdy ich światło padało na niego. Miał wtedy ochotę przysunąć do nich dłonie, żeby je ogrzać.

– Gdzieś o tym czytałam – wyjaśniła, mimo że nie dokończył pytania. Potem z niezdecydowaniem spojrzała na pęk w dłoni. – Proszę – powiedziała. – To prezent dla pana.

Wlepił wzrok w bukiet, który do niego wyciągnęła. Chciał coś powiedzieć, ale chociaż jej gest wywołał wiele skojarzeń, nie potrafił ubrać ich w słowa. Uczynił więc, jak chciała. Powoli sięgnął po szałwię.

I kiedy ją odbierał, niechcący palcami musnął jej rękę.

Z miejsca go zamurowało.

Widział kiedyś, jak w człowieka trafił piorun. Biedak nie mógł się poruszyć, był zupełnie bezradny, zdany na łaskę żywiołu, który wygiął jego ciało w łuk.

Czuł się teraz dokładnie tak samo.

Oboje, wstrzymawszy oddechy, jak oniemieli wpatrywali się w miejsce, w którym ich dłonie się zetknęły. Zaskoczeni, że wreszcie, wreszcie się dotykają.

Phoebe, jakby wymagało to od niej zebrania całej odwagi, bardzo powoli podniosła głowę. Twarz miała stężałą, oczy, gdy napotkały jego spojrzenie, były szeroko rozwarte, ale lśniły jakimś zrozumieniem.

Jemu zaś wydało się, że powietrze nagle wypełniło się strzelającymi iskrami. Ogarnęło go uczucie takiego osłabienia, jakby właśnie po długim polowaniu pojmał dzikie zwierzę, może nawet jednorożca.

Patrzył na Phoebe, której twarz stopniowo pokrywała się rumieńcem. Pod palcem, który wciąż spoczywał na jej jasnej dłoni, czuł mocno pulsującą żyłkę.

Odwrócił tę dłoń do góry. Była drżąca i niesamowicie delikatna, bezbronna. Oraz zziębnięta, co go wzruszyło. Zapragnął ją ogrzać. Musiał ją ogrzać.

Dlatego nachylił do niej usta.

I lekko rozchyliwszy wargi, musnął dłoń koniuszkiem języka, składając na niej niewinny, choć zarazem bardzo zmysłowy pocałunek.

Phoebe gwałtownie odchyliła głowę w tył i przymknęła oczy. Z jej ust wydarł się cichy jęk, sapnięcie zaskoczenia i zachwytu.

O matko boska.

Jules z trudem podniósł głowę, po czym zacisnął palce, zamykając je na miejscu, które przed chwilą pocałował.

Wiedział, że powinien już puścić tę dłoń, ale nie mógł.

– Proszę na mnie spojrzeć, panno Vale – zażądał niskim i zduszonym głosem.

Chwilę się wahała, lecz potem otworzyła oczy. Jules poczuł absurdalną radość, że znów może w nie spojrzeć. Zobaczył w nich wyraz oszołomienia i strachu. Słońce, które padało na Phoebe z tyłu, tworzyło wokół jej głowy jasną aureolę. Wpatrzony w ten uroczy widok, czuł słodkie uniesienie. Zarazem przez jego umysł przetaczała się cała chmara oderwanych myśli.

Czy już cię ktoś całował? Bo jeśli tak, zetrę pamięć tego pocałunku na proch. Już po mnie. Nie pamiętam, żebym wcześniej kogoś całował. Ależ jestem szczęśliwy. Boję się. Muszę stąd odejść. Ona musi odejść.

Trzymał jej dłoń tak delikatnie, jakby to było jajko Fabergé, jednak wyraz jego twarzy, z czego nie zdawał sobie sprawy, stawał się coraz bardziej pochmurny.

– Nie wiedziałem, że to zrobię – oznajmił w końcu.

– A zawsze pan wie, co zrobi? – Jej głos był niewiele głośniejszy od szeptu.

– Zawsze – odparł krótko. Odpowiedź zabrzmiała jak oskarżenie.

Przez chwilę milczeli.

– W takim razie, co pan teraz zamierza?

Było to wyzwanie, w którym jednak pobrzmiewały nuty niepokoju.

Z oddali dobiegły ich okrzyki Jonathana, Waterburna, Lisbeth i Argosy'ego, którzy nadal wesoło między sobą żartowali. Jules

125

jednak potraktował te głosy obojętnie, jakby to było tylko świergotanie ptactwa. Wiedział, że to niebezpieczna myśl.

Usłyszał, że ktoś go woła: „Jules!" To był radosny głos Lisbeth.

Już trochę przytomniejszy, uświadomił sobie, że jeszcze chwila a reszta towarzystwa nakryje ich na polanie.

Mimo to wziął głęboki oddech.

Phoebe, uważnie w niego wpatrzona, musiała się domyślić, co mu chodzi po głowie, bo szybko spanikowanym szeptem zakrzyknęła:

– Nie. Lepiej niech pan tego nie robi. Proszę nie...

On jednak, jakby nie słyszał, chwycił ją za drugą dłoń. Pozwoliła na to, gdyż pod jego dotykiem zupełnie zmiękła. On zaś, przyciągając ją do siebie, lekko kręcił głową – jakby mówił, że akurat w tej kwestii nie mają wyboru, że są zdani na łaskę chwili. Co wydawało się jak najbardziej prawdziwe, gdyż jej głowa sama już się odchylała do przyjęcia jego pocałunku. Phoebe nie umiała wyjaśnić, jak doszło do tego, co się potem wydarzyło, wiedziała jedynie, że nagle wola markiza stała się jej wolą.

Z początku dotyk jego ust był delikatny, czuła tylko ich ciepły lekki nacisk. Potem jednak markiz wzmógł natarczywość pocałunku i rozchylił jej wargi językiem. Jednak od samego pocałunku bardziej szokujące było uczucie ulgi, jakie ją ogarnęło. Jakby czekała na tę chwilę i na dotyk markiza całe swoje życie. Ta przemożna ulga prawie ścięła ją z nóg. Mimo to jej ciało doskonale wiedziało, co ma robić, czego potrzebuje. Jej zmysły rozpływały się pod wpływem silnych wrażeń. Wtulona w markiza czuła na piersi chłód guzików przy jego surducie. Jego usta były jak koniak, pocałunek rozchodził się po jej żyłach niczym wolno się rozprzestrzeniające gorąco. Była jak rozpalona lawa. I kiedy już bez żadnych oporów całym ciałem przylgnęła do markiza, poczuła, że puścił jej dłonie, jakby już się nie obawiał, że mu ucieknie. Nie wiedząc, co ma zrobić z uwolnionymi rękoma, położyła je na jego piersi i wbiła palce w materię koszuli. Była gorąca od jego rozpalonego ciała i to tak bardzo ją podnieciło, że z jej gardła wydarło się jęknięcie, bezwstydny zwierzęcy jęk oznaczający czyste pożądanie.

W reakcji na to markiz również jęknął i coś wymamrotał. Może to było „o Jezu", a może wypowiedział jej imię, tak czy inaczej okrzyk przepełniały dzikość i entuzjazm. I zaraz potem jego ręce szybko osunęły się po plecach na jej pośladki i markiz poderwawszy ją w górę, przycisnął jej łono do swoich lędźwi.

Przez materiał wielokrotnie przeszywanej sukni poczuła na brzuchu jego duże i szokująco twarde przyrodzenie. Rozedrganymi dłońmi podciągał w górę jej suknię; na łydkach poczuła powiew zimnego powietrza. Ich zwarte w pocałunku usta napierały na siebie pożądliwie, językami wykonywali dziki taniec, a mimo to oboje mieli uczucie, że to jeszcze za mało, że potrzebują czegoś więcej.

Pomocy! – krzyczała w myślach Phoebe, chociaż nie wiedziała, do kogo krzyczy i czego ewentualna pomoc miałaby dotyczyć. Była pewna tylko tego, że jej podniecenie wywołane gorącem bijącym od markiza, dotykiem jego ust, jest coraz silniejsze. Na brzuchu wciąż czuła jego wbijający się w nią twardy członek, mimo to wtulała się w niego coraz mocniej i mocniej, a rozdzierająca ją rozkosz wzmagała się coraz bardziej, sprawiając, że całe jej ciało wypełniło się drżeniem.

Nagle we włosach i na karku poczuła zimny powiew. Kapelusz zsunął jej się z głowy i zawisł na wstążce na plecach.

Ale markiz nie zwrócił na to uwagi, tylko ze zduszonym jękiem przywarł ustami do jej szyi i zaczął schodzić z pocałunkami niżej i niżej.

I gdy był już tak bardzo blisko staniczka zasłaniającego jej nabrzmiałe podnieceniem piersi, w otaczającą ich ciszę wdarło się melodyjne wołanie Lisbeth:

– Juuules! Halo, halo!

I potem znowu:

– Hej, hej, Juuules!

Chryste! Głos był coraz bliżej.

Jules i Phoebe zamarli w bezruchu.

– Phoooeeebeee!

Jules tak szybko się cofnął, że Phoebe prawie straciła równowagę.

Żeby tak się nie stało, markiz chwycił ją za ramiona.

Popatrzyli na siebie. Oczy Julesa wciąż zasnuwała mgła podniecenia. Oboje ciężko dyszeli.

Silniejszy podmuch potrząsnął koronami drzew, których listowie głośno zaszumiało, co dla Phoebe zabrzmiało jak odgłos ironicznych oklasków.

Markiz wreszcie zabrał ręce, choć uczynił to bardzo ostrożnie, jakby się obawiał, że bez jego wsparcia otumaniona podnieceniem dziewczyna na pewno się przewróci. Lub zniknie, jakby była tylko snem.

Uwolniona z jego objęć dotknęła palcami ust. Po dzikim i namiętnym pocałunku były rozpalone i napuchnięte. I bolały, ale był to najpiękniejszy ból, jaki mogła sobie wyobrazić.

Jej druga dłoń nadal spoczywała na ciężko się poruszającej piersi markiza. Spojrzała na nią i jakby nie mogła się powstrzymać, wsunęła ją pod koszulę, chcąc poczuć pod palcami nagą skórę.

Markiz syknął.

– Phoebe.

Głos miał ochrypły i pobrzmiewały w nim ostrzegawcze nuty. Znów chwycił ją za nadgarstek.

Ona jednak, w razie gdyby to był ich jedyny i ostatni pocałunek, koniecznie chciała się przekonać, jakie reakcje wywołał. Dlatego nie zabrała dłoni i z zachwytem napawała się silnymi uderzeniami jego serca.

W końcu delikatnym ruchem oderwał jej rękę od swojej piersi i potem, odchylając każdy palec po kolei, uwolnił jej nadgarstek z uścisku.

I potem już się nie dotykali.

Co nagle wydało się czymś z gruntu niewłaściwym.

Phoebe uważała, że któreś z nich powinno coś powiedzieć, ale jej samej nic odpowiedniego nie przychodziło do głowy. Nie umiała też sobie wyobrazić, co mógłby powiedzieć markiz. Język, królewska angielszczyzna i cała wiedza, jaką przez lata zdobyła i wykorzystywała do trzymania innych na dystans, były bezużyteczne. Teraz przydałoby im się zupełnie coś innego.

– Juuuules! – To znowu był dźwięczny głos Lisbeth, dochodzący już z bardzo bliska, choć mogło to być tylko złudzenie, gdyż dźwięk w lesie i przy wietrze zawsze wprowadza w błąd. – Phoeeeebeee! Gdzieś ty się podziała?

Wesołe tony w głosie wskazywały, że Lisbeth nie straciła jeszcze dobrego nastroju.

Zaraz potem usłyszeli kroki i ciężkie dyszenie starego ogara.

A niech to szlag!

Wreszcie do nich dotarło, że są w pułapce. A przecież jedno z nich miało erekcję, drugie zaś, czerwone na twarzy, przekrzywiony kapelusz i suknię zadartą do góry.

Tylko kompletny idiota nie domyśliłby się, co robili na polance.

Oboje wpadli w popłoch.

– Masz podciągniętą suknię – syknął markiz, wykonując dłonią odpowiedni gest.

– A tobie przekrzywił się kapelusz – odparła zdyszanym szeptem Phoebe.

– Tobie też!

Jules szybko ją obszedł i obciągnął suknię, ona zaś bezskutecznie starała się wyplątać wstążkę kapelusza ze wsuwek we włosach.

– Bardzo dziękuję – szepnęła zdyszanym głosem.

– Ależ nie ma za co – mruknął.

Na litość boską! Po diabła im te uprzejmości.

Nagle gdzieś niepokojąco blisko rozległo się leniwie szczeknięcie psa.

W oczach Phoebe i Julesa zamigotał strach.

– Twój kapelusz... on wciąż... – syknął szybko markiz.

Phoebe roztrzęsionymi dłońmi szarpnęła za wstążkę, ale na próżno. Próbując ją wyplątać ze spinek, nieomal się udusiła.

Pies znowu szczeknął i zaraz potem usłyszeli trzask łamanych gałązek i szelest kruszonych liści.

– Coś wyczułeś, staruszku? – To był Waterburn.

Odór strachu, pomyślała Phoebe. I może jeszcze upokorzenia.

– Usłyszał pan coś, lordzie Waterburn? – zawołała Lisbeth. – Myślę, że głosy dochodziły stamtąd.

W tym momencie Phoebe zaniechała prób poprawienia kapelusza.

– Nie możemy tu oboje zostać. – Z powodu paniki kręciło jej się w głowie.

– Ma pani rację. Proszę zostać. Ja pójdę!

Jules odwrócił się w lewo, gotowy rzucić się w zarośla.

Phoebe chwyciła go za łokieć.

– Nie! Nie tam! Wyląduje pan w jeżynach. Znam ten las, więc lepiej, jeśli to ja...

Teraz to markiz chwycił ją za łokieć.

– Na litość boską, przecież nie będzie pani łaziła po krzakach – syknął.

Teraz już miał pewność, że dotąd dobrze robił, iż unikał zakazanych romansów, które tak pociągały innych mężczyzn. On dopiero zaczynał, a jego godność, którą przecież tak bardzo sobie cenił, już w tej chwili była zagrożona. Najpierw te promienne uśmiechy w kościele i zakup kapelusza, a teraz to.

Co on bredzi? Jakie zakazane romanse? Przecież to były tylko dwa pocałunki, a to jeszcze nie romans. Który zresztą nie ma szans się rozwinąć, gdyż wstyd, jaki z tego wszystkiego wyniknie, na pewno nie podziała na niego jak afrodyzjak, więc może się nie obawiać o przyszłość.

– Pan nie zna tych lasów jak ja. Ja się tu wychowałam – upierała się Phoebe.

– Myśli pani, że się zgubię? – spytał, podnosząc głos o oktawę, co jest raczej trudne do wykonania, gdy się mówi szeptem. – Może i tak, ale przecież nie pozwolę, żeby to pani szwendała się samotnie po lesie. Dlatego proszę zostać – dokończył, uwalniając jej łokieć.

Gdyby Phoebe była kotem, na pewno nastroszyłaby futro.

– Szwendała! – zakrzyknęła z oburzeniem. – Ja się nie szwendam, łaskawy panie.

– Na miłość boską, kobieto... – warknął i zdesperowanym gestem klepnął się w czoło, przy okazji strącając z głowy kapelusz.

Szybko się okręcił, żeby go pochwycić, ale nie zdążył i kapelusz wesoło potoczył się w stronę skraju polany.

W tym samym momencie nad zaroślami pojawiła się śliczna główka Lisbeth.

– Oj! – mruknął Jules i rzuciwszy się na ziemię, zaczął na brzuchu czołgać się po mokrej trawie ku krzakom głogu, w których niczym jaszczurka po chwili zniknął.

– Phoebe lubi się tak samotnie wałęsać – tłumaczyła Lisbeth lordowi Waterburnowi. – Ale na pewno się nie zgubiła, bo dobrze zna te tereny. Wydaje mi się, że słyszałam ją gdzieś w pobliżu. Pan nic nie słyszał?

Niewyraźne mruknięcie, jakie padło ze strony Waterburna, mogło oznaczać wszystko, choć arystokrata raczej nie sprawiał wrażenia przejętego zniknięciem Phoebe.

Za to ukryty w krzakach markiz na pewno triumfował; nie szwenda się pani, panno Vale? Czyżby?

– Faktycznie zboczyłam z drogi, ale się nie zgubiłam – zawołała Phoebe na tyle głośno, żeby Lisbeth ją usłyszała. A potem zamarła...

A niech to szlag! Zapomniała o kapeluszu markiza. Rozpłaszczony niczym wielka ropucha leżał na ziemi dokładnie w miejscu, które ujrzy Lisbeth, gdy tylko wejdzie na polanę.

Rzuciła się do kapelusza i szybko go podniosła, po czym ukryła za plecami. Dokładnie w tej samej chwili na polance stanęła Lisbeth.

Zaraz za nią nad zaroślami pojawiła się blond czupryna lorda Waterburna, który wciąż z flintą w dłoni obrzucił polankę beznamiętnym spojrzeniem. Dla niego ten dzień musiał być udręką: zamiast coś ustrzelić, zmuszono go do bezcelowego błąkania się po lesie.

– A więc to tutaj się zawieruszyłaś, Phoebe! – zawołała radośnie Lisbeth. – To takie w twoim stylu. Mogłam się domyślić.

13

*L*isbeth wprawdzie rozejrzała się po polance, ale widać było, że nie ma w niej cienia wątpliwości, iż Phoebe przebywała na polance sama i że nie robiła tutaj nic zdrożnego. Phoebe mocno się tym zirytowała i żeby sobie udowodnić, iż naprawdę przed chwilą była całowana, miała wielką ochotę dotknąć swoich wciąż płonących ust.

I nawet by to uczyniła, gdyby nie fakt, że za plecami trzymała obszyty bobrowym futerkiem kapelusz markiza.

Trójka nowo przybyłych – Lisbeth, Waterburn i stary ogar – przez chwilę mierzyli ją zdezorientowanymi spojrzeniami. Potem gdzieś w oddali rozległy się śmiechy Jonathana i Argosy'ego, a stary ogar westchnął i zwaliwszy się na brzuch, zaczął drzemać.

– Wydawało mi się, że słyszałam więcej niż jeden głos – oznajmiła w końcu Lisbeth.

– Och! Cóż, prawdopodobnie słyszałaś jak... śpiewam. – Z powodu zdenerwowania Phoebe mówiła trochę wyższym głosem niż normalnie. Żeby to zmienić, lekko odchrząknęła. – Śpiewałam partię na dwa głosy. Często tak robię, kiedy... kiedy jestem sama. Żeby dodać sobie otuchy. Poza tym do śpiewu zainspirowała mnie signora Licari.

Kłamstwo było szyte grubymi nićmi, lecz Lisbeth tylko klasnęła w dłonie i zawołała:

– Śpiewałaś! Doskonały pomysł! Może wszyscy to zrobimy. Wtedy Jules na pewno nas usłyszy.

– Ja tam śpiewać na pewno nie będę – oznajmił oschle lord Waterburn.

– Czy markiz często się tak gubi? – spytała Phoebe, nie mogąc się powstrzymać.

– Nigdy się nie gubi – odrzekł Waterburn i przerzuciwszy broń na drugie ramię, popatrzył na swoje paznokcie, jakby chciał pokazać, że interesują go o wiele bardziej niż Phoebe. – Gdyby tak było, już by nie żył. Na wojnie człowiek musi mieć dobrą orientację.

Phoebe niemal czuła, jak zza zarośli płynie do niej fala satysfakcji, jaka z pewnością w tej chwili rozdymała serce markiza.

Szybkie spojrzenie w tamtą stronę powiedziało jej, że zdążył już przekręcić się na plecy; lśniące czubki jego oficerek wyraźnie pobłyskiwały między dolnymi gałązkami.

Phoebe wyobraziła sobie, że leży na ziemi obok markiza i otoczona jego ramieniem razem z nim przygląda się błękitnemu niebu. Natychmiast zalała ją nowa fala pożądania, tak silna, że na chwilę zabrakło jej tchu i lekko się zachwiała.

Co się z nią dzieje, do diaska? Co on z nią zrobił?

I czy to coś minie?

– Piękna jest ta polanka, Phoebe. Dziwne, że jej wcześniej nie widziałam. Jest prawie jak z bajki, nie uważasz?

Lisbeth, rozpostarłszy ramiona i odchyliwszy głowę w tył, wolno się okręcała, żeby dokładnie obejrzeć polanę. A ponieważ była taka rozpromieniona i podekscytowana, gest ten wcale nie wyglądał na wyreżyserowany. Wyglądała jak nimfa lustrująca swoje włości.

Phoebe tymczasem zastanawiała się, co robi markiz. Czy umiera ze strachu, czy chodzą po nim wiewiórki? A może jakieś insekty zainteresowały się intrygującymi otworkami w jego nosie i uszach?

Była bliska parsknięcia śmiechem.

– Och, i jest twój szkicownik, Phoebe. Ja swojego jeszcze nawet nie otworzyłam. Zobaczmy, co narysowałaś.

Szkicownik! A niech to!

Leżał w trawie, nasiąkając wilgocią. Bliżej Lisbeth niż Phoebe, ale nawet ona mogła dostrzec zarys wykonanego przez nią węglem portretu markiza. Jego twarz była na nim kwadratowa, nachmurzona, a masa czarnych włosów wyglądała zupełnie jak płomienie i dym wydobywające się z płonącego budynku. Twarz ta gniewnie spoglądała w niebo, w ten sam sposób, w jaki w tej chwili prawdopodobnie wpatrywał się w nie markiz.

Rysunek, będący raczej odbiciem uczuć Phoebe niż wiernym odtworzeniem wyglądu markiza, stanowił bardzo obciążający dowód.

O Boże. Lisbeth już zmierzała ku szkicownikowi. Jeden krok. Drugi. Skrzypienie wydobywające się spod butów tętniło głośno w uszach Phoebe, która, przekonana, że to już koniec, była bliska rzucenia się przyjaciółce do kostek. Tylko taką możliwość widziała, żeby ją zatrzymać.

Nagle jednak kątem oka dostrzegła błysk flinty i do głowy przyszła jej pewna myśl.

– Gdybyście zobaczyli pardwę, wolelibyście ją zestrzelić czy naszkicować? – zapytała szybko.

– Naszkicować – odrzekła Lisbeth.

– Zestrzelić – rzucił z przekonaniem lord Waterburn.

– Bo chyba dostrzegłam jedną o tam, nad drzewem! Nad tym... tym, co wygląda jak starzec. – Wskazała palcem w przeciwnym kierunku.

Lisbeth i Waterburn zgodnie się odwrócili, a wtedy Phoebe posłała kapelusz markiza lotem koszącym ponad krzakami, po czym rzuciła się po szkicownik.

Od strony krzaków przypłynęło przepełnione zdumieniem stęknięcie.

Lisbeth i Waterburn znowu szybko się okręcili.

Lisbeth popatrzyła na Phoebe, która zamarła w pozycji przypominającej pozę, jaką przyjmuje pies myśliwski.

Na czole Lisbeth pojawiła się zmarszczka podejrzliwości.

Stojący za nią lord Waterburn lekko się skrzywił na znak, że jest zdegustowany faktem, iż Phoebe mogła wydać z siebie tak ohydny dźwięk jak stęknięcie.

Nie było rady. Phoebe musiała stęknąć.

– Uch! – mruknęła, niezgrabnie podnosząc szkicownik z trawy.

Kiedy znów się wyprostowała, na twarzy lorda Waterburna dostrzegła wyraz niesmaku.

Z mocno bijącym sercem przycisnęła szkicownik do brzucha.

Lisbeth, zdegustowana jej zachowaniem, przez chwilę uważnie na nią spoglądała.

– Nie widzę żadnego podobieństwa.

Phoebe poczuła, że robi jej się słabo.

– Podobie…

– Do starca. Mówiłaś, że drzewo jest podobne do starca – przypomniała Lisbeth, mierząc ją twardym spojrzeniem.

Phoebe pomyślała, że tak musi wyglądać twarz człowieka szykującego się do strzału.

– Och – mruknęła mimo wszystko z ulgą, że nie chodziło o portret w szkicowniku. – Naprawdę tego nie widzisz? Drzewo jest bardzo sękate i powyginane. Pewnie stąd moje skojarzenie. No i… – Zamilkła, widząc, że Lisbeth przygląda się jej z wysoko uniesionymi brwiami, jakby zaraz miała się roześmiać. – Cóż, to chyba przez tę polankę. Jak powiedziałaś, jest jak z bajki, i pewnie tak mnie oczarowała, że wszystko mi się pomieszało.

Jaka tam bajka, polanka była jak niebezpieczna pułapka.

Nadal rozbawiona, Lisbeth odwróciła się w stronę drzewa, żeby jeszcze raz mu się przyjrzeć.

– No może trochę wygląda jak starzec – przyznała łaskawie. – Tamten sęk na górze można by uznać za nos.

Waterburn głośno prychnął.

Ona jest naprawdę kochana, pomyślała Phoebe, po czym spojrzała w dół. Twarz markiza na szkicu piorunowała ją wzrokiem. I była rozmazana.

Phoebe szybko przeniosła wzrok na suknię i nagle do głowy przyszła jej straszna myśl: a jeśli przez przypadek odcisnęła na sukni portret markiza? Byłoby to równoznaczne z wyszyciem na niej litery A.

Pospiesznie przycisnęła szkicownik do piersi.

Na litość boską, weź się w garść, Phoebe, zganiła się w duchu, czując zarazem, że życie jest okropnie niesprawiedliwe: mimo że tak wiele lat poświęciła na to, żeby je unormować, wystarczyła tylko chwila, żeby znów zapanował w nim chaos.

– Tak, masz rację. Mnie też ten sęk skojarzył się z nosem. – Leciutko odsunęła ręce i z rozżaleniem spojrzała na twarz na portrecie. – Tak myślałam. Szkicownik jest kompletnie zniszczony. Cały zamókł.

Lisbeth cmoknęła współczująco.

– Jaka szkoda. Pewnie miałaś tam bardzo ładne rysunki. Ale powiedz, nie wiesz, gdzie się podział markiz? – spytała, zmieniając temat.

– Możliwe, że po raz pierwszy w życiu się zgubił.

Powiedziała tak, bo chciała dogryźć osobie rozpłaszczonej za krzakami, ale ze zdziwieniem stwierdziła, że jej głos zabrzmiał nie tylko ironią, ale też niepewnością. A niech to szlag. To ona się zgubiła. Zdobywała wiedzę, tak jak się zbiera cenne kamienie, z braku prawdziwych tworząc z niej własny unikatowy skarbczyk. A potem, podobnie jak to było w jej wypadku, faktami szlifowała i polerowała wszystkie ostrości u swoich młodych wychowanek. Miała nieskazitelną reputację. Stawiano ją za wzór wszystkim młodym pannom.

A teraz być może na jej piersi widnieje odbicie twarzy markiza i aż dwukrotnie stęknęła.

I jeśli dobrze odczytała spojrzenie markiza w chwili, gdy chwytał ją za rękę… to on też się pogubił. Lub co najmniej był skołowany.

Tak czy inaczej, ponieważ dotąd jeszcze żaden mężczyzna tak na nią nie patrzył, Phoebe wiedziała, że bez względu na to, co się wydarzy i na jakim kontynencie zamieszka, nigdy nie zapomni wyrazu jego oczu. Podejrzewała nawet, że to wspomnienie będzie jej towarzyszyło codziennie, będzie je odtwarzała w pamięci nocą tuż przed zaśnięciem.

Tak to już jest z ludźmi, że jeśli raz się pogubią, potem się to za nimi ciągnie, pomyślała filozoficznie.

– Cóż, w takim razie musimy go odszukać – rzekła energicznym tonem Lisbeth. – Co takiego śpiewałaś przed naszym przyjściem, Phoebe? Chodzi mi o tę pieśń rozpisaną na dwa głosy.

Och nie. Phoebe popatrzyła na Lisbeth pustym wzrokiem. W głowie jej wrzało. Tak naprawdę znała bardzo niewiele pieśni, a jej głos był co najwyżej znośny.

– Tę… tę o Colinie Eversea! Pewna uczennica ze szkoły nauczyła mnie nowych zwrotek. Są bardzo zabawne, ale… ale… dość sprośne.

Pomysł, żeby wspomnieć o sprośności, przyszedł jej do głowy w ostatnim momencie. Lisbeth zamrugała, jakby ktoś prysnął jej wodą w oczy.

Ona i Waterburn popatrzyli na Phoebe ze zdumieniem. Najwyraźniej słowo „sprośna" nie pasowało im do niej lub może właśnie pasowało, przynajmniej w wypadku Waterburna, na którego twarzy pojawił się ironiczny uśmieszek.

Następnym razem użyję słowa „nierządnica", pomyślała ze złością Phoebe.

– Och, koniecznie musimy zaśpiewać tę piosenkę! – zawołała Lisbeth takim głosem, jakby przed chwilą nic się nie stało. Redmondowie tak bardzo nienawidzili rodziny Eversea, że byli skłonni niszczyć jej reputację nawet za pomocą sprośnych pieśni. – Ja zacznę, a potem ty będziesz mogła zaśpiewać te nowe, spro… nowe zwrotki – dokończyła już mniej radośnie.

O Boże, stęknęła Phoebe w duchu. Teraz będzie musiała na poczekaniu wymyślić sprośny tekst. W całym swoim życiu nie musiała improwizować tyle, ile improwizowała przez ostatnie pięć minut.

Improwizować, czyli inaczej mówiąc, kłamać.

Lisbeth, wziąwszy głęboki oddech i rozłożywszy szeroko ramiona, zaczęła z zapałem:

– Och, jeśli sądziliście, że nigdy nie ujrzycie końca Colina Ever…

Lord Waterburn westchnął i zaskakując szybkością ruchów, odciągnął kurek strzelby i wystrzelił w powietrze.

Niczym odłamki z zarośli zerwała się chmura małych wystraszonych ptaszków. Phoebe i Lisbeth podskoczyły, a potem kasząc, zaczęły wymachiwać rękami, żeby rozpędzić dym.

„Hau", szczeknął leniwie pies, dopiero teraz reagując na wystrzał.

Kiedy dym się przerzedził, Waterburna przywitały dwa złowrogie spojrzenia.

– To powinno przywołać Drydena – wyjaśnił beznamiętnie. – Pójdzie za hukiem.

– Czy to było konieczne? – spytała zagniewanym głosem Lisbeth. – Wystarczyło powiedzieć, że nie chcesz śpiewać.

Na twarz arystokraty wypłynął leniwy uśmieszek.

– Wtedy nie byłoby tak zabawnie. Poza tym mówiłem, że nie chcę.

Interesujące, pomyślała Phoebe prawie ze współczuciem. Waterburn naprawdę się nudził. Znosił o wiele więcej, niż im się wydawało. Jednak choć posiadał majątek i maniery, to brakowało mu wyobraźni. I dlatego pewnie czekał go cierpiętniczy żywot u boku takich kobiet jak Lisbeth, które brały za pewnik to, że mężczyźni im dogadzają, i były przekonane, że panowie lubią – lub udają, że lubią – ich towarzystwo i sprawia im ogromną przyjemność podawanie im nici, kiedy wyszywają, lub noszenie za nimi koszy piknikowych. Że po prostu uwielbiają spełniać ich zachcianki i to tylko dlatego, że były piękne, młode i zamożne.

Oczywiście po ślubie wszystko się zmienia. Wtedy to panowie robią, co chcą, a panie robią to, co chce małżonek.

Prawda jednak wyglądała tak, że kobiety miały bardzo mało okazji, żeby poczuć się u władzy i dlatego Phoebe pomyślała, że może nie powinna krytykować Lisbeth za to, że korzysta z okazji, póki może.

Tym bardziej że sama była bliska scedowania tej niewielkiej władzy, jaką dysponowała, na... mężczyznę.

– Cóż, to naprawdę bardzo dziwne, że markiz tak się zapodział – powiedziała po chwili Lisbeth, teraz już mocno poirytowana. – Nie widziałaś, Phoebe, w którą stronę poszedł? Zniknęliście z widoku mniej więcej w tym samym momencie.

O Boże. Phoebe szybko zerknęła na zarośla. Czubki oficerek zniknęły. Markiz musiał skorzystać z okazji i gdy padł wystrzał, wyczołgał się lub wypełzł z krzaków.

– Obawiam się, że... że nie widziałam. Poza tym ja wcale nie zniknęłam. Po prostu zobaczyłam tę polankę i na nią weszłam – wyjaśniła, siląc się na swobodny ton mimo twardego spojrzenia Lisbeth. – Nie widziałam markiza. Myślałam, że jest z wami. Przykro mi, ale nie wiem, w którą stronę odszedł. – Co nie do końca było kłamstwem. Przynajmniej nie w tej chwili. – Kiedy zobaczyłam polankę, tak mi się spodobała, że zapomniałam o całym świecie. Weszłam na nią, wyjęłam szkicownik i...

Szybko się cofnęła, gdyż Lisbeth ruszyła ku niej energicznym krokiem i zatrzymała się tak blisko, że Phoebe wyraźnie dostrzegła jasne włoski porastające jej górną wargę.

– Co z twoim kapeluszem, głupia gąsko? Jakim cudem tak się przekrzywił?

Phoebe zamrugała. Pierwszy raz w życiu Lisbeth nazwała ją głupią, a przecież można było o niej powiedzieć wszystko, ale nie to, że jest głupia. Poza tym uwaga dziewczyny, choć wydawało się, że wypowiedziana z sympatią, zabrzmiała dziwnie oschle.

Lisbeth sięgnęła do kapelusza i zaczęła go poprawiać, wyplątując wstążkę ze spinek i wygładzając ją między palcami. I cały czas zagadkowo przyglądała się Phoebe, która stała sparaliżowana, zupełnie jak zając przed wilkiem.

– Musiałam nim zaczepić o gałęzie – wytłumaczyła w końcu słabym głosem.

Mimo że pozornie spokojna, w duchu była sparaliżowana; dopiero w tym momencie uświadomiła sobie, że wystarczyłoby jedno słowo ze strony Isaiaha Redmonda, żeby straciła swoją posadę w akademii i nie mogła znaleźć zatrudnienia nigdzie indziej.

Nie miałaby się wtedy dokąd udać – a na wyprawę do Afryki nie zebrała jeszcze wystarczającej sumy pieniędzy. Jej kariera rozpadłaby się w mgnieniu oka.

Lisbeth skończyła poprawiać kapelusz, który ułożyła na włosach Phoebe podług własnego gustu, i z satysfakcją kiwnęła głową.

I właśnie w tym momencie w zaroślach rozległ się głośny szelest, jakby w krzakach czaiło się duże zwierzę. Zanim jednak całe towarzystwo zdążyło wpaść w popłoch, z listowia dobiegł czyjś głos.

– To nie wilk ani niedźwiedź, tylko ja, Dryden. Nie strzelaj, Waterburn. – Markiz rozchylił gałęzie z taką godnością, na jaką tylko stać człowieka, który musi się przecisnąć przez gęste krzaki. Ale generalnie wyglądał całkiem nieźle, wręcz rześko, i miał na głowie kapelusz. – Usłyszałem wystrzał i pomyślałem, że szkoda byłoby przegapić polowanie – zawołał wesoło.

Twarz Lisbeth rozświetliła się jak gwiazda, jakby wyłonienie się markiza z zarośli było niespodzianką zaplanowaną z myślą o niej.

139

– Na nic nie polowaliśmy. To tylko lord Waterburn chciał nas
zastrzelić za to, że zachęcałyśmy go do śpiewania.

Waterburnowi nie spodobał się żart.

– Nic takiego nie miało miejsca – zaprzeczył oschle.

– Nie chciałeś śpiewać? Ja bym się tam dał namówić – rzucił
w jego stronę markiz ze złośliwym uśmieszkiem. – Chociaż oczywiście wszystko zależałoby od rodzaju piosenki.

Lisbeth, zadowolona z tych słów, posłała markizowi uroczy
uśmiech, na który ten odpowiedział podobnym. A przyglądająca
się im Phoebe, żeby nie cierpieć, szybko odwróciła wzrok, szukając
czegoś, na czym mogłaby go skupić.

W końcu jej spojrzenie padło na starego ogara, który zamrugał
do niej leniwie, jakby w ten sposób dawał jej znać, że podziela jej
cierpienie. Żadne z nich nie chciało przebywać w miejscu, w którym się znajdowało.

– Nie strzelajcie bez nas! – Z oddali dobiegł ich okrzyk Jonathana. – I gdzie wy w ogóle, do diabła, jesteście?

– No właśnie, Dryden. Gdzieś ty się tyle czasu podziewał? –
spytał obojętnym tonem Waterburn.

– Tyle czasu? Wydaje mi się, że odkąd się rozdzieliliśmy, nie
minęło więcej niż... piętnaście minut? – Płynnym ruchem markiz
wyciągnął z kieszeni zegarek i otworzywszy go kciukiem, sprawdził
godzinę. – Tak, nie było mnie tylko kwadrans. To stanowczo zbyt
mało, żeby dobrze obejrzeć te piękne tereny.

Tylko kwadrans, pomyślała gorzko Phoebe. Aż kwadrans, skoro
w tym czasie całe jej życie zdążyło stanąć na głowie.

Choć z drugiej strony być może wróciło już do normy w chwili,
gdy Lisbeth poprawiła kapelusz na jej głowie.

Ponieważ wszyscy łącznie z psem patrzyli na markiza, ona też
to wreszcie uczyniła, stwierdzając, że wygląda na lekko spiętego,
choć tak naprawdę nie potrafiła wyczytać w jego oczach, co myśli
i czuje. I nic dziwnego – miał przecież duże doświadczenie w ukry-
waniu uczuć.

– Ma pan na koszuli zieloną plamę, lordzie Dryden – zauważyła
Lisbeth. – Przewrócił się pan?

Phoebe z irytacją pomyślała, że Lisbeth nagle zrobiła się ogromnie spostrzegawcza.

– Rzeczywiście tak było – przyznał markiz, a po chwili zawahania dodał: – Potknąłem się.

Phoebe szybko na niego spojrzała, ciekawa, czy za jego słowami kryło się jakieś dodatkowe znaczenie. Czy zwrotu „potknąłem się" użył w znaczeniu tego, że popełnił błąd, czy raczej żeby jak poeci metaforycznie opisać to, że z nagła trafiła go strzała miłości. A może w odpowiedzi nie kryła się żadna aluzja, choć Phoebe wiedziała, że od teraz we wszystkim będzie się doszukiwała podwójnego znaczenia.

Wszystko przez ten pocałunek, który tak bardzo namieszał jej w głowie.

Cała grupa wolnym krokiem ruszyła ku wyjściu z polanki, choć markiz nieco się ociągał, i nawet w pewnej chwili szybko się odwrócił i schylił.

– Znalazłeś coś, Jules? – zaciekawiła się Lisbeth. – Grzyby?

– O nie, to nie grzyby – odparł i żeby Lisbeth nie spostrzegła, że chowa do kieszeni surduta pęk szałwii, posłał jej wdzięczny uśmiech, o którym wiedział, że potrafi otumanić każdą kobietę.

14

Jules oddał pobrudzoną trawą koszulę swojemu lokajowi, który odebrał ją, o nic nie pytając i nie zmieniając wyrazu twarzy – widywał już o wiele groźniejsze plamy na ubraniach swojego pana.

Poza tym w kufrze leżało tuzin czystych koszul, takich samych jak ta poplamiona.

Kiedy jednak lokaj spojrzał na czoło markiza, jego twarz mimo wszystko się wydłużyła.

Widząc to, Jules szybko odwrócił się do lustra.

A niech to szlag!

Westchnął. Cóż, musiał przyznać, że rzut był bardzo celny. I silny. Dotknął małego ciemniejącego siniaka, którego kształt wyraźnie mówił, że powstał od uderzenia rondem kapelusza.

Jules uznał, że z siniakiem na czole wygląda jak zabijaka. Poczuł się jak głupiec i to z wielu powodów, a przecież dotąd nigdy tak się nie czuł. W jego życiu nie było miejsca na głupie zachowanie. Był to luksus, na który nie mógł sobie pozwolić.

Dobrze wiedział, co z tego wszystkiego może wyniknąć. Życie już go przecież nauczyło, że pocałunki tylko wszystko komplikują, chyba że miały doprowadzić do zamierzonego celu lub jeśli stanowiły element romantycznego związku.

Ale ten pocałunek! To był jego pierwszy tego typu. Pocałunek, który mu się po prostu przydarzył, który wyniknął jak gdyby z przymusu.

I który do niczego nie prowadził.

No, może oprócz tego, że musiał potem kryć się po krzakach i w drodze powrotnej do domu wydmuchiwać insekty, które powłaziły mu do nosa, gdy leżał w zaroślach i wpatrywał się w błękitne jesienne niebo, rozmyślając nad swoją głupotą i przysłuchując się wymijającym odpowiedziom panny Vale.

Do domu wracał w towarzystwie rozszczebiotanej Lisbeth, której paplaniny słuchał z pobłażliwością. Jej wesoły, beztroski sposób bycia i uroda sprawiały mu przyjemność. Tym bardziej że rozmowa, jaką prowadzili, nie wymagała od niego wielkiego skupienia – wystarczyło, że od czasu do czasu kiwnął głową lub rzucił jakieś słówko – i mógł spokojnie zastanawiać się w myślach nad sprawami, które go dręczyły.

Obok szli lekko przygaszony i małomówny Waterburn, wyczuwalnie zły, że wraca z polowania z pustymi rękoma, oraz Jonathan i Argosy, pogrążeni w uprzejmej rozmowie o zaletach nowego zarządcy Argosy'ego.

Phoebe szła sama na szarym końcu, co wydawało się bardzo nie w porządku. Nie należała do osób, które w milczeniu podążają za innymi.

Jednak twierdziła, że chce dotrzymać towarzystwa staremu oga-rowi, który jej zdaniem wyglądał tak, jakby zaraz miał wyzionąć ducha. Uważała, że nie powinien schodzić z tego świata w samot-ności. Niedorzeczna wymówka, którą jednak wszyscy bez słowa zaakceptowali.

Jules ciężko usiadł na brzegu łóżka i pochyliwszy głowę, oparł czoło na rękach. Potem się skrzywił i znów zerwał na równe nogi. Podszedł do lustra, żeby jeszcze raz obejrzeć siniak.

Pod względem estetycznym prezentował się naprawdę zachwy-cająco. Był purpurowy i z każdą sekundą coraz bardziej ciemniał, przybierając majestatyczną barwę fioletu. Zniecierpliwionym ru-chem przeczesał palcami grzywkę, tak żeby pukiel włosów zasłonił brew. Siniak zniknął.

Przyjrzał się rezultatom.

Bardzo dobrze: uznał, że nowa absurdalna fryzura to kara za grzechy.

I tak nieco skrępowany, za to z mocnym postanowieniem, że więcej nie straci głowy dla zwykłej nauczycielki, co z pewnością było do wykonania, markiz, ogolony, w świeżym i wyprasowanym ubraniu, zszedł do salonu. I gdy do niego wchodził, w każdym calu wyglądał jak dawny dumny lord Dryden, na którego widok cichły rozmowy, a ludzie czujnie się prostowali, zupełnie jak gazele, kiedy do wodopoju zbliża się lew.

– Chciałby pan popatrzeć, jak się ubieram, lordzie?

Phoebe oparła rozmazany portret markiza Drydena o wezgło-wie, licząc na to, że udawanie beztroski sprawi, że naprawdę po-czuje się beztroska.

– Którą suknię powinnam włożyć, pana zdaniem? Tę zieloną z jedwabiu?

Pytanie ją rozbawiło, ponieważ miała tylko dwie ładne suknie, z których jedną właśnie nosiła.

Rozłożyła drugą na łóżku i nie zważając na markiza na portre-cie, zaczęła się rozbierać.

Gdy już to uczyniła, umyła się perfumowaną lawendą wodą i wśliznęła w zieloną suknię. Szyję obwiązała zieloną wstążką, włosy zaczesała do góry, zostawiając dwa loki po bokach, a następnie rezultaty swoich wysiłków obejrzała w lustrze.

Cóż. Jej nos nie zrobił się od nich bardziej zadarty, kości policzkowe bardziej wydatne, a rzęsy, choć gęste, nadal były tak jasne, że prawie niewidoczne, nie licząc złotych końców. Innymi słowy, gdyby ustawiono ją obok Lisbeth Redmond, raczej nie miałaby szans przyćmić jej swoją urodą.

Mimo to, gdyby ktoś w tej chwili powiedział, że jest piękna, wcale nie oskarżyłaby go o to, że jest pijany.

Bo po pocałunku z markizem jej oczy wciąż mocno błyszczały, a cera promieniała niczym lampion.

Och, dobrze wiedziała, że markiz miał plany, plany, które dokładnie wytyczały bieg jego przyszłego życia, plany, w których ona nie występowała. Mogła się też spodziewać, że cały wieczór spędzi, przytrzymując wachlarz Lisbeth lub biegając dla niej na posyłki.

Jednak dotychczasowe wydarzenia pozwalały również sądzić, że nachodzący wieczór nie będzie zwyczajny.

Tak więc, zdecydowana dalej balansować na cienkiej linie, posłała portretowi markiza całusa i wyszła.

Jules wśliznął się do salonu tak niepostrzeżenie, jak to tylko było możliwe, i stanął przy kominku. Za ekranem ogień płonął wesoło i mocno, więc już po chwili poczuł na plecach nieprzyjemne gorąco. Chociaż salon był bardzo przestronny, o wysokich sufitach, znajdowało się w nim tak wiele osób, że zaczynało się robić duszno. Do Julesa podszedł lokaj z tacą. Uczynił to tak cicho, że Jules aż podskoczył, gdy wreszcie zauważył służącego. Ten zaproponował mu kieliszek porto i choć Jules z chęcią napiłby się czegoś zupełnie innego, sięgnął po kieliszek. Żeby mieć coś, czym będzie mógł zająć ręce.

Mimo jego starań, żeby nie rzucać się w oczy, wiedział, że już został zauważony. Domyślił się tego po napiętych mięśniach na karkach gości, usiłujących powstrzymać się przed odwróceniem głów w jego stronę. Przechwycił też kilka przeciągłych spojrzeń rzuconych pod jego adresem spod zasłony rzęs, na które odpowiedział bladym uśmiechem.

Rozejrzał się dokoła, szukając kogoś odpowiedniego, z kim mógłby wdać się w niezobowiązującą uprzejmą pogawędkę. Nigdzie jednak nie dostrzegł hrabiego Ardmeya, który tak niedawno w dość przyspieszonym tempie ożenił się z córką Redmondów, Violet. Stojący po przeciwnej stronie salonu Isaiah Redmond jednocześnie czarował i zarazem poddawał uważnej inspekcji jakiegoś nieznanego Julesowi dżentelmena o wyglądzie świeżo upieczonego bogacza, wyraźnie starającego się zaimponować Redmondowi, pewnie aby ten zechciał go włączyć do grona swych wpływowych przyjaciół. Magnat wyglądał na osobę, którą dałoby się przekonać do wstąpienia do klubu Mercury, grupy inwestycyjnej Isaiaha Redmonda... oczywiście jeśli tylko Redmond by go wcześniej zaakceptował.

Jules był bardziej niż pewien, że Isaiah za chwilę do niego podejdzie. Redmondom, którzy czekali, aż kapryśny król wreszcie zdecyduje, komu nada tytuł szlachecki, im czy rodzinie Eversea, bardzo zależało na utrzymywaniu kontaktów z przedstawicielami arystokracji. I choć dorobili się już w swym gronie hrabiego, to jednak apetyt Isaiaha nadal był niezaspokojony.

Teraz polował na markiza.

Jules dostrzegł Lisbeth. Siedziała na pasiastej kanapie i w białej zwiewnej sukni z diamentem błyszczącym na szyi i diademem we włosach wyglądała prześlicznie. Było pewne, że w trakcie wieczoru usłyszy niejeden komplement i że będzie przyrównywana do anioła, nimfy lub innej nieziemskiej postaci. Jules był ciekaw, czy bywała czasami znużona pochwałami, czy może komplementy były tak zróżnicowane, że wciąż potrafiły ją zaskoczyć.

Tak czy inaczej doskonale sobie zdawał sprawę, że on sam patrzy na Lisbeth jak człowiek, który podziwia danie główne... jednak przede wszystkim wyczekuje deseru.

A deser siedział tuż obok Lisbeth.

I jeszcze go nie zauważył. Przynajmniej na to wyglądało. Phoebe była ubrana w zieloną suknię, szał mody sprzed dwóch sezonów.

Jules pamiętał, że ten typ nosił nazwę Willow. Była prosta z kwadratowym dość nisko wyciętym dekoltem odsłaniającym niesamowicie kuszące jasne wzgórki piersi, rękawki miała bufiaste i pod biustem była przewiązana wstążką. Na szczupłych jasnych dłoniach Phoebe widniała para sięgających prawie do łokci zaskakująco eleganckich kremowych rękawiczek z koźlęcej skórki. Jej szyję zdobiła wstążka pasująca kolorem do wstążki pod staniczkiem, włosy zaś były zaczesane do góry z pozostawionymi po bokach lokami, które zalotnie opadały do ramion.

Jules ten widok powinien przywitać myślą: wygląda jak typowa wiejska nauczycielka z łaski zaproszona na przyjęcie w roli damy do towarzystwa.

Jemu jednak przez głowę przemknęło tylko: jeszcze nie dotykałem jej włosów.

I myśl ta zapoczątkowała spiralę następnych, równie zmysłowych: nie dotykałem i nie całowałem jeszcze wielu miejsc na jej ciele. Uszu, obojczyków, delikatnego zagłębienia na ręce w miejscu, gdzie kończą się rękawiczki. Ocienionego zagłębienia między piersiami. O Boże, samych piersi. Zgrabnego łuku ramion...

– Czemu się tak przyglądasz, Dryden?

Jules się wzdrygnął. Obok niego niespodziewanie zmaterializował się Waterburn, który, jak zawsze wścibski i irytujący, powiódł wzorkiem za jego spojrzeniem.

– Patrzysz na tę stękającą guwernantkę – mruknął, odpowiadając sam sobie.

Stękającą?

– Ona jest nauczycielką, nie guwernantką – wyjaśnił krótko Jules.

Waterburn wzruszył ramionami, jakby chciał powiedzieć, że w jego oczach wszystkie pracujące kobiety to jedna wielka nierozróżnialna masa.

– Ale czemu pytasz? Jak ja twoim zdaniem na nią patrzyłem?

Julesowi z trudem udało się nadać głosowi ton rozbawionej ironii, choć w rzeczywistości cały się spiął. Z drugiej strony nie sądził, żeby Waterburn zauważył coś podejrzanego. W końcu jak nikt po-

146

trafił zachować nieodgadnioną minę. Poza tym pasmo włosów, które opadało mu na twarz, utrudniało odczytanie jej wyrazu.

Waterburn przed odpowiedzią głęboko zaczerpnął powietrza, jakby szykował się do dłuższej przemowy.

– Cóż, patrzyłeś na nią trochę tak, jak na hrabinę Malmsey na balu u Mulvaneya. Wtedy, kiedy była ubrana w tę niebieską suknię...

Po tych słowach Waterburn zamilkł, dając Julesowi czas na przeszukanie pamięci.

– A tak, pamiętam. Niebieska suknia – mruknął Jules, rzeczywiście pamiętając suknię, o której wspomniał Waterburn, a której raczej nie można było zapomnieć, gdyż stała się prawdziwą legendą. Suknia, oprócz tego, że była bardzo piękna, została uszyta tak, że bardzo ściśle opinała ciało hrabiny, oczywiście ku uciesze wszystkich uczestniczących w balu panów.

– I jeszcze trochę tak, jakbyś zaraz miał wystrzelić. Jakbyś... czy ja wiem... namierzał cel...

W głosie Waterburna słychać było zarówno lekkie zdziwienie, jak i podejrzliwość.

Jules już otwierał usta, żeby wyśmiać kolegę, ale Waterburn znów zaczął mówić.

– Nieeee... to jeszcze nie to.

Obok nich nagle zatrzymał się jeden z lokajów i wystraszony Waterburn lekko się wzdrygnął, ale choć nachmurzony, sięgnął jednak po kieliszek porto.

– Chodzą cicho jak koty – wymamrotał, kiedy służący się oddalił. – Człowiek musi się napić, żeby uspokoić nerwy, gdy tak się skradają. Ciekawe, czy Redmond wykorzystuje ich do szpiegowania. Ale wracając do ciebie, wyglądałeś jakbyś... jakbyś...

Nie kończąc, obrzucił Julesa spojrzeniem jasnych oczu, a Jules wyczekująco zacisnął zęby, szczerze zaciekawiony tym, co usłyszy. Jakby Waterburn był wielkim prorokiem, co oczywiście było niedorzeczne.

Ale i tak chciał się dowiedzieć, co kolega ma do powiedzenia. Co zobaczył na jego twarzy, jakie uczucia tam dostrzegł, bo on sam nie miał zielonego pojęcia, co się z nim dzieje i co czuje.

– ...jakbyś się czymś martwił – dokończył Waterburn.

Jules prychnął lekceważąco i upił porto.

– Martwię się tylko tym, że prawdopodobnie nie dostanę tu dzisiaj niczego mocniejszego do picia.

Po tych słowach odsunął kieliszek od ust i spojrzał na niego z odrazą. Porto było zawiesiste, lepkie i słodkie. Wolałby napić się czegoś mocniejszego, bardziej palącego. Czegoś, co lepiej pasowałoby do jego nastroju.

Czy to prawda, że miał zmartwioną minę?

Ale, o Boże, wyglądało na to, że Waterburn jeszcze nie skończył.

– Nie, to też jeszcze nie to. Albo niedokładnie to – filozofował. – Mimo to już sam fakt, że nie umiem nazwać twojej miny...

Znów nie kończąc, Waterburn napił się porto, po czym z aprobatą kiwnął głową.

Jules westchnął i pokręcił własną na znak, że świat jest naprawdę dziwny. Potem z rozmysłem zaczął się rozglądać po sali, przesuwając wzrokiem od osoby do osoby, na co wiele pań automatycznie sięgało do włosów, aby je poprawić, lub odwracało się do niego ładniejszym profilem.

Miał przed sobą błyszczącą gromadę składającą się z ludzi, których akceptował, często podziwiał, przy których czuł się swobodnie. To było jego środowisko i patrząc na nie, uświadamiał sobie, kim jest, jaką pozycję zajmuje i ile starań włożył, żeby ją utrzymać. A mimo to jego zainteresowanie gośćmi w salonie przypominało zainteresowanie właściciela sklepu, który liczy ziemniaki, jakie mu jeszcze zostały w koszach. Tak przyziemni okazywali się ci wszyscy arystokraci, gdy się ich już bliżej poznało.

Przykre.

Waterburn przepłukał usta porto, przełknął je, po czym nagle głośno cmoknął.

– Już wiem. Wygląda, jakby ta... panna Vale – zaczął, nazwisko Phoebe wypowiadając sarkastycznym tonem – jakby ona ci się podobała, Dryden.

Jules wolno odwrócił się do Waterburna, który dalej mówił już ostrożniej, tonem bardzo przypominającym ten, jakim matka Julesa zwróciła się do starej ciotki Calliope, lady Congdon, gdy ta pewnego dnia z całą beztroską zasiadła do kolacji ubrana tylko w halkę i jeden kapeć.

– Jeśli szukasz odmiany, Dryden, to… – Waterburn ściszył głos. – Cóż, oprócz Velvet Glove są jeszcze inne burdele. Na przykład u Madame Elaine jest dziewczyna, która podobno ma zarost na brodzie, a druga jest tak gibka, że potrafi zapleść nogi nad głową. Nad twoją też zaplecie, jeśli ją o to poprosisz…

– Na litość boską, Waterburn. Nie widzisz, że panna Vale to kobieta, a nie jakiś potwór? Ma obie ręce, nogi, dość przyjemną twarz, zgrabną sylwetkę i nawet ładny biust. Poza tym wcale się na nią nie gapiłem. Bardzo mi przykro, że jesteś aż tak znudzony, że musisz wymyślać takie rzeczy. Ale nic się nie martw. Niedługo zacznie się gra w karty, to szybko się rozbudzisz, bo na pewno wygram od ciebie sporą sumkę.

Już po sekundzie Jules zorientował się, że swoją wypowiedzią zdradził się przed kolegą, mimo że na sam koniec próbował zatuszować wrażenie oczywistym kłamstwem.

Waterburn obrzucił go zdumionym wzrokiem, potem zmrużył oczy, które po chwili znów szeroko otworzył i przybierając minę zastanowienia, przeniósł je na Phoebe.

– Wydawało mi się, Dryden, że dotąd wolałeś przypatrywać się pięknym kobietom – rzekł w końcu.

Jules nie wiedział, czy uwaga była przemyślana, chociaż wolałby, aby tak nie było, gdyż nie bardzo wypadało mu się sprzeczać z Waterburnem, niemniej jego słowa sprawiły, że cały zapłonął gniewem.

Piękno. Kiedyś sądził, że wie, co to słowo oznacza, ale obecnie uważał, że się go nadużywa. Niektóre określenia powinny być stosowane tylko w wyjątkowych sytuacjach, dla opisania rzeczy rzadkich, przykuwających uwagę, zaskakujących… magicznych. Lub należałoby stworzyć nowe słowa.

W tym momencie usłyszał śmiech Phoebe i z miejsca ogarnął go niepokój. Chciał być blisko niej, czuć jej radość. Cierpiał, że to nie on był tym, który ją rozśmieszył.

– No właśnie – mruknął, odpowiadając Waterburnowi, który w tej chwili wręcz przebierał nogami, tak był zaintrygowany. On też patrzył na Phoebe, teraz już bez ironii, za to z niejakim zakłopotaniem. Nagle jednak przypomniała mu się wizyta w muzeum, gdzie mecenas sztuki tłumaczył, jak należy patrzeć na wiszące na ścianach malowidła, aby dostrzec ich piękno.

– Ahhhhhhhaaaa!

Jules, słysząc to głośne westchnienie, szybko spojrzał na kolegę.

– Wiesz co, Dryden... chyba już widzę. Tak, na pewno to widzę.

– Co znowu widzisz? – zdumiał się Jules.

– Cóż, po pierwsze, partnerkę do walca na ten wieczór. I bardzo ci dziękuję, szczwany lisie. Gdyby nie ty, nigdy bym na to nie wpadł.

Po tych słowach Waterburn oderwał plecy od kominka i odszedł, żeby wmieszać się w tłum gości.

Jednak po drodze zatrzymał się jeszcze przed lustrem i ściągnąwszy na czoło pasmo jasnych włosów, popatrzył na swoje odbicie, po czym z zadowoleniem kiwnął głową.

15

*P*hoebe nigdy by nie pomyślała, że wyprawa po ratafię okaże się najbardziej pamiętna w jej życiu. Oczywiście po napój poszła z polecenia Lisbeth, ale się nie opierała, gdyż miała nadzieję, że przy okazji coś zje. Wiedziała bowiem, że kiedy już zaczną się tańce, nie zdąży nic przełknąć. Lisbeth na pewno będzie chciała, żeby Phoebe, gdy sama pójdzie tańczyć, potrzymała jej kieliszek, a potem zaciągnie ją do przebieralni dla pań, żeby oplotkować z nią swoich partnerów oraz muzykę.

Wszystko zapoczątkował lord Waterburn, którego Phoebe zaczęła w myślach nazywać Wałem Hadriana, bo wydawało się, że był jak mur, za który nie przedostawała się żadna radośniejsza emocja.

Ilekroć na niego spoglądała, mina Waterburna wyrażała albo znudzenie, albo pogardę, i tylko czasami na jego twarzy pojawiał się przelotny uśmiech, a może raczej skrzywienie warg, kto wie, czy niewywołane po prostu tym, że arystokracie właśnie się odbijało.

Ale teraz Waterburn się uśmiechał, i to szeroko szczerząc zęby, na co Phoebe patrzyła z niejaką podejrzliwością. Waterburn nigdy się tak do niej nie uśmiechał i była trochę zaniepokojona, zwłaszcza że nie uczyniła nic, czym mogłaby sobie na ten uśmiech zasłużyć. Poza tym zauważyła, że arystokrata zmienił fryzurę – na jego czole powiewał zalotny kosmyk.

Ponieważ stanął bardzo blisko, wyraźnie widziała dołeczki w jego policzkach oraz zmarszczki w kącikach oczu. Nie był nieatrakcyjny, mimo to czuła się dziwnie niezręcznie, że ogląda jego twarz z tak małej odległości.

– Dobry wieczór, panno Vale – rzekł, nisko się kłaniając.

– Dobry wieczór, lordzie Waterburn – odparła i dygnęła.

Waterburn, zasłaniając sobą resztę gości oraz stół z przekąskami, dalej sterczał w tym samym miejscu, jakby zapomniał, dokąd zmierzał.

A może to ja byłam jego celem? – przemknęło Phoebe przez myśl i już na poważnie zaczęła się niepokoić, gdyż dotąd, traktując ją jak mebel, Waterburn prawie jej nie zauważał.

Ponieważ nadal dokuczał jej głód, miała ochotę zerknąć ponad jego ramieniem na stół z przekąskami, uznała jednak, że byłoby to niegrzeczne. Przywołała też na twarz swój wypróbowany uprzejmy uśmiech, bo przecież nie mogła pozostać obojętna, skoro Waterburn tak się do niej szczerzył.

Przez chwilę stali przed sobą i obdzielali się uśmiechami, aż wreszcie Waterburn odchrząknął i powiedział:

– Panno Vale, zastanawiałem, czy będzie pani tak łaskawa i zgodzi się...

Jej uśmiech przemienił się w wyraz zaszokowania.

– ...zatańczyć ze mną pierwszego walca. Jak rozumiem, orkiestra ma go dzisiaj zagrać trzykrotnie. Jeśli to nie kłopot, byłbym wielce szczęśliwy, gdyby przyjęła pani moją prośbę.

Kłopot? Czy on ma wszystko w porządku z głową?

Nie przestając się uśmiechać, Waterburn czekał na odpowiedź. Walc. Walc z wicehrabią. I nie tylko to. Poprosił o pierwszego walca... jakby sądził, że na kolejne dwa też już są chętni. Jakby uważał, że może mieć konkurencję.

Przyszło jej na myśl, że być może zachowanie Waterburna to wina markiza. Może powiedział mu, że Phoebe na balu będzie rozdawała pocałunki, i Waterburn chciał z nią najpierw zatańczyć, a potem podstępem wyciągnąć do ogrodu.

Nie. Markiz na pewno nic takiego nie powiedział. Nie skompromitowałby się przed kolegami, wyznając, że całował się ze zwykłą nauczycielką.

I że mu się to podobało.

Może zatem to po prostu taki dzień: pełny niewytłumaczalnych, zaskakujących zdarzeń.

Co by również tłumaczyło jej odpowiedź, która brzmiała:

– Owszem, będę tak łaskawa.

Waterburn, sądząc po uśmiechu, który stał się jeszcze bardziej promienny, był bardzo zadowolony.

– I jeszcze jedno, lordzie Waterburn... Pańska prośba to doprawdy żaden kłopot. – Pod warunkiem że w trakcie tańca nie będzie pan ze mną rozmawiał.

Po tych słowach Phoebe również szeroko się uśmiechnęła, zarazem zerkając w kieliszek Waterburna. Wyglądało na to, że pił porto. Ciekawe tylko, ile już go wypił.

A może jego prośba to wynik jakiegoś... zakładu?

Nieważne. Nie bała się zakładów, wiedząc, że żadna siła nie wyciągnie jej do ogrodu na pieszczoty lub cokolwiek innego, czego dotyczył zakład. Była na to zbyt sprytna.

Ale na walca miała ochotę. Potraktuje ten epizod jak kolejne doświadczenie godne zapisania w pamiętniku i będzie się cieszyła tańcem, tak jak miłą przejażdżką powozem lub raczej w tym wypadku czymś większym... na przykład landem zaprzężonym w cztery kare konie...

– Bardzo dziękuję, panno Vale.

Waterburn nie przestawał się jej przyglądać i to dość intensywnie. Phoebe potarła ręką czoło, żeby się upewnić, czy nie ma tam przypadkiem trzeciego oka albo może rogu, który nagle wyrósł jej między oczami.

Opuściła rękę, z trudem powstrzymując się przed zmarszczeniem brwi, czego nie chciała czynić, żeby nie zrobić przykrości Waterburnowi, który wciąż się do niej uśmiechał.

Pewnie zaraz skomplementuje moją cerę, pomyślała.

Ale Waterburn się pożegnał.

– Zatem do zobaczenia przy walcu – rzekł.

– Do zobaczenia – odparła.

Potem Waterburn, który nawet drgnieniem powieki nie zdradził się, że dostrzegł w oczach Phoebe szelmowskie błyski, pokłonił się i niczym wielki głaz zasłaniający wejście do jaskini skarbów, odwrócił się i odszedł. Wtedy Phoebe dostrzegła markiza. Stał jakieś dziesięć stóp od niej, przy kominku, i w porównaniu z radosną miną Waterburna jego wydawała się strasznie ponura. A także niepasująca do otoczenia, gdyż kominek za nim cały był upstrzony rzeźbami słodkich cherubinków. *Satyr i Aniołki* – tak mogłaby się nazywać ta rzeźba, gdyby i markiz był z drewna. Tyle że, sądząc po wyrazie jego twarzy, gdyby cherubinki były prawdziwe, markiz natychmiast wszystkie powystrzelałby z łuku.

Phoebe, której serce na chwilę się zatrzymało, uważniej mu się przyjrzała, ze zdumieniem stwierdzając, że zmienił sposób uczesania – na jego czole widniał nonszalancki niedbały kędzior. Dziwna fryzura u kogoś tak dystyngowanego.

Kiedy ich oczy się spotkały, przestała się uśmiechać, czując, że jak zwykle na widok markiza zaczyna się z nią dziać coś dziwnego. W miejscach na ciele, które dotykał w lesie, czuła mrowienie, a te, które jeszcze nie zaznały jego pieszczot, tętniły bólem pożądania. W rezultacie, przynajmniej sądząc po żarze na policzkach, jej twarz na pewno oblała się rumieńcem.

Uśmiechnęła się niepewnie i nawet chciała wesoło zamachać, ale pomyślała, że markizowi prawdopodobnie się to nie spodoba.

A on nadal stał przed kominkiem i ponuro się w nią wpatrywał, co było naprawdę dosyć deprymujące.

Na szczęście po kilku sekundach jego usta w kącikach wolno się uniosły. Ale uśmiech był ponury i enigmatyczny. Jakby markiz nie był jeszcze gotowy do ujawnienia, co czuje.

Przez głowę Phoebe przemknęła myśl, że całowała dzisiaj te usta, i natychmiast ogarnął ją palący wstyd. Poczuła się skrępowana, jakby nagle na plecach wyrósł jej wielki garb. Świadomość, że sama układała sobie włosy, że jest bez biżuterii i że jej pantofle mają przetarte podeszwy, stała się nie do zniesienia.

Z poczuciem winy zerknęła na Lisbeth czekającą na ratafię. Diadem w jej włosach lśnił niczym zastępcza aureola. Dziewczyna wesoło paplała z jakąś znajomą, która podeszła, żeby się przywitać.

Phoebe powróciła spojrzeniem do markiza, który, widząc, że na niego patrzy, odsunął włosy z czoła i wskazując na nie palcem, bezgłośnie powiedział:

– Dobry ma pani cel.

Przytknęła dłoń do ust. Wielki Boże, na czole markiza widniał ciemny siniak! A więc to tam trafiła go kapeluszem!

Rozumiała już teraz, skąd ten frywolny loczek.

Markiz posłał jej szybki uśmiech, bardzo chłopięcy. O nie. Uśmiech był jak lasso zarzucone na jej serce.

Odsunęła dłoń od ust i szeroko się uśmiechnęła. Dosyć nieładnie z jej strony, bo przecież powinna raczej mieć wyrzuty sumienia, że go zraniła. Hamując śmiech, przygryzła dolną wargę.

Markiz tymczasem prykrył czoło włosami i przytknął palec do ust.

Phoebe zrobiła wtedy ostrożny krok do przodu, który mógł ją poprowadzić w stronę markiza lub do stołu z przekąskami. Było to coś w rodzaju sprawdzianu.

Zobaczyła jednak, że markiz wyraźnie się spiął. Przestał się uśmiechać i na jego twarz wypłynął wyraz zaniepokojenia.

Ogarnięta niepewnością, zatrzymała się.

I wtedy, ku jej zaskoczeniu, markiz zniknął jej z widoku, przysłonięty przechodzącymi gośćmi.

Odwróciła się i zauważyła, że tuż za nią stoją Jonathan i jeszcze jakiś dżentelmen, którego wprawdzie nie znała, ale już wcześniej zwróciła na niego uwagę, dlatego że był bardzo przystojny, przystojniejszy nawet od Argosy'ego. Miał kręcone kasztanowe włosy i był odziany jak prawdziwy dandys w kamizelkę w złote pasy, modny fular oraz bardzo obcisłe spodnie.

I to właśnie one pierwsze rzuciły jej się w oczy, kiedy weszła do salonu. A raczej to, co się pod nimi ukrywało. Zresztą nie tylko ona zwróciła na nie uwagę. Widziała, że w stronę nieznajomego płynęło wiele ukradkowych spojrzeń. Było pewne, że po balu nikt nie będzie potrafił powiedzieć, jakiego koloru były oczy modnisia, ale na pewno wszyscy będą pamiętali rozmiar jego przyrodzenia.

– Panno Vale, nie miałem chyba jeszcze okazji przedstawić pani mojego znajomego, sir Geoffreya d'Andre.

Zostało to powiedziane tak, jakby podobne prezentacje były czymś naturalnym w jej przypadku, pomyślała Phoebe. Co tu się dzisiaj, do diaska, dzieje?

– Jestem zaszczycony, że mogę panią poznać, panno Vale – odezwał się sir Geoffrey, cedząc słowa, jakby w ustach miał coś gęstego i bardzo smacznego, na przykład miód.

Phoebe dygnęła i wyciągnęła dłoń, nad którą nieznajomy się pochylił. Wraz z tym ruchem przypłynął ku niej bijący od niego zapach: luksusowy, ostry, a jednak zarazem przyjemnie męski i egzotycznie – przynajmniej w jej mniemaniu – arystokratyczny.

– Mnie też jest miło, że mogę pana poznać, sir Geoffreyu – odrzekła.

Uważnie przyjrzała się twarzy arystokraty. Podbródek miał spiczasty, kości policzkowe wystające, żuchwę ostro zarysowaną. Sir Geoffrey był niesamowicie przystojny, jakby jego przodkowie kojarzyli się z samymi pięknymi ludźmi, co zaowocowało pojawieniem się na świecie tego wręcz niewyobrażalnie urodziwego mężczyzny.

– Ach, cóż. Jeśli dobrze zrozumiałem, zamierza pani uczestniczyć w dzisiejszych tańcach, Phoe... panno Vale?

To był Jonathan, który wyglądał na równie skołowanego, jak Phoebe, i sprawiał wrażenie, jakby został nakłoniony do tego, żeby zapoznać ją z sir Geoffreyem. Phoebe zastanawiała się, czy on też podejrzewa, że chodzi o jakiś zakład. W końcu wiedział, że jest tylko płatną damą do towarzystwa. Od której, niestety, poprzedniego wieczoru zalatywało dymem z cygar.

– Ma pan, oczywiście, rację. Wezmę udział w tańcach i bardzo się na to cieszę – odparła, starając się nie mówić zbyt butnie.

Sir d'Andre szeroko się uśmiechnął, jakby chciał jej odpowiedzieć... Cóż, z jakiegoś powodu uznał ją chyba za ogromnie uroczą, przynajmniej na to wskazywał jego roziskrzony wzrok. Dziwna reakcja na przecież zupełnie zwyczajne stwierdzenie.

Nie mogło też chodzić o jej suknię, którą już wielokrotnie miała na sobie i raczej nikt się nią nie zachwycał. Może zatem jest tak, że kobiety po pocałunku markiza emanują czymś w rodzaju *je ne sais quoi*, rozmyślała. Promieniowało z niej coś, co tylko arystokraci potrafią zarejestrować, na tej samej zasadzie co psy, które słyszą wysokie dźwięki niemożliwe do uchwycenia dla ludzkiego ucha.

– Zastanawiałem się, czy będzie pani tak łaskawa i zechce poświęcić mi jeden taniec, panno Vale. Szczerze mówiąc, miałem nadzieję, że zaszczyci mnie pani walcem.

Zaszczyci? Jakim językiem oni się posługują, ci arystokraci? Po co te wszystkie „łaskawa" i „zaszczyci", skoro wystarczyłoby zwykłe zaproszenie.

Ale Phoebe nie mogła powiedzieć, że ten pełen szacunku sposób zwracania się do niej, choć prawdopodobnie nie do końca szczery, zupełnie jej się nie podobał. W jej życiu bowiem, mimo że tak ułożonym, boleśnie brakowało dozy ceremoniału i wyszukania.

– Pańskie nadzieje, sir d'Andre, zostaną spełnione, gdyż z wielką przyjemnością zaszczycę pana walcem. Ale dopiero drugim, ponieważ pierwszy już mam zajęty.

Jeszcze nigdy w życiu tak nie mówiła i była zaszokowana, że człowiek jest w stanie tak szybko przyjąć nowy styl.

I choć mimo pompatycznych słów w jej tonie wyraźnie pobrzmiewały ironiczne nuty, sir Geoffrey zdawał się tego zupełnie nie zauważać, jakby wręcz oczekiwał od niej, że będzie mówiła z takim nadęciem.

Wszystko to zaczęło ją w końcu ogromnie bawić. Czuła się jak aktorka w sztuce, która lekkomyślnie postanowiła odejść od scenariusza.

Ach! Może tak właśnie brzmi motto tego dnia. Lekkomyślność.

Albo odejście od scenariusza?

– W takim razie będę czekał na tę chwilę z utęsknieniem, panno Vale.

Spodnie nisko się przed nią pokłoniły, a potem z gracją oddaliły wraz z Jonathanem Redmondem, znowu odsłaniając Phoebe widok na stół z przekąskami i na markiza, który wciąż tkwił pod kominkiem.

Tyle że już się nie uśmiechał, a był wręcz bardzo posępny.

Phoebe szybko rozejrzała się po sali, żeby sprawdzić, czy nikt się jej nie przygląda, a potem ukradkiem odwróciła dłonie do góry i szeroko otworzyła oczy na znak, że sama nic nie rozumie.

Usta markiza mimowolnie wygięły się w górę w krótkim uśmiechu.

Phoebe odetchnęła z ulgą i pewnym krokiem ruszyła w stronę kominka.

Zaraz jednak zamarła w miejscu, gdyż uśmiech zniknął z twarzy markiza, zastąpiony przez coś, co wyglądało jak ostrzeżenie mówiące, żeby trzymała się z daleka.

Poczuła się tak, jakby ktoś ją spoliczkował.

Markiz nigdy nie ośmieliłby się poczęstować taką miną Lisbeth. Ani żadnej innej kobiety w pokoju. Poza nią.

Zanim jednak zdążyła coś w tej sprawie uczynić, znów straciła go z oczu, tym razem za sprawą Lisbeth i towarzyszących jej dwóch identycznie odzianych w biel brunetek.

Spoczęło na niej nie do końca życzliwe, za to przepełnione ogromnym zaciekawieniem spojrzenie dwu par brązowych oczu. Dwie pary słodkich usteczek wygięły się w górę w identycznym zagadkowym uśmiechu. A w elegancko ułożonych włosach widniały takie same błyszczące ozdoby. Phoebe, która nie piła jeszcze ratafii, uznała, że to nie może być złudzenie i że faktycznie ma przed sobą dwie osoby. Identyczne bliźniaczki.

Och, Boże! – zakrzyknęła w duchu. Przecież to na pewno są cieszące się złą sławą siostry Silverton!

Siostry były piękne, wyglądały jak para wróżek.

Dygnęły przed Phoebe i ona uczyniła to samo.

– Już się niepokoiłam, co się z tobą stało, Phoebe! I postanowiłam sama pójść po ratafię.

To była Lisbeth, która choć się uśmiechała, mówiła takim tonem, jakiego Phoebe używała do swoich uczennic, gdy ją w czymś zawiodły.

Phoebe postanowiła się z nią zabawić.

– Wybacz, Lisbeth, ale na pewno będziesz zachwycona, kiedy usłyszysz, co mnie zatrzymało. Zostałam poproszona, żebym wzięła udział w balu!

– Ale... ale... przecież było wiadomo, że weźmiesz w nim udział?

Lisbeth wyraźnie nic nie rozumiała i Phoebe korciło, żeby powiedzieć, iż oglądanie jej w tańcu to jeszcze nie jest uczestniczenie w balu.

– Cóż, widzisz... śmieszna sprawa, ale zostałam zaproszona do tańca. A w zasadzie do walca. Dwóch walców. I uznałam, że byłoby nieładnie odmówić.

Jej wypowiedź przywitała cisza.

– A czy ty... czy ty umiesz tańczyć walca, moja droga?

Słowo „droga" zostało powiedziane z naciskiem na d i jakoś tak twardo, jakby Lisbeth mówiła przez zaciśnięte zęby.

– Ależ oczywiście, moja droga. – Cóż, Phoebe miała nadzieję, że w trakcie tańca wszystko jej się przypomni.

Lisbeth wyszczerzyła do niej białe ząbki, choć jej oczy wyglądały tak, jakby nie miały pojęcia, że usta się uśmiechają. Widok ten przypomniał Phoebe jej pierwsze spotkanie z Isaiahem Redmondem, który jej zdaniem, gdziekolwiek się znajdował i cokolwiek robił, zawsze pochłonięty był... planowaniem. Jego umysł podążał zupełnie inną ścieżką niż rozmowa, jaką akurat prowadził, co jednak niewielu zauważało.

Z rozmyślań wyrwało ją podwójne grzeczne chrząknięcie.

– Och, siostry Silverton mówiły, że chcą cię poznać, więc spełniając ich życzenie, pragnę ci je przedstawić – przypomniała sobie Lisbeth, w której głosie słychać było niejakie zdumienie. – Lady Marie Silverton i lady Antoinette Silverton.

Marie... i Antoinette. Dziwne. Jak i to, że siostry Silverton zapragnęły ją poznać, myślała Phoebe, postanawiając po chwili, że przestanie się czemukolwiek dziwić i potraktuje ten dzień jak sen, bo tylko w snach mogą się wydarzać takie niewytłumaczalne i nielogiczne rzeczy.

I z tym postanowieniem w głowie wykonała bardzo elegancki i głęboki ukłon. Te teatralne gesty coraz bardziej jej się podobały.

– Mama, nadając nam takie imiona, nie kierowała się kaprysem ani nie chciała nikogo straszyć – wyjaśniła Antoinette. – Ona po prostu jest trochę głupia.

Phoebe, której zdumienie odebrało głos, obrzuciła obie siostry podejrzliwym spojrzeniem, ale w ich błyszczących oczach nie mogła niczego wyczytać, chociaż była pewna, że siostry poddają ją jakiejś próbie.

– Macie może rodzeństwo o imionach Antoniusz i Kleopatra? – spytała i lekko się zaniepokoiła, widząc, że para identycznych brwi gwałtownie wystrzeliła w górę. Wyglądało na to, że... palnęła gafę. Natychmiast spociły jej się dłonie i zaczęła się zastanawiać, czy wypada jej odwołać zamówione tańce.

Była tak spięta, że gdy bliźniaczki wybuchły perlistym śmiechem, wzdrygnęła się i podskoczyła.

Śmiech bliźniaczek był bardzo radosny i donośny. Ich szczupłe ciała wprost zginały się wpół, a Marie nawet w poufałym geście położyła dłoń na ramieniu Phoebe.

– Miał rację! – zakrzyknęła zagadkowo, zwracając się do siostry, która w tym samym momencie mówiła:

– Antoniusz i Kleopatra, ha, ha, ha!

A potem obie spojrzały na Phoebe z takim zachwytem, że trudno jej było nie poczuć się przyjemnie, chociaż nie miała najmniejszego pojęcia, czym tak oczarowała siostry.

Szybko sobie jednak przypomniała, że to sen, a sen nie musi być logiczny.

Lisbeth tymczasem miała taką minę, jakby połknęła muchę.

– Koniecznie musi pani po tańcach dołączyć do nas przy stoliku karcianym, panno Vale. Proszę się nie obawiać, nie gramy na duże sumy.

– Bardzo dziękuję za zaproszenie. Uwielbiam grę w karty – wydusiła Phoebe, zaskoczona sama sobą. Przecież rzadko grywała w karty i to co najwyżej na orzechy z innymi nauczycielkami z akademii, a poza tym przy sobie miała zaledwie pięć funtów, których na pewno nie mogła roztrwonić w grze.

– Ona uwielbia grę w karty! – powtórzyły jednocześnie siostry, znowu się śmiejąc, jakby Phoebe powiedziała coś naprawdę bardzo dowcipnego. – W takim razie ustalone. Przyjdziemy po panią po balu – powiedziała lady Marie, po czym pomachawszy Phoebe dłonią w kremowej rękawiczce, odeszła razem z siostrą.

– Będę na panie czekała – zawołała za nimi Phoebe wesoło, wciąż zdezorientowana zaskakującym rozwojem wypadków, ale też bardzo zadowolona. Było jej miło, że jest taka rozchwytywana, nawet jeśli nie rozumiała, skąd się wzięła ta jej nagła popularność. Poza tym po odrzuceniu ze strony markiza życzliwość sióstr podziałała na jej duszę jak balsam.

Spojrzała na Lisbeth, która patrzyła za siostrami Silverton, marszcząc brwi.

– Powiedziałam im, że jesteś nauczycielką... – zaczęła i zamilkła.

Phoebe jednak wiedziała, że dalsza część zdania brzmiała: a one i tak chciały cię poznać.

– Może odczuwają braki w edukacji i mają nadzieję, że je trochę podszkolę, gdy będziemy grały w karty – zażartowała.

Lisbeth jak zawsze potraktowała żart dosłownie.

– Nie sądzę, żeby siostrom Silverton mogło czegokolwiek brakować. Poza tym one są bardzo popularne w towarzystwie – dokończyła niezupełnie sensownie. – Bardzo popularne.

– Nic dziwnego, są bardzo urocze.

160

Ale Lisbeth jakby jej nie słyszała.

– Z kim będziesz tańczyła walca, Phoebe? – spytała niespodziewanie.

– Z lordem Waterburnem i sir d'Andre'em.

Dziewczyna z roztargnieniem pokiwała głową.

– Hm. Orkiestra ma dzisiaj zagrać walca trzykrotnie. Ja też mam już zajęte dwa z nich.

Po tych słowach w powietrzu zawisło dziwne napięcie i zaraz potem, osobliwym zrządzeniem losu, tłum gości rozstąpił się i oczom ich obu ukazał się markiz.

Lisbeth posłała mu wdzięczny uśmieszek.

A to znaczyło, że markiz musiał porzucić swe miejsce przed kominkiem i podejść do obu panien, żeby się z nimi przywitać.

Phoebe była zaszokowana, że walenie jej serca nie zagłuszyło szumu rozmów w salonie.

– Właśnie rozmawiałyśmy z panną Vale o tym, że obie oddałyśmy już dwa walce i mamy jeszcze po jednym do oddania.

Markiz nie spojrzał na Phoebe. Ale Phoebe wiedziała, że nie zrobił tego tylko dlatego, że gdyby to uczynił, nie byłby już w stanie oderwać od niej oczu.

– W takim razie byłbym zaszczycony, gdybyś swój ostatni walc zatańczyła ze mną, Lisbeth.

– Ależ z największą rozkoszą. I och, idzie Jonathan. Może go przekonamy, żeby zatańczył z Phoebe. W końcu jej też należy się trochę rozrywki, nie uważa pan, markizie? – paplała Lisbeth, jakby już się pogodziła z szokującym faktem, że Phoebe będzie tańczyła walca, i teraz postanowiła, że ona i markiz muszą zadbać o partnera dla niej.

Phoebe była wściekła, zwłaszcza za słówko „przekonać". Jakby Jonathana trzeba było najpierw przekupić, żeby zechciał zatańczyć z nauczycielką.

Lisbeth jednak już ruszyła w pogoń za swym przystojnym kuzynem, który z każdym dniem coraz bardziej przypominał starszego brata Lyona i który, obejrzawszy się przez ramię, przyspieszył kroku, zupełnie jakby uciekał.

Markiz też odszedł i Phoebe została sama.

Wreszcie była wolna i mogła coś zjeść, ale... o ironio, zupełnie straciła apetyt.

Za to z chęcią coś by wypiła. Może nawet ratafię.

W końcu jestem na przyjęciu, pomyślała z przekąsem.

16

Już prawie zapomniała, jak się tańczy walca.

Z początku czuła się niezgrabnie, ale po krótkim czasie przypomniała sobie, że najlepiej poddać się osobie prowadzącej. To jednak nie przychodziło jej łatwo. W pewnej chwili zahaczyła czubkiem pantofla o brzeg spódnicy, lecz Waterburn, który był ogromnym mężczyzną, zdawał się nawet tego nie zauważać. Napiął mocniej potężne ramię, jak wioślarz sterujący łodzią, i od razu odzyskała równowagę.

Tańcząc z nim, czuła się nie tyle jak jego partnerka, ile raczej jak dodatek, podręczna torebka.

Postanowiła, że nie będzie podejmować rozmowy. To on był dżentelmenem i ten obowiązek należał do niego. Wypita ratafia i wirowanie w walcu wprawiały ją w stan niezmiernie przyjemnego oszołomienia. Wolała się tym upajać niż prowadzić konwersację.

– Pani... – obrzucił ją bacznym spojrzeniem i szybko podjął decyzję – ...wstążka jest bardzo twarzowa.

– Lordzie Waterburn, czy stracił pan wenę? Przecież... to tylko wstążka – odpowiedziała z ujmującym uśmiechem.

Trzy szklaneczki ratafii, wypite szybko jedna po drugiej, sprawiły, że unosiła się w obłoku lekkomyślności, a uczucie to wzmagał dodatkowo fakt, że prawdopodobieństwo spotkania Waterburna po tym wieczorze wydawało się naprawdę nikłe. Kątem oka widziała wciąż markiza i Lisbeth płynących w walcu z nieznośnym wprost wdziękiem.

– Ale żadna inna dama nie ma wstążki na szyi – zauważył lord przytomnie.

– Bo noszą brylanty i perły. No, może z wyjątkiem tej tęgiej kobiety, o tam, która obwiązała szyję tasiemką z cholernie dużym rubinem. Bo to rubin, prawda?

Wykręciła nieelegancko głowę.

Waterburn otworzył szeroko oczy, słysząc słowo „cholernie", i z nagłym zaciekawieniem również odwrócił głowę.

– Tak sądzę. To przecież lady Copshire.

– Mhm. Jakżeby inaczej. Lady Copshire.

– Pasuje do pani oczu. Mam na myśli wstążkę.

Zapewne pomyślał, że ludziom z nizin takie słowa jak „cholernie" przychodzą bez trudu i przełknął jakoś ten fakt.

Spiorunowała go wzrokiem. Wydawał się zaskoczony.

– Lordzie Waterburn?

– Słucham?

– Życie jest za krótkie, żeby wysłuchiwać komplementów pod adresem mojej wstążki. Może mnie to popchnąć do desperackich kroków.

Zaszokowany, wybuchnął krótkim śmiechem.

– Jaka pani oryginalna. Proszę przyjąć przeprosiny, panno Vale. Zabrnąłem w ślepą uliczkę. Ale mój podziw jest szczery, choć przyznaję, niezręcznie wyrażony.

Tym razem przemowa była całkiem niezła. Niewiele brakowało, a oczarowałby Phoebe.

– Może porozmawiamy na inny temat? Jak się pani podoba praca nauczycielki? – zapytał z dziwnym błyskiem w oku, zniżając głos do szeptu, jakby poruszał zakazany temat.

Och, na litość boską! Z trudem się hamowała, żeby nie przewrócić oczami.

– No cóż, każdy dzień jest jak pobyt w raju. Nie ma nic cudowniejszego i dającego większe zadowolenie niż kształtowanie młodych umysłów i wykuwanie młodych charakterów.

Zadumał się z powagą nad jej słowami.

– Zdaje się, że pani mi dokucza, panno Vale.

– Być może – przyznała z nie mniejszą powagą. – Niewykluczone. A jak się pan czuje w roli wicehrabiego?

Spojrzał na nią ze zdziwieniem.

– Nigdy się nad tym nie zastanawiałem. To tak, jakby mnie pani spytała: „Jak się pan czuje w roli człowieka?" Po prostu nim jestem.

Zauważyła, że nie skorzystał z okazji, aby zastanowić się nad tym choćby w tej chwili.

– Och, chyba pana rozumiem, lordzie Waterburn. Po co zastanawiać się nad swoją rolą we wszechświecie, skoro można powozić faetonem na złamanie karku albo przepuszczać ogromne sumy przy karcianych stolikach? Albo po prostu przyjemnie spędzać czas?

Uznał, że jego partnerka ma ten sam punkt widzenia. Wprawiło go to w takie zadowolenie, że mocniej ścisnął jej dłoń. Skrzywiła się nieznacznie.

– Święta prawda, panno Vale! Święta prawda! Życie jest po to, żeby żyć, a nie rozmyślać. Pozwolę sobie dodać, że jako wicehrabia wciąż szukam nowych… doznań.

O rety! Położył znaczący nacisk na ostatnie słowo. Zerknął na jej biust, po czym uniósł wzrok, co ostatecznie potwierdziło jej podejrzenia: odebrał to jako zachętę do flirtu.

Waterburn uważał ją dotąd za prostaczkę z gminu. Nie widział w niej człowieka ani tym bardziej kobiety. Jakim cudem między popołudniem a porankiem następnego dnia mógł tak diametralnie zmienić opinię? Przecież to markiz oberwał kapeluszem w głowę, a nie on.

Podejrzewała, że nie wypił aż takiej ilości alkoholu, żeby prawić otwarcie komplementy na temat jej piersi, ale przez jedną szaloną chwilę rozważała, czy nie sprowadzić rozmowy na tę ścieżkę. Wydawało jej się to śmiesznie łatwe. I nie miała nic do stracenia.

Westchnęła tak głęboko, że musiał poczuć pod dłonią falowanie jej żeber. Rozważanie tych kwestii było naprawdę wyczerpujące. Jak chodzenie po wodzie. Waterburn wydawał jej się po prostu tak nieskomplikowany, że aż męczący. Mogłaby bez trudu narzucić mu kierunek konwersacji.

Wiedziała jednak, że przyjęcie takiego założenia oznaczałoby brak rozwagi. Nikt i nic nie jest tym, czym się z pozoru wydaje.

Gdyby nie fakt, że wiedziała o tym od dość dawna, przekonałaby się na tym przyjęciu.

– Czy przyjemnie jest mieć dużo pieniędzy? – zapytała, porzucając poprzedni zamiar.

Znowu wybuchnął śmiechem, szczerze zdziwiony.

– A jak mogłoby to nie być przyjemne?

– Nie potrafię na to odpowiedzieć, bo jestem zadowolona z tego, co mam.

Pomyślała, że brzmi to dość zagadkowo i wyniośle. Ale to nie była cała prawda. Istotnie, czuła się wdzięczna za to, co ma. Jednak nigdy nie przyszłoby jej do głowy, aby zwrócić, na przykład, nowy czepek do sklepu Postlethwaite'a.

Chciała tylko zmusić Waterburna do uruchomienia szarych komórek, ukrytych zapewne pod blond czupryną, bo taniec zaczynał ją nudzić.

Niestety, w jego mniemaniu powiedziała najwyraźniej coś tak prowokacyjnego, że całkiem zamilkł.

Przez chwilę poddawała się przyjemności wirowania i słuchania miłej dla ucha melodii wykonywanej przez zdolnych muzyków. I cieszyła się, że nie musi z nim rozmawiać. Ale nagle kątem oka dostrzegła po raz kolejny markiza i Lisbeth sunących po parkiecie. Zestawienie czerni i bieli, dwie elegancko pochylone ku sobie głowy o lśniących ciemnych włosach, suknia Lisbeth płynąca za jej postacią niczym mgła ponad wrzosowiskami. Mogłaby przysiąc, że wszystkie osoby stojące wokół parkietu złożyły dłonie w niemym zachwycie i z promiennymi uśmiechami poddawały się urokowi tych dwojga.

Jestem zadowolona z tego, co mam? Cóż za wierutne kłamstwo. Kłamstwo szyte grubymi nićmi. Z całego serca zazdrościła Lisbeth, że to ją obejmuje w talii ręka markiza, podczas gdy druga ściska jej dłoń tak, jakby była czymś niezwykle cennym i wartościowym.

Poderwała głowę, by tego nie widzieć, i spojrzała z powrotem na swojego partnera.

Na jej policzkach płonęły teraz rumieńce. Ratafia burzyła się w żyłach od nieustannego wirowania. Krążenie w kółko podczas walca po wypiciu takiej ilości alkoholu nie było zbyt rozsądnym pomysłem.

Wicehrabia wpatrywał się w nią błyszczącym wzrokiem.

– Nigdy dotąd nie spotkałem takiej osoby jak pani, panno Vale.

Westchnęła. Niemal mu współczuła.

– Prawdopodobnie dlatego, że jestem nauczycielką – zauważyła. – A pan jest wicehrabią. Wicehrabiowie spotykają się raczej z innymi wicehrabiami i im podobnymi ludźmi.

Nawet tę odrobinę praktycyzmu uznał za głęboką myśl.

– I nigdy nie wyjdzie pani za mąż?– zapytał z nieukrywanym zdumieniem.

– Mam dwadzieścia dwa lata. Chyba jestem za młoda, żeby mówić „nigdy".

Na każdą jej uwagę mrugał, jakby poraziło go jaskrawe światło, a jego odpowiedź zawsze poprzedzał ten szczególny moment wahania. Przypomniała jej się młodziutka Włoszka, którą kiedyś uczyła. Nim odpowiedziała na głos po angielsku na jakiekolwiek pytanie, musiała je przetłumaczyć słowo po słowie na włoski, wskutek czego rozmowa z nią toczyła się z lekkim poślizgiem. Najwyraźniej wcześniejsze doświadczenia życiowe Waterburna nie przygotowały go na spotkanie z osobą taką jak Phoebe. Podejrzewała, że nawet kamień z Rosetty nie pomógłby mu przełożyć języka motłochu na mowę arystokracji.

– Ale przecież, panno Vale... chyba wolałaby pani być bogata? Obsypywana podarunkami...

Przerwał w pół zdania, bo wzdrygnęła ramieniem. Zrobiła to tylko dlatego, że wiedziała, iż wprawi go to w bezgraniczne zdumienie.

Nie pomyliła się ani trochę. Wybałuszył oczy.

– A... ma pani... starających?

Skojarzył jej się z przyrodnikiem, takim jak pan Miles Redmond, zadającym pytania tubylcowi.

– Niezliczonych – skłamała gładko.

Waterburn przez chwilę przetrawiał kłopotliwą myśl, że adoratorzy ciągną do niej jak ćmy do światła być może tylko dlatego, iż nie przywiązuje większej wagi do ich zamożności. Tymczasem Phoebe napotkała w końcu wzrok markiza.

Światło kandelabrów odbijało się w jego bursztynowych oczach. Zamigotało w nich nagłe zaskoczenie, które szybko zastąpił gorący blask. Oddałaby wiele, by móc beztrosko odwrócić głowę i nie patrzeć na niego, tylko roześmiać się lekko i westchnąć z głębokim zadowoleniem.

Jednak gdy tylko ich spojrzenia się skrzyżowały, poczuła ostry dreszcz wzdłuż kręgosłupa, palący jak uderzenie pioruna. Wszystko wokół nich zniknęło. Na całym świecie pozostali jedynie oni. Szukali w swoich twarzach odpowiedzi na pytania, których nie umieli nawet postawić. Daremnie. Jego twarz niczego nie wyjaśniała. Pocieszała ją świadomość, że znalazł się w potrzasku tak samo jak ona. I też nie był w stanie odwrócić wzroku.

Zrobił to wbrew swojej woli dopiero wtedy, gdy się potknął.

Phoebe się skrzywiła. To nieznaczne i chwilowe zakłócenie płynnego ruchu mogła dostrzec tylko osoba chciwie pożerająca go wzrokiem. Zrobił dwa pewne kroczki do przodu, aby złapać rytm i zrównać się z partnerką.

Ta sztuczka zapewne by się udała, gdyby Lisbeth nie wykonała jednocześnie dwóch kroczków w tył, aby dopasować się do niego. Promienny uśmiech pełen życzliwości ani na chwilę nie zniknął z jej twarzy.

Wskutek jej manewru zrobił grzecznie kolejne dwa kroczki w tył, aby wyrównać rytm. Tymczasem Lisbeth, chcąc naprawić swój błąd, uczyniła dokładnie to samo. W tej samej chwili co on i po raz drugi.

Chcąc uniknąć nadepnięcia jej na stopę, czym niechybnie skończyłby się ten splot niefortunnych zdarzeń, musiał wykonać figurę przypominającą długi wyskok do przodu.

W tym samym czasie Lisbeth próbowała odskoczyć spod jego buta, ciągnąc z całej siły w lewo.

Ich nieskoordynowane działania wystawiły siłę grawitacji na tak ciężką próbę, że przeznaczenie musiało się wypełnić. Wszystkie starania diabli wzięli, a ta pamiętna chwila przeszła do legendy.

Markiz zatoczył się w lewo, potem w prawo, a Lisbeth bezskutecznie przebierała w miejscu stopami. Gdy czubki jej pantofelków zaczęły odrywać się od podłogi, Jules podjął ostatnią desperacką próbę: odepchnął Lisbeth od siebie, aby pomóc jej odzyskać równowagę. Sam zaś wylądował na czworakach na podłodze sali balowej.

Lisbeth zawirowała obok Phoebe jak puszczony w ruch dziecięcy bączek. Jej oczy i usta ułożyły się w wyraz bezgranicznego zdumienia.

Phoebe wybuchnęła śmiechem. Niemal się nim zanosiła. Wiedziała, że to niegrzeczne, ale nie mogła się opanować. Ach, ta ratafia...! I wyraz twarzy Lisbeth...!

Ktoś pchnął Lisbeth leciutko w przeciwnym kierunku, a mknęła z takim impetem, że tym samym ruchem obrotowym wróciła prosto do markiza, który zerwał się na równe nogi szybciej, niż upadł. Złapał ją zręcznie i od razu porwał w rytm walca, jak gdyby nic się nie stało. Niezbyt uważny obserwator mógłby pomyśleć, że te dziwne figury zostały zaplanowane.

Dzięki zwalistej sylwetce partnera, zza której nie było jej widać, Phoebe była w stanie śledzić całe zajście z odwróconą głową, podczas gdy pozostała część jej ciała wirowała w walcu. Gdyby to ona się potknęła, Waterburn zapewne podniósłby ją z podłogi, strząsnął jak szmacianą lalkę, żeby wyprostować jej nogi, i postawił z powrotem na parkiecie.

Waterburna całe zajście bynajmniej nie rozśmieszyło. Dostrzegła, że zmrużył oczy z wyrazem przebiegłości. Obserwował całe zajście w taki sposób, jakby chciał zapisać je w pamięci.

– Nie ma zwyczaju pić na umór – mruknął pod nosem wicehrabia. – Więc to nie to...

– Może tym razem się upił – zauważyła Phoebe, nie wierząc w to, co mówi. – A może po prostu się potknął. Każdemu zdarza się pomylić.

– Ale nie jemu. I nigdy nie robi niczego bez powodu. On się nigdy nie potyka.

W jego głosie pobrzmiewała fascynacja przemieszana ze zdziwieniem i nutą rozgoryczenia oraz tak niezachwiana pewność, że

Phoebe zaczęła się zastanawiać, czy wśród spektrum rzeczy, które robi Jules, jest gdzieś miejsce dla niej.

Wiedziała teraz, że Waterburn wyraził tylko opinię całej socjety, i poczuła przygnębienie na myśl, jak wielki ciężar Jules musi dźwigać na swoich barkach.

17

Gdyby miała podsumować ten wieczór, musiałaby przyznać, że był wspaniały.

Wygrała dziesięć funtów – całe dziesięć funtów – w karty i choć gra cieszyła się złą sławą, nakłoniły ją do niej lady Marie i jej urocze lustrzane odbicie, lady Antoinette. Podejrzewała, że celowo pozwoliły jej wygrać, gdyż wydawały się zachwycone tym sukcesem. Tańczyła nie tylko szkockie tańce, ale też trzy walce, w tym ostatni taniec wieczoru z sir Rogerem de Coverley. Młody mężczyzna głośno i wytrwale domagał się możliwości zatańczenia z nią.

Wypiła za dużo alkoholu. Jej śmiech rozbrzmiewał niemal przez cały czas. A w dalekim polu jej widzenia wciąż pojawiał się markiz, choć niewykluczone, że było to tylko złudzenie.

Wyszła na dziedziniec, żeby nacieszyć wzrok widokiem księżyca. Wygięty, cienki łuk światła skojarzył jej się z lekko uchylonymi drzwiami do nieba. Pomyślała, że pojutrze te drzwi, przez które dziś zdołała wsunąć głowę, znowu się przed nią zamkną. To był jedynie przedsmak. Od dawna wiedziała, że nie należy się do niczego zbytnio przywiązywać, ponieważ ewentualnej stracie towarzyszy ból trudny do zniesienia.

Chciała zapamiętać każdą chwilę, aby później, gdy nie będzie mogła zasnąć w dzikich zakątkach Afryki, szukać pociechy we wspomnieniach.

– Przypomina trochę wiszący nad głową miecz Damoklesa, prawda?

Nie podskoczyła przestraszona, bo ratafia przytępiła nieco jej nerwy, a poza tym biorąc pod uwagę przebieg całego dnia, spodziewała się, że markiz może pojawić się przed nią jak diabeł z pudełka. W głębi serca czekała na ten moment, więc gdy nieoczekiwanie wyłonił się z ciemności, ucieszyła się, że znowu mogą być sami. Kolejne jej życzenie się spełniło.

Ten nieprzerwany strumień spełnionych życzeń zaczynał jednak budzić w niej coraz większy niepokój. W baśniach kończyło się to zwykle przykrymi konsekwencjami. Za stawianie wygórowanych żądań albo domaganie się niewłaściwych rzeczy groziła kara.

Mimo to jej serce i tak waliło z podniecenia, a gdy usłyszała głos markiza, chciało wyrwać się z piersi.

Czekał tu na nią. Była tego pewna.

– A ja pomyślałam, że wygląda raczej jak lekko uchylone drzwi do nieba, lordzie Dryden. Ale pańska obserwacja daje pewne pojęcie o pana wnętrzu.

Roześmiał się cicho.

– To samo można powiedzieć o pani obserwacji, panno Vale. To myśl o ucieczce, czyż nie?

– Hm. Być może. Za to pańska wyraża lęk przed skutkami realizowania własnych pragnień.

Wstrzymał oddech. Wiedziała, że trafiła w sedno.

– Nie zaprzeczę – powiedział w końcu.

Odebrała to wyznanie jak podarunek. Bo jego pragnieniem była ona.

Wciąż jednak miała w pamięci wyraz twarzy Julesa, gdy zrobiła krok w jego stronę, i nie mogła mu tego wybaczyć. Ani zapomnieć, jak poprosił Lisbeth o walca, podczas gdy ona stała obok, oddana w ręce Jonathana. Okazał się zresztą cudownym partnerem do tańca, ale był tak podobny do Lyona, że jego bliskość ją denerwowała.

– Panno Vale, jestem ciekaw, czy… obiecała pani komuś czwartego walca.

– Były tylko trzy.

– Jeśli się nie mylę, parlament jeszcze nie uchwalił, ile walców można grać na przyjęciu. I nie wiadomo, czy uchwali. Nie sądzę, aby nas powieszono za to, że dodamy jednego walca.

Bez wstępów typu „czy uczyni mi pani zaszczyt" albo „czy byłaby pani tak uprzejma". Nie uciekał się do grzecznościowych formułek. Kusiło ją, żeby odmówić choćby z tego powodu.

A poza tym była całkowicie pewna, że nie powinna pozwalać na kolejne zetknięcie ich ciał. Bo jeśli to zrobi, będzie pragnęła go dotykać. Wiedziała, do czego zmuszają ludzi pragnienia. Szczerze mówiąc, nie chciała nigdy więcej nikogo pragnąć.

– Nie słyszę muzyki – zauważyła.

– Mogę nucić, jeśli pani chce.

Wywołało to uśmiech, za którym tęsknił do bólu.

– Mógł pan wcześniej zatańczyć ze mną walca.

– Żal mi się zrobiło Lisbeth. I byłem pewien, że pani walce w końcu zostaną zajęte.

Prychnęła.

– I zostały, czyż nie?

Przechyliła głowę. Wiedział, że myśli o minionym wieczorze. Na jej usta wypłynął rozmarzony uśmiech.

– Istotnie. To było bardzo... zaskakujące – przyznała niemal bez tchu.

Czuł nabożny zachwyt tej dziewczyny z St. Giles tak silnie, jakby to były jego własne uczucia. Jej radość sprawiała mu przyjemność.

– Jestem zadowolony – oświadczył.

– Zadowolony?

Była wyczulona na każdy najmniejszy przejaw protekcjonalności.

– Że nabrała pani pewnej wprawy w tańczeniu walca, zanim zatańczymy razem. Nie lubię, jak depcze mi się po nogach.

– Rozumiem. Przyjął pan taką strategię, żeby ze mną nie zatańczyć. Wicehrabia powiedział, że uczynię mu zaszczyt, jeśli z nim zatańczę. – Wciąż wydawała się tym zdumiona. – Takiego użył słowa. Zaszczyt.

– Naprawdę? – powiedział miękko. – I dobrze zrobił.

Przez chwilę w milczeniu mierzyli się wzrokiem.

– Będę niezmiernie, dogłębnie wdzięczny, panno Vale – odezwał się w końcu cichym głosem – jeśli uczyni mi pani ten niewiarygodny wprost zaszczyt i zechce zatańczyć ze mną walca. Tu i teraz.

Rozważała jego propozycję, podczas gdy świerszcze wygrywały pierwsze takty melodii.

– Zanim spełnię lub pogrzebię pana nadzieje, lordzie Dryden, muszę zajrzeć do karnecika...

Fantazyjnym ruchem podniosła dłoń i zerknęła do niewidzialnego karnecika.

Czekał na jej werdykt z absurdalnym niepokojem. Zwlekała przez moment pełny napięcia, aby go ukarać, bo zasłużył na karę.

– Ma pan szczęście, lordzie Dryden. Czwarty walc jeszcze nie jest zajęty – odpowiedziała wyniosłym tonem. – Mogę z panem zatańczyć.

– To doskonała wiadomość. Czy mam zanucić, czy też wystarczy nam orkiestra świerszczy?

Zastanawiała się chwilę.

– Niech będą świerszcze – odparła, tym razem nieśmiało.

– Doskonale. Bo czułbym się jak skończony głupiec, gdybym musiał nucić. Nie mam słuchu.

Skłonił się nisko jak dworzanin przed królową.

Dygnęła tak nisko, jak tylko się dało, nie ryzykując zwichnięcia kolan. Pod wytartą podeszwą znoszonego pantofla poczuła chłodny bruk dziedzińca.

Podała mu rękę. Otoczył ją z czcią swoją dłonią, a drugą objął ją w talii.

– Zaczynamy? – spytał cicho.

I podjął rytm walca.

– Raz, dwa, trzy... Raz, dwa, trzy... Raz, dwa, trzy...

Zakreślali stateczne, duże koła na pustym dziedzińcu. O dziwo, wcale nie wydawało jej się to absurdalne. Bicie serc, cykanie świerszczy, rytm oddechów wystarczały za całą orkiestrę. Utrzymanie właściwego kroku okazało się błahostką.

– Nabrała dziś pani doświadczenia, panno Vale, i ma pani porównanie. Proszę mnie nie oszczędzać. Jak sobie radzę w tańcu? Proszę pamiętać, że niepowodzenie, którego była pani świadkiem, to całkowity wyjątek od reguły i wyłącznie pani wina. W dodatku pani się z tego śmiała! Poczułem się zraniony. Do głębi zraniony.

– Ależ to nie była wyłącznie moja wina. I skąd pan wie, że się śmiałam?

– Bo słyszałem pani śmiech.

O rety.

– Niech pan powie, że to nie było zabawne, to przeproszę. Niech pan powie, że czuje się urażony, to będę mieć wyrzuty sumienia. Tylko... gdyby był pan na moim miejscu i obserwował sytuację... i Lisbeth z oczami okrągłymi jak spodki...

– Ciii. Proszę się znowu nie śmiać. Przyznaję. Zabawne zdarzenie. A urażona była tylko moja duma. To jak? Co pani powie o moich umiejętnościach tanecznych?

– Hm... No cóż, chociaż tańczy pan bardzo dobrze...

Posłał jej uśmiech podobny do łuku księżyca, jak nagły rozbłysk w ciemnościach otulających dziedziniec.

– Wyczuwam jakieś zastrzeżenia.

– ...to jednak nie tak dobrze jak dżentelmen w obcis... jak sir d'Andre.

– Niemożliwe – zaprzeczył stanowczo.

– Czuję, że muszę być szczera we wszystkim, co mówię, lordzie Dryden, a sir d'Andre ma do tego niewiarygodny dryg. To ma związek z tym, jak się obraca w tańcu... – zamyśliła się, gdy zataczali kolejne koło – ... i jak lekko sunie... a może chodzi o jego dopasowane spodnie...

– Też je pani zauważyła?

– ...a może ma to związek z jego szybkością...

– Ach, ale jeśli nawet brakuje mi szybkości, nadrabiam to... uniesieniem.

Poderwał ją z ziemi bez wysiłku. Stłumiła krótki wybuch śmiechu.

Poczuła się lekka jak piórko, on zaś – bardzo silny.

Uświadomili sobie ten fakt dopiero po sekundzie i nie potrafili zrozumieć, dlaczego tak bardzo ich to poruszyło. Oboje zamilkli.

Po raz pierwszy w życiu Dryden dał się ponieść fantazji. Nigdy wcześniej nawet tego nie pragnął.

Poruszali się teraz w leniwym tempie, jak zwalniające z sekundy na sekundę wskazówki zegara. Spojrzał w jej oczy. Dwa krystaliczne jeziora. Wiedział, że to banalne porównanie, ale do niej pasowało. Wpatrywała się w niego wzrokiem, którego nie potrafił rozszyfrować, ale tak intensywnie, jakby próbowała zapamiętać jego twarz.

Raz, dwa, trzy. Raz, dwa, trzy.

Gdzieś w oddali wybuchł śpiewem skowronek, który już nie mógł dłużej się powstrzymać.

– Niech mi pani coś powie, panno Vale. Jak często robi pani to, co chce, właśnie dlatego, że pani tego chce?

Raz, dwa, trzy. Raz, dwa, trzy.

Okrążyli dziedziniec dwa razy, zanim się odezwała.

– Przychodzi mi na myśl tylko jedna taka sytuacja – odpowiedziała tak, jakby brakowało jej tchu.

Miał nadzieję, że powie właśnie coś w tym stylu, bo przygotował już wcześniej swoją następną kwestię.

– Czy to się zdarzyło dziś po południu? – zapytał jakby od niechcenia jedwabistym głosem.

Tempo tańca zwalniało z każdą chwilą. Dopiero po dwóch kolejnych okrążeniach dziedzińca udzieliła odpowiedzi.

– Być może tak – padły ostrożne słowa, tym razem szeptem.

Raz, dwa, trzy. Raz, dwa, trzy.

Z każdą chwilą byli bliżej siebie, a tempo walca stawało się coraz wolniejsze, jak gdyby niewidzialna nić nieubłaganie owijała się wokół nich po kolejnym tanecznym okrążeniu.

– Co pani chciałaby teraz zrobić, panno Vale?

Pytanie było zarazem jak pieszczota i żądanie.

Poczuł tętniące napięcie pod dłonią obejmującą ją w talii. Odetchnął głęboko. Zachłannie pragnął odkrywać kolejne szczegóły związane z Phoebe. To mogło być cokolwiek. Tego wieczoru odkrył, że pachnie mydłem i słodyczą, wyczuł nutę lawendy płynącą od sukni, która przez większość czasu leżała w kufrze przełożona aromatycznymi ziołami, wyjmowana tylko wtedy, gdy jej właścicielka tańczyła walca w blasku księżyca.

– To nie w porządku, lordzie Dryden, że zadaje pan takie pytania. Nie znajduję na to słów. Nie powinien pan wymagać, żebym to powiedziała.

Dzieląca ich przestrzeń skurczyła się do zera, tak jakby nigdy nie istniała. Jego policzek znajdował się tuż przy jej policzku. I była to najbardziej naturalna rzecz na świecie. Równy i ciepły oddech Julesa owiewał jej szyję. Zamknęła oczy. Upijała zmysły zapachem brandy i cygar oraz krochmalu koszuli, napawała się dotykiem chłodnego męskiego policzka, którego świeży zarost drapał jej wrażliwą skórę.

To ona pierwsza stanęła w końcu bez ruchu.

Nie wypuścił dłoni Phoebe, a drugą ręką nadal obejmował ją w talii. W każdej chwili mogli podjąć przerwany taniec. Stali przytuleni. I tylko było słychać ich oddechy. Wdech i wydech. Wdech i wydech. Ich piersi wznosiły się w jednakowym rytmie.

– Nie jesteś ciekawa, co ja chciałbym zrobić?

– Mówiłeś, że zawsze wiesz, co zamierzasz zrobić.

– I tak jest – przyznał szeptem. – Nawet w tej chwili. Na przykład chciałbym teraz zrobić to…

Poczuła jego oddech w uchu. Od słów szeptanych na wydechu włoski zjeżyły jej się na karku, ramiona pokryły gęsią skórką, a sutki naprężyły w oczekiwaniu. Ale gdy wyszeptał ostatnie słowo, zanurzył język w jej uchu.

I nie zamykając ust, wycisnął gorący pocałunek w ukrytym, jedwabistym wnętrzu.

Oddech uwiązł jej w gardle, a po sekundzie westchnęła tylko z drżeniem:

– Och.

Oparła głowę w zagłębieniu jego szyi. Mogłaby dotknąć językiem jego skóry, poczuć jej słony i słodki smak, gdyby tylko odważyła się otworzyć usta.

– …i to.

Przesunął teraz delikatnie językiem po płatku ucha. Zamknęła oczy, by upajać się przyjemnymi dreszczami, które niczym żywe srebro rozchodziły się po całym jej ciele.

– Wielkie nieba, panno Vale, proszę nie ściskać tak mocno mojej ręki.

– Ty diable.

Wydawało jej się dziwne, że jest w stanie się roześmiać pomimo tej feerii nowych wrażeń.

– Doprawdy? – udał zdziwienie, choć w jego głosie pobrzmiewały wesołe nuty. – Cóż za nietrafne spostrzeżenie. Zdawało mi się, że jestem w niebie.

– O rety.

– Och. Przepraszam – dodał ochryple. – Czyżbym był zbyt przewidywalny? A może moja hiperbola nie dorównuje tym, które tworzy sir d'Andre? Czy udało mu się panią rozśmieszyć, panno Vale?

– Nie. Jego język ani na sekundę nie znalazł się przy moim uchu.

– To mój język doprowadza cię do śmiechu? – udawał obrażonego. – A nie mój błyskotliwy dowcip? A tak się starałem. Ale to dobrze, że jego język ani na sekundę nie znalazł się przy twoim uchu. W przeciwnym razie byłbym zmuszony go zastrzelić.

– To by nie był uczciwy pojedynek. W tych spodniach ma ograniczone ruchy – powiedziała cicho, w roztargnieniu, z twarzą przyciśniętą do jego piersi.

Jakimś dziwnym trafem nie wiedziała nawet, kiedy objął ją mocno, a teraz jego dłonie miękkimi zamaszystymi ruchami przesuwały się po jej ramionach, sunęły tuż nad koronkowym brzegiem dekoltu, tam, gdzie powiewy nocnego powietrza chłodziły nagą skórę.

Czuła jego uśmiech na czubku swojej głowy.

– Jest przystojny.

Zabrzmiało to jak pytanie.

– Owszem.

Nie było sensu się spierać.

Splotła dłonie na jego karku. Ręce Julesa błądzące po delikatnym materiale sukni pozostawiały na jej skórze pasma dreszczy. Z westchnieniem poddała się tym rozkosznym doznaniom.

To było zupełnie inne niż popołudniowe zderzenie ich ciał. Jego ostrożne ruchy nie były wyrazem troski o jej cnotę. Przypuszczał prawdopodobnie, że oddałaby mu ją bez chwili wahania przy niewielkiej zachęcie z jego strony. I biorąc pod uwagę wcześniejszy pocałunek, nie mogła go za to winić.

Gdyby go nie znała, pomyślałaby, że brak mu pewności. Być może po raz pierwszy w życiu. Człowiekowi, który zawsze wiedział, co zamierza zrobić.

– Wiesz co? – roześmiał się cicho. – Przez cały wieczór myślałem tylko o tym, żeby dotknąć twoich włosów i poczuć, jakie są.

To było kolejne niezwykłe wyznanie.

Sytuacja ją przytłaczała. Zamknęła oczy i pokręciła wolno głową z niedowierzaniem. On zaś przesuwał palce coraz delikatniej po jej ciele. Obrysował płynnym ruchem linię bioder i zagłębienie talii, po czym z rozmysłem przeciągnął po twardych kuleczkach sutków przyciśniętych do jedwabnego gorsetu. Jej ciało wygięło się ku jego dłoniom, jak gdyby zaszokowane swoją reakcją. Oddech uwiązł jej w gardle. Jego dłonie nie zatrzymały się na sutkach, lecz kontynuowały wędrówkę i przesuwając się po obojczyku, dotarły w końcu do karku.

I pogłaskały jedwabiste włoski na jej szyi. Wiele razy i wciąż od nowa, muskając je jakby piórkiem.

– I co? – wyszeptała.

– Są miękkie – odpowiedział po chwili wahania szorstkim głosem.

Są twoje, pozostawił w domyśle. Mogłaby mieć na głowie ostrą świńską szczecinę. Chciał dotknąć włosów Phoebe, bo były jej.

Objął dłonią tył jej głowy, przechylił ją do tyłu i dotknął ustami warg.

Ten pocałunek był gorący, leniwy i głęboki. Całował ją w taki sposób, jak całuje się długoletnią kochankę, bez żadnych wstępów. Zniewolił ją jednym pocałunkiem. Po kilku sekundach drżała na całym ciele, a jej ciało zajęło się płomieniem.

Wyczuł jej pragnienie i szybko przystąpił do dalszego działania. Jego palce wplątały się w sznurówkę sukni, po czym z wielką wprawą, jakby robił to już tysiące razy – tej myśli wolała teraz dłużej nie analizować – poluzował gorset. W tej szalonej chwili czynność ta wydawała jej się właściwa, logiczna, wręcz konieczna.

Musnął ustami jej ucho, przesunął wargi na szyję, co odwróciło jej uwagę od rąk Julesa, które tymczasem gładko ześlizgnęły się po jej ramionach, zabierając ze sobą górę sukni. Zjeżdżała powoli ku ziemi. Ledwie sobie uświadamiała, że obnaża kolejne fragmenty jej ciała, gdyż jego ciepłe ręce ani na chwilę nie oderwały się od jej skóry, a pocałunek… pocałunek trwał bez końca.

Jej krew zamieniła się w ognisty likwor.

Wsunął ręce pod suknię i przejechał dłońmi po plecach Phoebe. Gdy dotknął skóry, wydała ni to westchnienie, ni to jęk, szepcząc jego imię, i wstrzymała oddech. Drżącymi palcami przesunął wzdłuż kręgosłupa, po czym rozpostartą dłonią objął ją w talii, wsunął rękę pod poluzowany gorset i podążał w górę, aż musnął od spodu knykciami jedwabistą skórę piersi. Dopiero tam przerwał swoją podróż i pocierał piersi, każąc jej zgadywać, jak wielką przyjemność może dawać własne ciało. Rozkoszne dreszcze zaczęły się rozchodzić promieniście od tego miejsca. W końcu zaczęła się wić i wyginać ciało, szukając dotyku, a gdy już nie mogła znieść tortury, sama podążyła ku jego dłoniom.

Zaklął cicho i zamknął ręce na jej piersiach. Ważył je w dłoniach, podnosił, mocno przesuwał kciukami po sutkach.

– Mój Boże…

Nie miała pojęcia. Uderzenia rozkoszy przeszywały jej ciało jak błyskawice.

Przywarł do niej, całując jej szyję.

– Pragnę cię – wyszeptał ze zdziwieniem i jakby ze złością. – I to bardzo.

Rękoma drżącymi jak w napadzie szaleństwa wyciągnęła koszulę z jego spodni i wsunęła dłonie pod materiał. Głaskała gorącą skórę, po czym przesunęła ręce do miejsca, gdzie jego członek prężył się pod spodniami, i odszukała guziki. Ogarnęło ją gorączkowe pragnienie, by poczuć dotyk jego skóry na swojej. Pochłonęła ją fala, którą sama wzbudziła.

Mógłby ją wziąć tutaj, na dziedzińcu. Oboje byli tego świadomi. Przykrył jej rękę dłonią i powstrzymał delikatnie, lecz stanowczo.

– Phoebe – wyszeptał i oparł czoło na jej czole, ciężko dysząc. Ich oddechy się mieszały. Zdjął ręce z jej sukni i zagarnął kosmyk włosów za ucho. – Phoebe... – powiedział znowu, po czym zaczął mówić pospiesznie i gorączkowo cichym głosem, w którym drżało wstrzymywane napięcie: – Mogę dać ci wszystko, czego zapragniesz. Suknie i futra, pantofle i czepki. Piękny, elegancki dom, wspaniałe łoże i powóz. Najwykwintniejsze jedzenie. Służących na każde twoje skinienie. Śpiewaczki operowe, które będą śpiewać tylko dla ciebie. Mogę zapewnić ci bezpieczeństwo i ciepło. I dać ci niewiarygodną rozkosz. Wyobraź sobie tylko tę niewiarygodną rozkosz. Każdej nocy. To był zaledwie przedsmak. Tak dużo potrafię. Tak dużo.

O czym on mówił?

Jej serce wyśpiewywało pod niebiosa.

Przysunął usta do jej szyi i ciągnął szeptem:

– Bardzo dużo. Czy możesz sobie wyobrazić, jakby nam było razem? Spróbuj – mruczał do jej ucha. – Wyobraź sobie nas nagich i splecionych w uścisku i moje ciało poruszające się w tobie. Tyle rzeczy mógłbym ci pokazać, Phoebe. Pragniesz mnie?

Nie mogła wydobyć głosu. Obrazy, które przed nią odmalował, napełniły ją taką nadzieją i zdumieniem, że ogarnęła ją nagła słabość.

– Czy pragniesz mnie, Phoebe? – ochrypłym szeptem domagał się odpowiedzi.

– Pragnę cię – zdołała wykrztusić.

– Obiecuję, że będę do ciebie często przychodzić. Gdy tylko zechcesz.

Zaraz, zaraz. Jej ciało zesztywniało, ale on nie przestawał mówić:

– Gdzie chcesz zamieszkać? Powiedz tylko słowo, a kupię ci dom w Londynie... albo gdzie tylko zechcesz... i będę wpadał, gdy tylko będę mógł... Dom będzie twój już na zawsze, bez względu na to, co się stanie...

Runęła w dół. To był cios niemal fizyczny, od którego zabrakło jej tchu. Chciała wyciągnąć rękę, by odeprzeć cios, i czuła się, jakby ziemia usuwała jej się spod nóg.

Tymczasem Jules nie przestawał całować jej szyi, jak gdyby nie zauważył, że całuje posąg, a nie żywą kobietę.

Odezwała się zaskakująco opanowanym głosem, który dobrze słyszała pomimo dzwonienia w uszach.

– A gdzie będzie mieszkała twoja żona?

Jego ręce zamarły.

Chwyciła je mocno, po czym delikatnie, lecz stanowczo oderwała je od swojego ciała. Wysunęła się z jego objęć i cofnęła o trzy kroki.

– To, co proponujesz, jest jak... umowa w interesach.

– Skoro... skoro chcesz to tak nazywać.

Jej oburzenie wprawiło go w konsternację.

– Proszę pamiętać, lordzie Dryden, że jeśli ja rzucę pudełkiem na cygara, to nie chybię. I nie pragnę brylantów.

– Phoebe... przecież zawsze byłem wobec ciebie uczciwy. Nie kryłem swoich planów. Powiedz mi, proszę, czym cię zdenerwowałem.

Ten drań naprawdę nic nie pojmował.

– W ogóle mnie nie rozumiesz – powiedziała powoli, zdumiona, że mogła myśleć inaczej.

Chłodne powietrze było teraz jak cios wymierzony w rozpalone ciało. Otoczyła ramionami obnażoną pierś. Jej dłonie były tylko słabą namiastką jego rąk. Już teraz czuła rozpaczliwą pustkę. Pokręciła energicznie głową.

– Weź chociaż... mój surdut...

– Na pamiątkę?

Pomimo ostrej riposty wydawała się krucha. Jak wyszczerbiony brzeg rozbitej porcelanowej filiżanki. Być może tej, którą cisnęłaby chętnie w głowę markiza.

Wzdrygnął się na tę myśl. Dobrze.

Stojąc teraz naprzeciw siebie, przedstawiali żałosny widok. Strój w nieładzie, rozpięty rozporek spodni, odwiązana sznurówka sukni – skutki absurdalnej gorączki, która ich ogarnęła. Czego właściwie się spodziewała? Magiczne chwile, które następowały jedna po drugiej w ciągu kilku ostatnich dni, uśpiły jej rozsądek i wprawiły w stan samozadowolenia. Przez krótki moment myślała, że ta historia skończy się w podobny sposób jak baśń o Kopciuszku, a nie przyszło jej do głowy, że przybierze obrót jak w greckich mitach. Biedna nimfa napastowana przez jednego z bogów zamienia się w drzewko oliwne, aby wyrwać się z sideł prześladowcy.

Nie miała takiej mocy. Mogła jedynie wyjechać do Afryki.

Podciągnęła suknię, aby zakryć piersi, i przesunęła rękawy na ramiona.

– Dobranoc – powiedziała stanowczo.

Opuścił w końcu wzdłuż boków dłonie, które dotąd zawisły w powietrzu tak, jakby nadal ją obejmowały, jakby istotnie była tylko ułudą. Jego twarz stała się srogą i nieprzeniknioną maską.

Sprawiła mu ból. A ściślej mówiąc, uraziła jego dumę. Była jednak pewna, że ta rana nie jest śmiertelna.

Sam ją sobie zadałeś, lordzie Dryden.

– Niech ci będzie – powiedział cicho.

Gdyby tylko powiedział coś jeszcze, cokolwiek, być może by została. I może dałaby się przekonać. Gdyby spróbował. Ale sprawa wydawała się oczywista. Widział tylko dwie możliwości. Ona znajdowała się w jednej szufladce, a Lisbeth w drugiej.

Wybuchnęła krótkim, sardonicznym śmiechem i z wolna pokręciła głową jak nauczycielka rozczarowana swoim uczniem. Ale okruchy złamanego serce dławiły ją w gardle.

Odwróciła się, chłoszcząc kostki spódnicą, i pomknęła po brukowanym dziedzińcu. Ścigało ją tylko echo uderzeń własnych stóp.

18

Phoebe uśmiechnęła się zdawkowo przez ramię do służącej, która obudziła ją, rozpalając ogień w kominku. I od razu wtuliła się z powrotem w poduszkę. Do licha, to był błąd. Głowę rozsadzało wściekłe pulsowanie.

Jej marzenie zakończyło się w gwałtowny sposób, była więc zdziwiona, że mimo to ocknęła się w wielkim łożu w domu Redmondów. Powinna stać na bosaka i w łachmanach gdzieś przy drodze, gapiąc się z konsternacją na dynię i cztery myszki.

– Wiadomość dla pani, panno Vale.

Przypływ nadziei, tego zdradzieckiego uczucia, kazał jej wyskoczyć z łóżka jak z katapulty. Mało nie wpadła na tacę, na której spoczywał liścik, ale szybko odzyskała równowagę. Tylko poddany wstrząsom żołądek, grożący nagłym wybuchem, uspokoił się dopiero po chwili.

Nie poznała pieczęci. Wsunęła pod nią palce.

Przeczytała liścik raz, potem drugi. Spojrzała na swoje odbicie ze zdziwieniem na twarzy.

Wyglądało na to, że miał się rozpocząć drugi rozdział jej baśni.

Panno Vale, będziemy zachwycone, jeśli zechce Pani przyjechać do nas do Londynu. Planujemy różne rozrywki – dwa bale i przyjęcie. Proszę się nie martwić o suknie! Mamy ich całe mnóstwo! Proszę obiecać, że przyjedzie Pani chociaż na dwa tygodnie. Może Pani zabrać kota.

Z wyrazami wielkiej sympatii
Marie i Antoinette

Z wyrazami wielkiej sympatii? Te dwie psotne figlarki wprost tryskały entuzjazmem.

Wpatrywała się w kartkę papieru. Nie znała takiej baśni i nie miała pojęcia, jak powinna postąpić. Nie było żadnych wskazówek.

Gdy zeszła na śniadanie, przez chwilę siedziała przy stole tylko z Lisbeth. Zrezygnowano z wystawnej obsługi, a półmiski z jedzeniem: jajkami, śledziami, opiekanym chlebem i marmoladą, oraz dzbanek z kawą stały bezpośrednio na stole, a nie na kredensie pod ścianą, gdyż większość gości wyjechała poprzedniego wieczoru.

– Czy coś się stało, Phoebe? Zabawnie wyglądasz. – Lisbeth ściszyła głos niemal do szeptu. – Nie mam jeść śledzi? Może potrzebny ci nocnik?

Phoebe spojrzała na Lisbeth. Szczęściara. O jej twarzy nikt nigdy i w żadnych okolicznościach nie powiedziałby, że jest zabawna.

– Tak się składa, że siostry Silverton zaprosiły mnie do siebie do Londynu. Na przyjęcia i bale.

Zapadła cisza.

Lisbeth siedziała nieruchomo.

– Ale… ja też jadę do sióstr Silverton do Londynu. Papa i mama zgodzili się, żebym została u nich przynajmniej dwa tygodnie. Mama chce wtedy odwiedzić moją kuzynkę w Devonshire. Papa będzie w Londynie. To mnie zaprosiły.

– No cóż. – Phoebe uśmiechnęła się niezobowiązująco. – W takim razie zaprosiły nas obie.

Znowu zapadła cisza. Po chwili Lisbeth próbowała się uśmiechnąć, ale z mizernym skutkiem. Bardziej przypominało to krzywy grymas. Bawiła się łyżeczką niby to od niechcenia.

– I zaprosiły cię, żebyś wzięła udział w tych samych przyjęciach i balach… na których będę ja? – zapytała z odpowiednią intonacją, a jej głos zahaczył o wyższe rejestry niż zwykle.

– Nie jestem pewna. A czy zwykle chodzisz na te same przyjęcia i bale co siostry Silverton?

– Tak – odpowiedziała ostrożnie Lisbeth.

– No cóż – powtórzyła Phoebe i uśmiechnęła się raczej obojętnie.

I chociaż sądziła, że tego ranka z powodu złamanego serca wszystko będzie przykryte gęstą szarą mgłą, czerpała niezdrową radość z zakłopotania Lisbeth.

Jej towarzyszka odłożyła delikatnie łyżeczkę, trafiając dokładnie w to samo miejsce, skąd ją wzięła. Zapewne pragnęłaby to samo uczynić z Phoebe. Odstawić ją na swoje miejsce.

– Wiesz, one działają trochę... pochopnie. Mam na myśli siostry Silverton.

Och, oczywiście, że wiem, pomyślała Phoebe w przypływie lek-
komyślnego zadowolenia. I nic nie odpowiedziała. Znowu zapadła
cisza.

– A kiedy pójdziesz na te bale, to... będziesz tańczyć?

Nie, trzymać twoją torebkę.

– Przypuszczalnie.

Lisbeth wpatrywała się w nią intensywnie. I chociaż na jej alaba-
strowym czole nie pojawiła się najmniejsza zmarszczka, zamyślone
oczy zdradzały, że stara się, podobnie jak wczorajszej nocy wicehrabia Waterburn, zobaczyć Phoebe w innym świetle. Nie jako damę
do towarzystwa, nauczycielkę, osobę, której wydawała polecenia
i od czasu do czasu okazywała wielkopański gest, ale taką, która
otrzymywała pożądane przez wszystkich zaproszenia. Ich światy
istniały dotąd równolegle. Nie przecinały się w żadnym punkcie.
Dla Lisbeth było to oczywiste prawo natury.

W swoich myślach i tak będę nauczycielką do końca życia, pomyślała Phoebe.

– Będzie mi bardzo przyjemnie spotkać się z tobą w Londynie –
oznajmiła w końcu Lisbeth. – Będziemy się doskonale bawić! Ale
czy masz odpowiednią garderobę?

Obrzuciła Phoebe uważnym spojrzeniem, które nie przeoczyło
najmniejszego zniszczonego kawałka jej sukni ani żółknącej koron-
ki przy kołnierzyku, ani minimalnie postrzępionego rąbka spódnicy.
W ułamku sekundy spłynęła na nią obezwładniająca litość nasycona
pogardą, która chwilę później zniknęła z twarzy Lisbeth, ustępując
miejsca sympatii.

Och, świetna robota, Lisbeth, miała ochotę powiedzieć. Phoebe
podejrzewała, że to spojrzenie należało do stałego arsenału Lisbeth,
ale nigdy wcześniej nie zostało użyte, a w każdym razie nie przeciwko niej. Trzeba przyznać, że było skuteczne. Wszyscy Redmondowie
zdawali się posiadać wrodzony dar zastraszania i osądzania innych
lekkim uniesieniem brwi lub trwającym ułamek sekundy twardym
spojrzeniem doskonale pięknych oczu.

Charakter Phoebe został jednak wykuty z twardej stali. Była poruszona, ale nie pokonana.

– Powiedziały, że nie muszę się martwić o odpowiednią garderobę – odpowiedziała spokojnie.

– Każdy się o to martwi, kiedy jedzie do Londynu – oznajmiła Lisbeth z absolutną powagą.

W tym momencie do jadalni wszedł niepewnym krokiem Jonathan, który z hałasem opadł na krzesło. Oparł brodę na dłoni, a drugą sięgnął po srebrny dzbanek, zamknął oczy, wycelował do filiżanki i przechylił naczynie z kawą. I zaczął nalewać. Nalewał, nalewał i nalewał bez końca.

Kawa spłynęła kaskadami znad brzegu filiżanki, zmoczyła spodeczek i obrus. Jonathan przysnął.

– Jonathan! – krzyknęła piskliwie Lisbeth.

Otworzył gwałtownie oczy, spokojnie wyprostował dzbanek i spojrzał z pewnym zdziwieniem na wypełniony po brzegi spodek i mokry obrus.

– Nie piszcz tak, Lisbeth. Głowa mi pęka. – Odstawił delikatnie dzbanek, potarł oczy i szeroko ziewnął. – Może mi pani podać cukier, panno Vale? – poprosił bardzo uprzejmie, głosem ochrypłym od tytoniu, wypitego alkoholu i okrzyków wznoszonych podczas gry w rzutki w gospodzie Pod Świnką i Ostem, gdzie spędził kilka radosnych godzin po wczorajszym balu.

Phoebe popchnęła cukiernicę w jego kierunku.

– Wielkie dzięki – powiedział z wielką powagą, po czym wrzucił do filiżanki trzy kostki.

Do stołu podeszła gospodyni, która zamarła z oburzenia, widząc utopiony w kawie spodek i brunatną plamę na śnieżnobiałym obrusie.

Zręcznie uniosła spodek i zabrała go, nie roniąc ani kropli, po czym postawiła nowy.

Chwilę później wróciła z półmiskiem śledzi i stanęła za Jonathanem. Ten otworzył szeroko oczy, gdy dotarł do niego zapach jedzenia, po czym zrobił się biały jak obrus. Zasłonił usta dłonią jak omdlewająca panienka.

– Czy ma pan ochotę na śledzika, panie Jonathanie?

– Niech się pani nade mną nie znęca, pani Blofeld – powiedział ponuro, nie odrywając dłoni od ust. – Proszę to natychmiast zabrać.

Uśmiechnęła się i odniosła półmisek, zadowolona, że odegrała się za plamę na obrusie.

– Siostry Silverton zaprosiły Phoebe do Londynu, Jon – poinformowała go Lisbeth radosnym tonem.

– Kapitalnie! – oznajmił bez wahania. – Prawda? – dodał po chwili, nieco zdumiony, że Lisbeth i Phoebe siedzą w milczeniu, które nabrzmiewało kolejnymi warstwami treści.

– Jeszcze nie zdecydowałam, czy pojadę – powiedziała Phoebe.

– Ależ oczywiście, że tak! – zachrypiał. – Będą bale i przyjęcia, wspaniała muzyka, wyśmienite jedzenie i picie, tańce, a nieznośne siostry Silverton zapewnią pani opiekę. Nie wyobrażam sobie lepszego sposobu, żeby... auuu!

Podskoczył. Kawa zafalowała w filiżance, ale ani kropla się nie wylała. Lisbeth wyraziła swoje zdanie na temat obecności Phoebe w Londynie, kopiąc Jonathana w łydkę.

Spojrzał na Lisbeth ponuro. Otworzył usta, ale zaraz je zamknął, nadając twarzy obojętny wyraz. Jego spojrzenie wskazywało, że coś rozważa. Tymczasem Phoebe i Lisbeth udawały, że zupełnie nic się nie stało.

Przez dłuższą chwilę było słychać tylko odgłos uderzania maleńką łyżeczką w porcelanową filiżankę. Skrzywił się i zaczął mieszać z większą precyzją, omijając ścianki naczynia. Jednocześnie nie spuszczał wzroku z twarzy obu dziewcząt.

Phoebe przesuwała widelcem jajecznicę po talerzu, jakby ciągnęła niesforną owieczkę. Nie była głodna.

– Zastanawia się pani, od którego kęsa zacząć jedzenie, panno Vale? – zapytał.

– Lubię trochę pomęczyć jajecznicę, zanim ją zjem. Jak ją trochę podźgam, jest lepsza.

– Aha – uśmiechnął się łaskawie.

Spojrzała na niego nieufnie. Przystojny czort, chociaż tego ranka miał nieco wodniste oczy i szczecinkę na policzkach. Złamie kilka serc w tym sezonie i w następnych, dopóki nie da się zakuć w okowy. Zawsze był skory do psot i drobnych złośliwości, jak to zwykle bywa z braćmi i kuzynami.

Lisbeth ostrożnie wypiła łyczek herbaty. Z lekkim brzękiem odstawiła filiżankę na spodeczek. Wciąż była naburmuszona. Przypominała Phoebe jej kota, który nie znosił, kiedy coś znajdowało się w innym miejscu niż zwykle. Kiedy zrzuciła na podłogę poduszkę z łóżka, Charybda krążyła wokół niej nieufnie, jakby meteor wylądował w pokoju.

Lisbeth też nie lubiła żadnych odstępstw od normy w swoim układzie świata.

Jonathan patrzył to na Lisbeth, to na Phoebe, jakby zastanawiał się, którą kulę uderzyć podczas bilardu.

– Czy markiz wyjechał z samego rana? – zapytał w końcu od niechcenia.

To był celny strzał.

Kącik ust Jonathana unosił się z wolna w uśmiechu, który stopniowo obejmował całe usta. Z wyrazu twarzy kobiet odczytał, że trafił w dziesiątkę.

– Szkoda, że nie ma tu Violet – westchnął nie wiedzieć czemu.

Przypuszczalnie dlatego, że Violet pogratulowałaby mu znalezienia czułego punktu i uderzenia w sam środek.

– Brakuje mi jej – oznajmiła Lisbeth. – Ale zrobiła świetną partię i cieszę się z całego serca jej szczęściem.

– Och, nie opowiadaj bzdur, Lisbeth – ziewnął Jonathan. – Violet grała ci na nerwach, nie udawaj. Przyznaj się, że ulżyło ci, kiedy wyjechała. Jesteś naprawdę zbyt dobrze wychowana – powiedział Jonathan takim tonem, jakby to był śmiertelny grzech.

Phoebe czuła, nie wiedzieć czemu, że jego uwaga dotycząca wychowania odnosiła się do niej. Ale w tej chwili nie ufała swoim wrażeniom, gdyż wszystko docierało do jej uszu przez warstwy poczucia winy i rozczarowania.

– Umiem się źle zachowywać! – zaprotestowała Lisbeth jak mała dziewczynka.

Jonathan prychnął.

– Nie bądź śmieszna. Nie wiesz nawet jak. Chociaż... – wypił duży łyk kawy – ...wciąż jeszcze możesz zrobić świetną partię! Jak Violet. – Mrugnął do niej. – Jeszcze masz czas. Jeszcze może się to stać. Nigdy nie wiadomo – powiedział tonem lekkiego powątpiewania.

– Oczywiście, że zrobię doskonałą partię! – Policzki Lisbeth były różowe. – Dlaczego nie? Wszyscy myślą, że wyjdę za mąż za mar... Jak możesz w ogóle w to wątpić?

Istotnie uderzył w bardzo czuły punkt.

Jonathan przyglądał jej się ze smutkiem, po czym westchnął i ostrożnie postawił filiżankę na spodku. Pochylił się i wziął dłoń Lisbeth w swoje ręce.

– Powiem ci, o co chodzi, droga Lisbie – powiedział z wielką powagą. Lisbeth nie znosiła tego zdrobnienia. – Zbyt łatwo dajesz się sprowokować. To nużące. Ale nie mogę się oprzeć. Czuję, że muszę ci dokuczać, żebyś nabrała wprawy.

Uwolnił jej dłoń i się oparł.

Phoebe wybuchnęła śmiechem, ale szybko zaczęła kaszleć, aby go stłumić.

Jonathan spojrzał na nią i uniósł brwi.

– Na które bale pójdziesz z siostrami Silverton... i Lisbeth, Phoebe?

– Nie wiem. Jeszcze nie zdecydowałam, czy w ogóle pojadę.

– Musisz jechać – powiedzieli jednocześnie Jonathan i Lisbeth, ale jedno z nich mniej szczerze niż drugie.

– Jak pojedziesz, zatańczę z tobą przynajmniej raz – obiecał.

– Dzięki, że mnie w porę ostrzegłeś – powiedziała Phoebe. – Przynajmniej zdążę uciec.

Jonathan spojrzała na Lisbeth, pokazując jednocześnie gestem na Phoebe, jakby chciał powiedzieć: „Widzisz, jak to się robi?"

Lisbeth pokazała mu język, co go wyraźnie rozbawiło.

– No wiesz, Lisbeth – napomniała ją Franchette Redmond, która właśnie w tym momencie weszła do pokoju. – Co by na to powiedziała twoja matka?

Lisbeth oblała się szkarłatem.

Biedaczka. Phoebe ogarnęło nagłe współczucie. Nic dziwnego, że jej osobowość ograniczała się do serii pięknych póz. Na każdym kroku ją cenzurowano. Tak długo wpajano, jakie zachowanie jest uznawane za właściwe, aż stała się niewolnicą własnej urody.

Phoebe starała się jak najmniej rzucać w oczy. Siedziała spokojnie, popijając tylko kawę, jak dzikie stworzenie zamarłe w obliczu drapieżnika. Przypuszczała, że pani Redmond z trudem akceptuje jej obecność przy stole. Nie kierowały nią względy osobiste. Po prostu uważała, że wszystko na świecie jest precyzyjnie poukładane i ściśle określone, i lubiła, kiedy każdy zajmował przypisane mu miejsce. Od czasu do czasu coś naruszało ten porządek, tak jak małżeństwo jej syna z Cynthią Brightly albo zniknięcie najstarszego zbuntowanego potomka. Jednak zawsze starała się przywrócić stały porządek.

Miała na sobie jasnoniebieski strój do konnej jazdy i wkładała rękawiczki. Wciąż była ładną kobietą i pomimo wieku odznaczała się gładką cerą, niemal pozbawioną zmarszczek. Czas wyraźnie ją oszczędzał. Na widok jej eleganckiego stroju serce Phoebe ścisnęła przelotna tęsknota. Ten ubiór miał siłę rażenia równą każdej broni.

Nowy czepek zrodził w niej pragnienie posiadania pięknych strojów, które nauczyła się tłumić podczas pracy w szkole na wzgórzu.

Mogę ci kupić wszystko, czego zapragniesz.

Ta obietnica mogła się spełnić w każdej chwili. Oczywiście, nigdy nie byłaby przyjmowana w tych samych domach co Franchette Redmond.

Phoebe przyszło nagle do głowy, że jej pojmowanie świata nie różni się tak bardzo od filozofii pani Redmond. Rozumiała teraz, że każdy ma przypisane jakieś miejsce. Chciała wiedzieć, gdzie jest mile widziana, a gdzie nie.

Och. Nie znosiła pragnień. Zwłaszcza że to, czego pragnęła, było tak nieosiągalne jak gwiazdka z nieba.

W zamyśleniu spojrzała na kartkę z zaproszeniem, z którego kipiał dziewczęcy entuzjazm. Nie ma nic złego w przelotnych przyjemnościach, przekonywała samą siebie. A fakt, że ktoś pragnął jej towarzystwa, sprawiał jej przyjemność. Lepsze to niż... umowa w interesach.

I chociaż było ją teraz stać na rejs do Afryki, mogła również pozwolić sobie na to, by spędzić ostatnie tygodnie na lekkomyślnej i szampańskiej zabawie. Istniało tylko ryzyko, że w Londynie spotka markiza.

Zaraz, zaraz, żadne ryzyko. Przecież miała nadzieję, że markiz tam będzie.

Bo wiedziała, że jej pragnie, a nie może mieć. I nie była aż tak wielkoduszna czy szlachetna, aby sądzić, że nie odczuwa cierpienia na jej widok.

Poza tym zaczęła teraz myśleć, że markiz nie jest jedynym mężczyzną, który może jej pragnąć, chociaż nigdy wcześniej się to nie zdarzyło. Nadzieja była dla niej nowym uczuciem. Do tej pory obawiała się mieć nadzieję, a jednak pojawiło się małe ziarenko, z którego przy odrobinie zachęty mogło coś wyrosnąć.

Jonathan dostrzegł kiełkujący uśmiech, zanim sama uświadomiła sobie, że się uśmiecha.

– I cóż? Pojedziesz do Londynu, Phoebe?

– Pojadę – oznajmiła. – Możesz mi podać kawę?

– W Londynie jest więcej możliwości dla guwernantek i im podobnych – stwierdziła beznamiętnie Franchette.

Phoebe podniosła na nią wzrok i zdała sobie sprawę, że ma prawie identyczny wyraz twarzy jak Lisbeth, u której dostrzegła jeszcze cień mściwości.

– I im podobne – powtórzył Jonathan z rozbawieniem, gdy matka wyszła z pokoju.

Wydawało jej się, że do niej mrugnął, ale być może zmrużył tylko oczy przed blaskiem bijącym od wypolerowanych na błysk sreber.

19

Następnego dnia siostry Silverton rzeczywiście przysłały powóz do akademii panny Marietty Endicott. Wyglądało na to, że bardzo im zależy na towarzystwie Phoebe.

Było to lando. Z zewnątrz nie wydawało się tak duże jak markiza, ale w środku bylo wyłożone pluszem i tak obszerne, że podskakiwała na koleinach drogi. A między Sussex i Londynem było ich całkiem sporo. Zapakowała Charybdę do dużego i wygodnego zamykanego koszyka, który wymościła poduszką. Kot zaprotestował przeciw takim praktykom, umilając jej drogę nieustannym zawodzeniem. Od czasu do czasu jego pręgowana łapa strzelała w górę spod przykrycia i zataczała kręgi w powietrzu. Chowała ją do kosza dopiero wtedy, gdy Phoebe ją pogłaskała.

– Spodoba ci się w Londynie – obiecała. – Przecież tam mieszkałaś – próbowała dodać otuchy bardziej sobie niż kotce.

Zmieściła wszystkie rzeczy do jednego kufra. Miała w nim dwie suknie dzienne oraz dwie, które nadawały się na bale i przyjęcia: zieloną i jasnoszarą, bardzo dobrze pasującą do koloru jej oczu. W kufrze umieściła też przepiękny czepek zapakowany w firmowe pudełko i owinięty zwojami papieru, jakby to było jajko albo nabity pistolet.

Lisbeth nie zaprosiła jej, by wspólnie udały się do Londynu powozem Redmondów, gdyż, jak wyjaśniła, było w nim za mało miejsca. Jonathan i Argosy jechali razem z nią i nie planowali kolejnej wyprawy z Sussex.

– Jestem zachwycona, że spotkamy się na miejscu! Będziemy się doskonale bawić!

Jules nie miał ochoty iść do klubu, ale wpadł tam z przyzwyczajenia i dlatego, że musiał znaleźć się w dobrze znanym miejscu, aby odzyskać równowagę po gorączkowym szaleństwie, które go ogarnęło w ostatnich dniach.

Było to nazajutrz po tym, jak po raz pierwszy w życiu nie dostał tego, czego pragnął, czyli Phoebe Vale w swoim łóżku.

Świat wydawał mu się odmieniony, ale nie potrafił powiedzieć z jakiego powodu. Wszystko znajdowało się na swoim miejscu. Jak w każdy wtorek wieczorem w klubie unosiły się kłęby dymu i gwar rozmów. Niektórzy pili alkohol, inni szukali kryjówki przed żonami za parawanem gazet. Lokaje krążyli z tacami między tłumem gości. Jak zwykle emerytowany pułkownik Kefauver, który przez wiele lat służył w Kompanii Wschodnioindyjskiej i wziął udział w licznych bitwach, w większości za granicą, spał z rozrzuconymi nogami w swoim fotelu z wysokim oparciem, a przy każdym chrapnięciu podmuch oddechu unosił jego splątane siwe włosy.

Jules podał lokajowi kapelusz i płaszcz oraz spacerową laskę. Zanim jeszcze na dobre go spostrzeżono, przez salę przebiegł szmer jak zakłócenie w powietrzu przed nadciągającą burzą. Było to bardziej przeczucie, że zaraz może nastąpić coś ekscytującego, ale wystarczyło, by wszyscy obecni wyprostowali plecy i odwrócili głowy.

Dwaj młodzi ludzie siedzący w wykuszu okna natychmiast wstali i ruszyli na poszukiwanie innych krzeseł.

Jules obrzucił ich wzrokiem. Obaj mieli kosmyki opadające na czoło.

Zmarszczył nieznacznie brwi i pokręcił delikatnie głową. Czuł, że wszyscy czekają, aż coś powie. Tak jak zwykle. W jego wnętrzu powoli rozlewał się pozorny spokój, a nawet zadowolenie. Ich zachowanie rozśmieszało go i sprawiało satysfakcję. To była solidna podstawa, na której mógł zbudować swoją przyszłość.

– Brandy – polecił lokajowi nie dlatego, że tak bardzo chciał się napić. Bardziej zależało mu na tym, aby trzymać coś w dłoni.

Zajął miejsce w wykuszu okna, przy najlepszym stoliku, który zawsze należał do niego, gdy zjawiał się w klubie.

Chwilę potem dostrzegł szerokie plecy Waterburna, który stał z d'Andre'em oraz trzema czy czterema mężczyznami. Pochylali się nad księgami zakładów i dyskutowali o czymś z wielkim ożywieniem.

– Stawiam dwieście funtów, że uda nam się to w dwa dni...

– Dwieście? Oszalałeś, Waterburn? Nie, nie, nie. To ma być interesujące i trzeba bardziej szczegółowo określić warunki. I ograniczyć czas.

Po tej wypowiedzi zapadła chwila gorączkowego namysłu.

– Już wiem! Ustalimy kolejne poziomy! Założę się z tobą... o dwieście funtów, że w ciągu dwóch tygodni będzie miała przezwisko. Jeśli tak się stanie, wygrywasz.

– Doskonale! Przyjmuję zakład. – Waterburn coś zapisał. – Założę się z tobą o pięćset funtów, że ktoś jej wyśle orchidee.

– Hm. No nie wiem, stary. Trudno to udowodnić.

– Nonsens. Dziewczęta nam powiedzą. Ach, i muszą być od kogoś utytułowanego. Oczywiście, to nie może być jeden z nas.

– Podoba mi się to. I powiedzmy... tysiąc funtów... za wyzwanie kogoś na pojedynek. To będzie koniec sprawy. Powiemy wszystkim, co zrobiliśmy, żeby nikt nie został zastrzelony.

Waterburn prychnął.

– Doskonale. Ja wygrywam, jeśli dojdzie do tego pod koniec miesiąca. Ty wygrywasz, jeśli nic się nie stanie.

– Zaklepane. A jeśli przegrasz, postawię ci kolację, stary.

Zachichotali jak uczniacy i przypieczętowali zakład silnym uściskiem dłoni. Wokół nich tłoczyło się kilku młodych ludzi, którzy chcieli się dowiedzieć, co jest przyczyną zamieszania.

Jules obserwował całe zajście bez zainteresowania. Nie zbliżał się do księgi zakładów, jakby bał się zarażenia chorobą. Nie lubił wymyślania dziwacznych zakładów. Wolał gry wymagające zręczności, dobry wyścig konny albo mecze bokserskie. Od czasu do czasu stawiał zakłady i zawsze wygrywał.

Nie chciał być podobny do własnego ojca. Jeden z mężczyzn po drugiej stronie pokoju opuścił gazetę, aby przyjrzeć się chichoczącym. Wyłoniła się twarz Isaiaha Redmonda. Zobaczył Julesa i skinął głową.

Ten odpowiedział tym samym i końcem buta zapraszająco odsunął krzesło od stołu. Redmond uśmiechnął się, równo złożył gazetę i wstał, żeby podejść do markiza.

W tym momencie Waterburn i d'Andre odwrócili się i go ujrzeli. Nie uciekł wzrokiem. Skłonili głowy.

Gdy ponownie się wyprostowali, zauważył ze zdziwieniem, że obaj mają kosmyki opadające na czoło.

– Przeklęty kozaku, ja ci dam...!

Wszyscy w klubie się wzdrygnęli.

Stary pułkownik Kefauver krzyczał głośno przez sen.

Nowy członek klubu wylał alkohol ze szklaneczki.

– Za pierwszym razem zawsze się tak zdarza, potem już nie – pocieszył go ktoś inny, podczas gdy lokaj już biegł ze szmatą.

Pułkownik Kefauver zachrapał i mruknął coś przez sen, po czym się uspokoił.

Redmon usiadł naprzeciw Julesa.

– Chciałbym ci jeszcze raz podziękować za twoją gościnność, Redmond.

– To był dla mnie zaszczyt, Dryden. Musisz wiedzieć, że rozmawiałem ze swoim prawnikiem. To była pierwsza sprawa, jaką załatwiłem po powrocie do Londynu.

– Wspaniale. Dziękuję ci.

– Myślę, że będzie można załatwić przepisanie majątku. Ale chciałbym porozmawiać z tobą o dodatkowej inwestycji.

Jules uśmiechnął się półgębkiem.

– Nie jestem zaskoczony.

Redmond skinął głową z uśmiechem.

– Klub Merkury inwestuje w koleje żelazne. To nasza przyszłość. Ucieszyłoby nas niezmiernie, gdybyś dołożył do tego swoją cegiełkę.

Jules skinął niezobowiązująco.

– Chciałbym, oczywiście, poznać więcej szczegółów. Niech twój prawnik prześle mi informacje na ten temat. Zapoznam się z nimi niezwłocznie.

Isaiah przytaknął.

– Oczywiście. Czy możemy się tu spotkać za kilka dni i omówić sprawę?

– Jak najbardziej – uśmiechnął się Jules.

Isaiah podniósł szklaneczkę.

– Największym życzeniem mojego brata jest, by jego córka dobrze wyszła za mąż.

– Lisbeth jest czarującą osobą – odparł z powagą Jules. – To dla mnie zaszczyt, że mogę zabrać ją na paradę do Hyde Parku dziś po południu.

– Jest nagrodą.

I chociaż zabrzmiało to tak, jakby Redmond się zgadzał, Jules podejrzewał, że raczej chciał wprowadzić poprawkę. Biorąc pod uwagę ich obopólne interesy, to stwierdzenie było całkowicie prawdziwe.

Londyn wyglądał i pachniał tak samo, jak wtedy gdy Phoebe widziała go po raz ostatni, będąc jeszcze dzieckiem. Wyjrzała z okna powozu i wciągała wielkie hausty miejskiego powietrza jak ciekawski pies gończy: zapach węgla i morza, smród zepsutego jedzenia i jakaś świeża nuta przyniesiona tu z wiatrem znad oceanu. Podobał jej się ten zapach.

Silvertonowie byli właścicielami kamienicy na St. James Square. Małe siostry Silverton przywitały Phoebe jak długo niewidzianą krewną, wycałowując przesadnie jej policzki i mocno ściskając, co dowodziło, że w drobnych ciałach mają zadziwiającą siłę. Dwóch lokai zaniosło jej kufer na górę, do części domu, gdzie spała rodzina. A nie służba.

Chcąc się upewnić, obserwowała przez całą drogę, w jakim kierunku się udają.

Lady Marie chwyciła przykrycie koszyka, ale podniosła tylko częściowo, gdyż Phoebe ją powstrzymała.

– Och, przywiozłaś swojego kociaka... och!

Cofnęła się, kiedy Charybda wysunęła łapę na zewnątrz i chciała ją pacnąć.

Po tej demonstracji swojego charakteru kot z powrotem schował łapę.

– Zachowuj się, Charybdo – napomniała ją Phoebe bez przekonania, bo szanse na poprawę były nikłe. – Niestety, niewiele jest osób, które darzy sympatią – powiedziała przepraszająco. – Jest bardzo wybredna pod tym względem – dodała dyplomatycznie, podejrzewając, że to się spodoba bliźniaczkom.

Jej podejrzenia szybko się potwierdziły.

– Nas polubi. Jestem tego pewna – oznajmiła Antoinette. – Musimy tylko trzymać ją z dala od Franza.

– To pekińczyk naszej mamy – wyjaśniła Marie.

O... rety.

– I od Kapitana Nelsona też – dodała w zadumie Antoinette.

– To papuga naszej mamy – wytłumaczyła Marie.

W wyobraźni Phoebe zrodził się natychmiast obraz ewentualnej rzezi.

– Zamknę Charybdę w moim pokoju – powiedziała, przepraszając w myślach kota.

Jedna z nich będzie się bawić zdecydowanie lepiej niż druga. I z pewnością nie Charybda.

– Możesz go wyprowadzać na mniejszy dziedziniec dwa razy dziennie. – Marie zmarszczyła nos. – Przez kilka dni powinno się udać. Nie powiemy mamie. – Pochyliła się ponownie nad koszykiem, ostrożnie uchyliła przykrycie i powiedziała śpiewnie: – Będziemy ją karmić śledziami, prawda, nasza mała Charyb...

Z koszyka wyskoczyła łapa i znowu omiotła powietrze. Marie i Antoinette odskoczyły z piskiem i zachichotały.

– Uważajcie, bo was podrapie – ostrzegła je Phoebe.

– Nic podobnego!

– Oczywiście, że nie. Jest naprawdę bardzo miła.

Czasami. W każdym razie dla mnie.

– Na pewno będziesz chciała się odświeżyć i rozpakować, bo dziś wieczorem idziemy na bal do Kilmartinów!

Podskoczyły na paluszkach i wydawały się takie uradowane, że Phoebe się roześmiała. Te dziewczęta chodziły na bale niemal co wieczór, a mimo to perspektywa zabawy budziła w nich dreszcz podniecenia.

– Mam tylko dwie suknie – przypomniała im.

Popatrzyły na siebie ze zdumieniem i niedowierzaniem, jakby było to dla nich nie do pojęcia.

– Tylko dwie! – powtórzyły takim tonem, jakby w głębi duszy sprawiało im to radość. – To włóż tę, której jeszcze nie widziałyśmy, a jeśli będzie trzeba, to pożyczymy ci nasze suknie na wszystkie przyjemności, które zaplanowałyśmy. – Phoebe zamrugała. Przed oczyma jej wyobraźni przemknęła wizja takich rozrywek, jak wyścigi powozów i hazard. – Mamy mnóstwo sukni.

Energicznie skinęły głowami obie naraz. Jej wzrok przykuły ich podskakujące loki.

A cóż to przeszkadza zawierać przyjaźnie w taki szybki sposób? Phoebe zastanawiała się nad tą kwestią, przytłoczona oszałamiającym tempem wydarzeń. Cóż w tym złego, że rzuci się w wir życia towarzyskiego, że da się unieść temu strumieniowi, pędząc z jednego przyjęcia na drugie i nie zwalniając tempa ani na chwilę, byleby tylko nie roztrząsać poważnych życiowych spraw i tym podobnych kwestii? To miało być tylko kilka dni wyrwanych z normalnego życia. W dodatku pomogą jej zapomnieć o mark…

Och.

Po schodach sunęła na dół, stąpając lekko jak piórko, oszałamiająco piękna wizja. Lisbeth Redmond w stroju do konnej jazdy z niebieskiej wełny oraz w odpowiednio dobranym, najbardziej eleganckim kapeluszu, jaki Phoebe w życiu widziała, zwieńczonym pawimi piórami. Strój Lisbeth był niezwykle wyrafinowany i wyglądał na kosztowny, a Phoebe w jednej chwili poczuła się w każdym calu jak prowincjuszka. Z trudem powstrzymała odruch przetarcia wolną ręką twarzy. Wiedziała, że musi się świecić po długiej podróży i że ma włosy w nieładzie.

Lisbeth przystanęła na trzecim stopniu od podłogi, jak gdyby hol zamienił się w fosę z aligatorami.

– Phoebe! Już przyjechałaś! To cudownie!

Uśmiech pojawił się po tych słowach z pewnym opóźnieniem, jakby między jednym a drugim nie było związku. Nie zbiegła po schodach i nie zamknęła jej w przesadnym, teatralnym uścisku. Pokonała w końcu ostatnie trzy stopnie i zbliżyła się do Phoebe jakby nieufnie. Phoebe znowu przyszło do głowy porównanie z Charybdą, która czuła się zdezorientowana, gdy któraś ze znanych jej rzeczy nie znajdowała się dokładnie w tym samym miejscu co zwykle. Minęło kilka dni, zanim przebaczyła jej przesunięcie łóżka pod inną ścianę w pokoiku w akademii panny Endicott.

Nie zdziwiłaby się, gdyby Lisbeth obwąchała ją ostrożnie.

– Witaj, Lisbeth! Cudownie cię widzieć.

– Bardzo się cieszę, że mogę tu być.

Marie i Antoinette rozpromieniły się z aprobatą.

– To my się cieszymy, że jesteś z nami, Phoebe! – skłamała Lisbeth. – Niestety, nie mogę dłużej z tobą pogawędzić, bo zostałam zaproszona na przejażdżkę. – Omiotła ruchem dłoni swój elegancki kostium do konnej jazdy. – Na paradę do Hyde Parku.

Phoebe wiedziała, co to znaczy. To była arena małych dramatów i spotkań, romansów i afrontów oraz innych ekscytujących zdarzeń, o których radośnie donoszono w rubrykach towarzyskich.

Bliźniaczki przechyliły się do niej konspiracyjnie.

– Markiz Dryden zaprosił ją na przejażdżkę. Będzie dosiadał czarnego konia. Z białymi skarpetkami, rzecz jasna!

Była ich gościem nie dłużej niż pięć minut, dosłownie pięć minut. Na sam dźwięk jego nazwiska poczuła, że ziemia usuwa jej się spod stóp.

Uderzenie było nagłe i przyprawiające o mdłości. Wizja oszałamiających rozrywek straciła blask i powab. Jak mogła sądzić, że zniesie widok jego i Lisbeth razem? Jak mogła myśleć, że zapomni o wszystkim w wirze towarzyskiego życia?

Przywołała na twarz uprzejmy uśmiech, ale miała obawy, że wygląda z nim sztucznie jak klacz obnażająca uzębienie. Z trudem powstrzymała się, by nie unieść ręki i nie skorygować uśmiechu.

– Jeździsz konno, Phoebe?

Nie wiedziała, kto zadał jej to pytanie. Wciąż dzwoniło jej w uszach.

– Nie – odpowiedziała.

– To zostaniemy tu z tobą! – oznajmiła Antoinette. – I nie pojedziemy za Lisbeth i jej konkurentem, chociaż mamy wielką, wielką pokusę trochę poszpiegować. – Mrugnęła. – No wiesz, stała się ważna dzięki markizowi. Wszystko przez to jest bardziej zachwycające, bo każdy chce z nami być!

Co ciekawe, Lisbeth nie sprawiała wrażenia zachwyconej tym słowami. Jej triumfalny uśmiech nieco zbladł, a pojawił się wyraz niepewności czy wręcz poirytowania. Phoebe przypuszczała, że Lisbeth rozkochała się we własnej wspaniałości i nie chciała dopuścić do siebie najmniejszej myśli, że być może świeci tylko odbitym światłem.

Nagle odrzuciła głowę i wybuchła krótkim perlistym śmiechem, wzruszając przy tym nieznacznie ramieniem. Ten zestaw manierycznych gestów i chwilowa, ale pełna arogancji pewność siebie, którą zapewne uważała za przejaw wyrafinowania, były czymś nowym w jej repertuarze.

– Wszyscy mówią, że wybiera tylko to, co najlepsze!

Siostry Silverton roześmiały się, na równi zachwycone swoją zbiorową wyższością, jaką daje uroda i bogactwo, i niemal oszołomione płynącą stąd przyjemnością.

Phoebe uważała, że Lisbeth wcale nie żartowała.

Czuła się bardzo dziwnie i nie na miejscu, słysząc, jak ci ludzie rozmawiają o Julesie w taki sposób, jakby wszystko, co napisano o nim w rubrykach towarzyskich, oddawało pełnię jego charakteru.

Czy naprawdę nikt go nie zna? Czy nikt nie chce go poznać? Czy istotnie zamierza ożenić się z tym stworzeniem? I spędzić z nią resztę swoich dni?

Panika, smutek i osamotnienie, które odczuła w jego imieniu, zaczęły ściskać ją za gardło, grożąc uduszeniem. Odepchnęła je bezlitośnie. Sam dokonał wyboru drogi. Każdego umieścił w odpowiedniej szufladce, wszystko poukładał, dzięki temu czuł się szczęśliwy i miał wewnętrzny spokój.

Lisbeth wyraźnie się rozluźniła, uspokojona milczeniem Phoebe.

– Co masz w koszyku, Phoebe? – zapytała wielkodusznie. – Wzięłaś jedzenie na drogę? A może ciasteczka?

Lisbeth uwielbiała ciasteczka.

Uśmiechnęła się łaskawie, ale obrzuciła Phoebe spojrzeniem, które objęło zarówno pyłki kurzu na sukni i zniszczone buty, jak i świecącą się twarz.

Nie mów tego. Nie mów tego. Nie mów tego.

– Może sama zajrzysz? – zaproponowała podstępnie Phoebe, chociaż nie chciała tego mówić.

Marie i Antoinette otworzyły szeroko oczy.

Lisbeth wyciągnęła rękę i podniosła przykrycie kosza.

Charybda gwałtownym ruchem wyrzuciła z kosza łapę i zatoczyła nią szeroki łuk, sycząc jak kobra.

Lisbeth wrzasnęła i odskoczyła, a Phoebe zamknęła pokrywę.

Marie i Antoinette musiały się przytrzymać, słaniając się na nogach z rozbawienia. W wyłożonym marmurem holu dźwięczały kolejne salwy ich śmiechu.

– *Ferme la bouche! Ferme la bouche!* – skrzeczała papuga nazywana Kapitanem Nelsonen, dając wyraz oburzenia z powodu całego tego hałaśliwego zamieszania.

Twarz Lisbeth była biała jak płótno, a usta zamieniły się w dwie zaciśnięte linie. Trzymała jedną dłoń w drugiej, jak gdyby chciała pocieszyć samą siebie, chociaż Charybda nawet jej nie drasnęła. Lisbeth wpatrywała się w Phoebe spojrzeniem charakterystycznym dla jej stryja Isaiaha. Niewykluczone, że któryś z przodków miał taki wzrok, wydając rozkaz o egzekucji lub zabójstwie. Jednocześnie na twarzy Lisbeth błąkał się nieznaczny uśmiech.

– To kot – powiedziała łagodnie Phoebe.

Obie wiedziały, że kocia łapa była tym samym co miecz. To był sygnał do rozpoczęcia najsubtelniejszego z pojedynków.

W holu pojawił się kamerdyner. Wszystkie dziewczęta zwróciły się w jego stronę wyczekująco.

– Przybył markiz Dryden.

20

Jules dobrze znał drogę z St. James Square do Hyde Parku, lepiej niż samego siebie. Kiedy dotarli na miejsce, był jednak zdziwiony, że nie pamięta ani chwili z tej jazdy.

– Nie odezwałeś się ani słowem, Julesie – zarzucała mu Lisbeth.

Z wdziękiem dosiadała szarej klaczy. Sprawiała wrażenie, jakby wsadzono ją na siodło, zanim zaczęła chodzić.

– Naprawdę? – zdziwił się.

W jego myślach szalał taki zgiełk, że nawet tego nie zauważył. Pewnie dlatego, że przeżył szok.

Zwykle całkowicie panował nad sytuacją, jakakolwiek ona była. Tym razem nie potrafił wykrztusić słowa, ogarnął tylko wzrokiem bladą Lisbeth, która stała z zaciśniętymi ustami, ale i tak wyglądała olśniewająco w niebieskim stroju do konnej jazdy, siostry Silverton, które miały zaróżowione policzki i w których brązowych oczach nie zgasły jeszcze wesołe iskierki rozbawienia jakąś psotą czy dowcipem...

...i pannę Vale.

Miała włosy w lekkim nieładzie, twarz jej błyszczała, w ręku trzymała kosz, z którego dobiegało syczenie.

Przez cały dzień przyzwyczajał się do myśli o życiu bez niej, do faktu, że został najzwyczajniej w świecie odrzucony, otulał się tym, co pozostało z jego egzystencji, jak ciepłym kocem... a tymczasem ta cholerna kobieta pojawiła się w Londynie. I na jej widok stał w holu Silvertonów oniemiały jak zielony sztubak, nie mogąc wykrztusić słowa, i wpatrywał się zbyt długo w niewłaściwą kobietę.

W końcu Lisbeth władczo wzięła go pod ramię i poprowadziła do drzwi.

– Piękny strój do konnej jazdy. – Komplement uratował mu życie. – Do twarzy ci w niebieskim.

– Dziękuję.

Musiał się zmusić, żeby prowadzić konwersację. Byli już w parku, panowała rześka pogoda, a niebo, jak na Londyn, było cudownie bezchmurne. Wiedział, że są pod obstrzałem spojrzeń wszystkich, którzy tylko mieli oczy i znajdowali się w pobliżu. Kątem oka rozpoznawał mijające ich osoby, mimo że w gruncie rzeczy wcale ich nie dostrzegał. Nie odpowiadał na pozdrowienia, chociaż posyłano mu nieśmiałe uśmiechy, które gasły z braku jego reakcji. Ludzie oddalali się nerwowo, zastanawiając się, czym też mogli obrazić wszechmocnego markiza. Tym sposobem zupełnie nieświadomie zepsuł nastrój wielu spacerowiczom.

– Czy panna Vale przyjechała z tobą do Londynu?

Wiedział, że to nie jest najwłaściwszy temat do rozmowy, ale w tym momencie tylko to go interesowało.

Lisbeth wydawała się zaskoczona pytaniem.

– O nie.

– Tak sobie wpadła z wizytą do Silvertonów? – dopytywał się, być może zbyt gorliwie.

Po chwili dziwnego wahania Lisbeth odpowiedziała:

– Wyobraź sobie, że została zaproszona przez siostry Silverton. Wysłały po nią powóz.

A co z Afryką? Myślał, że przygotowuje się już do wyjazdu. Ludzie powinni albo być w jego życiu na dobre, albo z niego zniknąć, pomyślał arogancko, a nie kręcić się gdzieś po peryferiach jak ułuda, której nie można złapać. To dlatego lubił kombinację bieli i czerni.

– Wiesz może, po co ją zaprosiły?

Lisbeth wydawała się nieco zdziwiona tym pytaniem.

Wiedział, że jest dla niej w tej chwili bardzo kiepskim towarzyszem. Ale miał również świadomość, że to właściwie nie ma większego znaczenia, bo Lisbeth było obojętne, czy się stara, czy nie. Nie zauważała różnicy.

Ta myśl wprawiła go w nagłe przygnębienie.

– Pewnie dlatego, że szybko się nudzą – odparła Lisbeth dość inteligentnie. – Jeszcze nie pochwaliłeś mojej nowej klaczy!

– Co za niedopatrzenie! Pewnie na jej widok odebrało mi mowę.

Lisbeth roześmiała się, wciągając go tym sposobem w taką rozmowę, jaką najbardziej lubiła: o przedmiotach, o sobie i o ludziach, których oboje znali.

Wzięła na siebie ciężar rozmowy i pozdrawiała łaskawym skinięciem głowy członków socjety, a między nimi, oczywiście, Waterburna, który wybrał się na przejażdżkę z lordem Camberem. Minęła ich też ciotka Julesa w czteroosobowym odkrytym powozie, na który dał jej pieniądze. Posłała mu pocałunek i mrugnęła. Miała skłonność do niestosownego zachowania.

Godzina minęła bez zbytniego zaangażowania z jego strony.

Gdy wrócili pod dom Silvertonów, ściągnął wodze swojego wierzchowca i przywiązał go luźno przy bramie, po czym pomógł Lisbeth zsiąść z konia.

W momencie, gdy jego dłonie objęły jej wąską, sprężystą talię, poczuł zdziwienie i niekłamaną przyjemność. Ostatnio rzadko widział w niej kobietę z wszystkimi zachwycającymi atrybutami, a częściej po prostu piękną nagrodę.

Czy w ogóle kiedykolwiek patrzył na nią jak na kobietę?

Być może wcale nie miał prawa czuć się przygnębiony. Nie zdobył się na najmniejszy wysiłek, aby ją lepiej poznać, podobnie zresztą jak ona nie dążyła do tego, by dowiedzieć się czegoś o nim. Prawdopodobnie uważała, że go zna. A przyswoiła sobie tylko serię przymiotników zaczerpniętych z rubryki towarzyskiej.

Postanowił, że bardziej się postara. Zasługiwała na to.

Pobudzony tym postanowieniem oraz samym faktem, że był mężczyzną, a ona kobietą, przeciągnął trochę moment zsiadania z konia i zatopił wzrok w jej oczach. Nagrodziła go rumieńcem.

Wydawała się taka młoda, ale była tylko o dwa lata młodsza od Phoebe.

Jego dłonie zatrzymały się na chwilę na jej talii. Jeszcze nigdy nie byli tak blisko siebie.

I wtedy nagle zesztywniała i odsunęła się od niego. Natychmiast uwolnił ją z objęć.

– Lisbeth… czy coś jest nie w porządku?

Czyżby należała do kobiet, które uciekają przed dotykiem mężczyzny? Przeraził się, że mogła poczuć się obrażona.

– Nie. Nie! To znaczy przepraszam. Zdawało mi się… Zdawało mi się… że poczułam zapach… dymu.

Zmarszczył lekko czoło. Pociągnął nosem. Poczuł zapach Londynu, z jego obfitością woni i smrodów. Wszystko to wpłynęło do jego nozdrzy wraz z wiatrem od morza.

– Dym od spalania węgla, dym płonącego budynku czy cygara?

– Ten ostatni.

Zauważył, że Lisbeth potrafi długo wytrzymać bez mrugania. Jej oczy były niebieskie, a raczej szafirowe.

– Ach – uśmiechnął się. – Paliłem cygara w klubie z twoim stryjem. Pewnie ten zapach poczułaś. Przepraszam, jeśli cię to drażni. Gdybym wiedział, włożyłbym inny surdut, ale zależało mi, aby jak najszybciej cię zobaczyć. – Czuł się naprawdę winny, że potrafi zawsze znaleźć właściwe słowa, choć niekoniecznie prawdziwe. –

To wyśmienity gatunek tytoniu. Czyżby rzeczywiście był taki drażniący?

Natychmiast jej ulżyło. Błyskawicznie się ożywiła, a jej rysy, które przybrały wygląd twardej maski, szybko złagodniały. Uśmiechnęła się, oczarowana.

– Oczywiście! To ten zapach. Paliliście cygara stryja Redmonda? Kupuje wyjątkowy i drogi gatunek, a w każdym razie tak mi mówił Jonathan.

– Jestem pewien, że pali drogie cygara, ale tym razem poczęstowałem go swoimi. Nazywają się El Hedor. Importowane z Hiszpanii przez dwóch dżentelmenów, którzy prowadzą sklep tytoniowy przy Bond Street. – Polecone przez byłą kochankę. Trzymał je w kasetce na cygara, którą cisnęła w niego signora Licari. – Nie mam pojęcia, ile kosztują – powiedział bez cienia zainteresowania. – Przysyłają mi je do domu raz w miesiącu.

Oczywiście wiedział, ile kosztują, znał ceny wszystkiego, ale mówienie takich rzeczy budowało jego legendę.

I od razu przypomniało Lisbeth, że jest nieziemsko bogaty i że nie zniósłby nawet cienia sugestii, że ktoś może sądzić inaczej.

– Pomyślę o tobie, kiedy znowu poczuję ten zapach – powiedziała.

Był zaskoczony. Wydawało mu się to bardzo... romantyczne, niemal prowokacyjne. A przy tym trochę dwuznaczne. Z jego doświadczenia wynikało, że Lisbeth jest raczej wdzięcznym odbiorcą komplementów. Uważała to za swój obowiązek, który wypełniała tak uroczo, że każdy chciał ją nimi obsypywać. Być może dlatego nie umiała zbyt dobrze flirtować, co z kolei przychodziło w sposób naturalny Phoe... niektórym kobietom. Tym lepiej dla niej i dla otoczenia, gdyż w kombinacji z jej wyglądem byłoby to trudne do zniesienia. Tak jak w przypadku jej kuzynki Violet Redmond, którą wielbił z nabożnym lękiem niemal każdy mężczyzna z socjety, zanim poślubiła jedynego człowieka nadającego się na jej męża, czyli nieznośnego earla Ardmaya.

Gdyby Lisbeth bardziej przypominała Violet, byłaby... niejednoznaczna... ale... interesująca.

Nie dopuścił, aby te myśli odbiły się w jego oczach.

– Lepiej, żebyś myślała o mnie, a nie o stryju.

Uderzył we właściwą nutę flirtu. Nie mogło jej to przerazić ani wystawić na próbę umiejętności flirtowania.

Uśmiechnęła się do niego ujmująco. Ten rodzaj uśmiechu opanowała do perfekcji. Poczuł dziwną ulgę, że nie próbuje go kokietować.

Jej klacz odrzuciła głowę i zapadło milczenie. Pojawił się stajenny, który zabrał klacz, ale ani markiz, ani Lisbeth nie zwrócili na niego najmniejszej uwagi.

– Czy spotkamy się dzisiaj na balu u lorda i lady Kilmartinów? – zapytała, choć to on powinien był zadać to pytanie.

– Tak. Nie mogę się doczekać, żeby zobaczyć, jak wprawiasz gości w stan oczarowania suknią, którą dzisiaj włożysz.

Roześmiała się z tego komplementu. Przypomniał sobie nie bez wyrzutów sumienia, że ma poczucie humoru.

Wyrzuty sumienia nie opuściły go także chwilę później, kiedy postawił kolejne pytanie, chociaż bardzo się starał, by zabrzmiało niezobowiązująco. Tylko serce waliło mu w osobliwy sposób.

– A twoje przyjaciółki tam będą?

Wyczuł w niej wahanie. Postawiła nogę na pierwszym stopniu prowadzącym do domu. Niemal czuł spojrzenia zza niezbyt szczelnie zasłoniętych okien wszystkich okolicznych kamienic. Spodziewał się, że przeczyta coś na ten temat w jutrzejszej rubryce towarzyskiej.

Zrobiła drugi krok. Pawie piórka poruszyły się na wietrze.

A potem rzuciła mu przez ramię spojrzenie zza lekko opuszczonych rzęs, przechylając podbródek. Precyzyjnie wycelowany błysk szafirowych oczu.

– Przypuszczam, że wiele moich przyjaciółek tam będzie – odpowiedziała lekko i w sposób równie niezobowiązujący, w jaki zadał pytanie.

Nie mógł tego wiedzieć, ale przećwiczyła to spojrzenie przed lustrem. Partner w tańcu nazwał je „urzekającym". To wystarczyło, by Lisbeth wprowadziła je na stałe do arsenału swoich spojrzeń.

Było istotnie tak czarujące, że w ułamku sekundy, jaki upłynął od spojrzenia do zrobienia następnego kroku, przestał myśleć o Phoebe Vale.

Tymczasem ona ani na chwilę nie przestała myśleć o markizie. To nie była cała prawda. Pojawiał się jako peryferyjna myśl, rodzaj tła, na którym przesuwały się inne skojarzenia. Rodzaj tła, które towarzyszyło każdej rozmowie. I wszystkim doświadczanym uczuciom. Nie czuła się teraz nieszczęśliwa. Podniosło ją na duchu coś, czego nijak nie powinna uznawać za pocieszające. Ale nie sposób było nie zauważyć, że na jej widok markiz wpadł w rodzaj cudownego osłupienia i nie był w stanie wykrztusić słowa. Ani jednego słowa. Aż Lisbeth wyprowadziła go z domu.

Jej duma została zaspokojona.

A to ożywiło ją na tyle, że mogła cieszyć się perspektywą balu. Zobaczy go tam, będzie tańczyła z innymi mężczyznami. Może ich spojrzenia się skrzyżują i znowu przeciągnie Lisbeth niechcący po całej sali...

Z każdą chwilą miała lepszy humor.

Przydzielono jej luksusowy pokój. Jednego była pewna. Nigdy dotąd nie spała w nim żadna nauczycielka. Na porcelanowej miednicy, do której nalano wody o zapachu lawendy, widniał wzór z drobnych różowych i czerwonych różyczek. Dywany z frędzlami, niemal tak puszyste jak sierść Charybdy, w odcieniach różu od delikatnego po niemal szkarłatny, pokryte były podobnymi różyczkami. Na oknach wisiały ciężkie, brokatowe zasłony w jasnoróżowym kolorze. Pokój był na wskroś kobiecy, ale bardzo jej się podobał. Czuła się tu jak perła w muszli.

Lady Marie, którą Phoebe zaczęła nazywać w myślach Inicjatorką, podczas gdy jej siostrę Antoinette określała jako Entuzjastyczną Pomocnicę, przyniosła błękitną kokardę na szyję Charybdy oraz ulubione śledzie kota. Były zafascynowane perspektywą zjednania sobie tego ładnego stworzenia o dużym temperamencie. Zabiegi, takie jak nakłanianie, pochlebstwa i wypowiadanie nonsensów śpiewnym głosem, doprowadziły w końcu do tego, że Charybda wyłoniła się spod łóżka (które również było puszyste i luksusowe jak wszystko w tym pokoju) i pozwoliła obu siostrom pogłaskać się po grzbiecie, wydając nawet ciche pomruki świadczące o tym, że dała się oczarować. Zjadła śledzia, pacnęła trzy razy w frędzle dywanu, po czym usiadła, podniosła tylną łapę i się polizała. Teraz, gdy jej potrzeby zostały zaspokojone, okazywała znudzenie otaczającymi ją kobietami.

Phoebe myślała, że wstążka na szyi będzie ją raczej denerwować, ale się myliła. Jak dotąd. Wyglądała bardzo ładnie jak przyzwoity domowy kot. Wyciągnęła się na miękkim łożu jak królowa, która wróciła do domu po długich latach błąkania się po pustyni.

Bliźniaczki, których twarze jednakowo jaśniały podnieceniem, w końcu opuściły pokój, przypominając Phoebe, aby zaczęła ubierać się na bal.

Nie wiedziała, czy Lisbeth już wróciła, czy nie. Prawdopodobnie tak, bo gdy wyjrzała przez okno, zauważyła, że piękne pomarańczowe słońce chyli się ku zachodowi, a na pewno markiz nie zatrzymałby jej tak długo na spacerze. Radosny entuzjazm, z jakim powitały ją bliźniaczki, a także jej królewska kwatera jednocześnie dodały jej ducha i odebrały animusz. Nie była tak łasa na miłe słówka i łatwa do przekupienia jak Charybda, ale siostry tego nie wiedziały. Poza tym miała więcej doświadczenia, wiedziała, co należy mówić i jak się uśmiechać, a także jak nad sobą panować. Mimo to musiała przyznać sama przed sobą, że ich ciepłe powitanie i serdeczne przyjęcie napełniły ją uczuciem wdzięczności i zachwytu, podobnym do tego, które ją ogarniało, gdy jej bose stopy zatapiały się w puszystym dywanie. Bardzo trudno było się oprzeć.

Włożyła swoją jasnoszarą suknię, która miała podobny fason jak zielona, ale była bardziej błyszcząca i wydekoltowana. Pomyślała z tęsknotą o sprężystych lokach sióstr Silverton i zaczęła szczotkować włosy tak długo, aż nabrały połysku. Upięła je w taki sam sposób jak zwykle, ponieważ nie przydzielono jej pokojówki do pomocy.

Pod wpływem nagłego kaprysu wyjęła białą orchideę z wazonu stojącego w rogu pokoju i zatknęła sobie kwiat za ucho, przypinając go wsuwką.

Miała tylko jedną parę rękawiczek. Wciągnęła je na ręce i oceniła rezultat w lustrze.

Kremowy odcień rękawiczek pasował do kremowego koloru jej cery i kwiatu; złote obszycie brzegu komponowało się z barwą włosów, dodając jej blasku.

Uznała to za absurdalne, ale na własny widok niemal zabrakło jej tchu. Była zdziwiona swoim odbiciem w lustrze. Wyobraziła sobie wyraz oczu markiza, gdy ją zobaczy, i nadzieja aż zakłuła ją w sercu. Odetchnęła głęboko kilka razy, by pozbyć się tego uczucia.

– Zostaniesz w pokoju – powiedziała do Charybdy. – Więc nici z prześladowania papugi. Nie zapoznasz się też bliżej z pekińczykiem. Zamknę teraz drzwi, ale za jakiś czas wrócę.

Kot ziewnął obojętnie.

Jeśli markiz poprosi ją do walca... to spróbuje skopiować to zachowanie.

Phoebe uśmiechnęła się, przekrzywiła głowę i uśmiechnęła się raz jeszcze, gdyż ten akt zuchwałości był dla niej czymś nowym, po czym zeszła na dół.

Jak się okazało, lady Silverton, matka Marie i Antoinette, była nieco roztargnioną, szczupłą i ładną kobietą, skonsternowaną zachowaniem swoich energicznych córek. Nie starała się zachowywać jak zatroskana przyzwoitka ani jak natrętna swatka, wierząc raczej, że los weźmie sprawy w swoje ręce, wystarczy tylko zaprezentować córki jak największej liczbie utytułowanych kandydatów, tak jak to miało miejsce w jej przypadku. Powitała Phoebe lekkim zmarszczeniem czoła.

– Poznałaś już pannę Vale, mamo – skłamała szelmowsko lady Marie.

– Doprawdy?

Przechyliła głowę i przyglądała się badawczo Phoebe, jak gdyby ułożenie mózgu pod innym kątem mogło odświeżyć jej pamięć. Wydawała się zaintrygowana kwiatem we włosach.

– Oczywiście – dodała Antoinette. – Powiedziałaś, że bardzo ją polubiłaś i że powinnyśmy ją do nas zaprosić.

Marie mrugnęła do Phoebe zza pleców matki.

– To bardzo uprzejmie z pani strony, że mnie pani zaprosiła. – Phoebe była zdumiona, że wystarczyła tylko niewielka zachęta, aby włączyła się w ich psotę. – Bardzo miło było mi panią poznać, lady Silverton. Jestem zachwycona, że mogę panią znowu widzieć.

– Mówię tyle różnych rzeczy – powiedziała po chwili niejasno, ale uprzejmie lady Silverton. – Witaj, moja droga. Możemy już iść? Wasz papa dołączy do nas później.

Pewność siebie uleciała z Phoebe, gdy zobaczyła inne dziewczęta.

Ich piękne stroje obudziły w niej przelotną, bezowocną i bezdenną tęsknotę, taką samą, jaką czuła, patrząc na czepek w sklepie Postlethwaite'a. Marie i Antoinette, spowite jedwabiem w różanym odcieniu, wydawały się niezmiernie wyrafinowane, a Lisbeth miała na sobie suknię w kolorze pierwiosnka, która cudownie podkreślała urodę jej włosów i oczu. Wszystkie trzy nosiły klejnoty, i to prawdziwe, sądząc na pierwszy rzut oka. Bliźniaczki – rubiny, a Lisbeth – szafiry. Ich fryzury były upięte w skomplikowany sposób, z opadającymi lokami i wyszukanymi splotami. Lisbeth miała też na głowie rodowy diament, który przypominał aureolę.

– Nigdy nie przyszłoby mi do głowy, żeby wpiąć we włosy orchideę! Phoebe, wyglądasz jak z obrazka!

Komplement, który padł z ust Marie, wydawał się szczery, podobnie jak uśmiechy obu sióstr. Lisbeth natomiast uśmiechała się tylko dlatego, że niewłaściwie byłoby tego nie zrobić. I chociaż Phoebe spodziewała się po niej jednego z litościwych spojrzeń, nic takiego nie nastąpiło, przez jej twarz przebiegł za to wyraz dziwnego wyrachowania.

Muszę naprawdę dobrze wyglądać, pomyślała z radością Phoebe. Przynajmniej jak na mnie.

– Mój różowy pokój mnie zainspirował – powiedziała do dziewcząt z powagą.

– Mój różowy pokój mnie zainspirował… – powtórzyła Marie powoli, z zachwytem. I wymieniła ekstatyczne spojrzenie z siostrą. Wciąż uważały ją za czarującą i wyjątkową.

I po tym wstępie udały się na bal.

21

W powozie bez powodu wybuchały niepohamowanym śmiechem, jakby każdy haust wdychanego powietrza działał na nie jak łyk szampana. Lady Silverton zwróciła im uwagę.

– Nie powinniście się tyle śmiać – powiedziała bez większego przekonania. – Sznurówki wam popękają i zrujnujecie sobie suknie.

Jej uwaga wywołała tylko kolejną falę chichotów.

Na bal u Kilmartinów ściągnęły tłumy. Powozy zajmowały cały skwer, toteż następni goście nie byli już w stanie podjechać pod rezydencję. W stronę domu płynął strumień ludzi odzianych w jedwab i satynę, którzy zmuszeni byli wysiąść z eleganckich pojazdów i przemierzać resztę drogi na piechotę. Gdy w końcu dotarły do rezydencji, lokaje powitali je uprzejmymi ukłonami, a lady Marie chwyciła Phoebe za łokieć w radosnym oczekiwaniu, jak gdyby to był jej pierwszy bal, a nie kolejny z wielu, w których już uczestniczyła. Nikt nie patrzył na Phoebe nieprzychylnym wzrokiem, jak na intruza, który chce przeskoczyć barierę klasową. Kierowano w jej stronę uprzejme, a nawet nieco znudzone uśmiechy. Wszyscy się tu dobrze znali, widywali w kółko te same twarze na kolejnych balach i przyjęciach, a mimo to nie ominęli żadnej okazji.

Jak w ogóle można się tym znudzić, pomyślała.

W tym momencie tłum wciągnął ją do środka i stopiła się z pozostałymi, jakby była jedną z nich.

Wraz z ludzką falą wpłynęły jak pachnący i jaśniejący obłok do ogromnej sali balowej. Okazało się, że siostry Silverton zajmują królewską pozycję wśród socjety. Ich przejściu towarzyszyły uśmiechy, ukłony i pozdrowienia, a kobiety podnosiły wachlarze do ust, aby wymienić dyskretne komentarze na temat nowo przybyłych dziewcząt.

Prawdopodobnie mówią o mnie, pomyślała Phoebe oszołomiona. Jestem nową dziewczyną.

Jeśli Postlethwaite przechowa dla niej gazety z rubrykami towarzyskimi, to będzie mogła powiedzieć: „Och, niech pan zatrzyma je dla siebie, mój drogi Postlethwaite. Ja tam byłam. Jest o mnie wzmianka na czwartej stronie w trzecim akapicie".

– Nie witamy tak każdego – wyjaśniła Marie, gdy wraz z Phoebe przeciskały się przez olśniewający tłum gości. Antoinette przytaknęła gorliwie. – To się nigdy nie zdarza.

Lisbeth przeistoczyła się na ich oczach w roztaczające blask stworzenie, wyciągając z zanadrza cały arsenał wypracowanych gestów i póz. Jedynym nastrojem dozwolonym w tym towarzystwie było egzaltowane rozradowanie, a wszelkie poważniejsze konwersacje uznawano za niestosowne czy wręcz zakazane. Liczyła się powierzchowność i jeśli ktoś został obdarzony urodą, nie wymagano od niego ujawniania osobowości, wystarczył piękny uśmiech.

Siostry Silverton pociągnęły ją przez salę. Zatrzymywały się przy grupkach ludzi, którzy świecili odbitym światłem ich popularności, wchłaniały najnowsze plotki i komentarze, po czym ruszały dalej.

Z ust do ust podawano sobie wiadomość, że kwiat we włosach Phoebe jest bardzo oryginalnym pomysłem. Aż słowo oryginalny przylgnęło do niej na dobre, stając się niemal synonimem jej osoby.

W końcu natknęły się na lorda Waterburna i sir d'Andre'a, których twarze były zarumienione od wysokiej temperatury, alkoholu albo jednego i drugiego. Przywitali się wylewnie z dziewczętami.

– Panno Vale – powiedział sir d'Andre. – Błagam panią, niech mi pani podaruje jeden z walców. O niczym więcej nie marzę.

Phoebe z namysłem podparła palcem podbródek.

– Cóż, jak myślicie, dziewczęta? Powinnam się zgodzić?

– Błagam panią, panno Vale.

Uklęknął na jedno kolano i chwycił jej dłoń, a jego mina wyrażała tęsknotę.

Och, na miłość boską.

– Ja też proszę o walca, panno Vale. Podbiła pani moje serce swoją wyjątkową urodą. Chcę znowu panią podziwiać podczas walca. I prawić komplementy na temat wstążki.

Zachowywali się tak niemądrze, że nie mogła się nie roześmiać. Nie mieściło jej się w głowie, że obecny Waterburn tak bardzo się różni od znudzonego, zimnego i niemiłego arystokraty, jakim

211

wydawał jej się przy pierwszym spotkaniu. Najwyraźniej pomyliła się w ocenie tak samo jak w przypadku markiza.

Odgoniła myśl o markizie, jakby przeganiała natrętną osę, i skierowała uwagę na błaznujących mężczyzn. Wiedziała, że wszyscy w zasięgu pola widzenia przyglądają się im z mniejszym lub większym rozbawieniem.

– Używa też słowa „cholerny" – szepnął Waterburn scenicznym szeptem prosto do ucha d'Andre'a. – Nigdy nie słyszałem, żeby brzmiało lepiej niż w jej ustach.

Obaj mężczyźni padli na kolana i błagalnie złożyli ręce ku wielkiej uciesze sióstr Silverton. Ich uczuć nie podzielała Lisbeth, która stała obok z przylepionym uśmiechem. Phoebe odegrała przedstawienie, udając z powagą, że omawia decyzję z bliźniaczkami, które z kolei rozważały wszelkie za i przeciw.

– D'Andre ma ładniejsze loki – zauważyła lady Marie.

– Ale Waterburn jest taki duży, że prawie wcale nie trzeba się ruszać. Zatańczy walca za ciebie – podsunęła lady Antoinette.

Phoebe w końcu dała za wygraną i łaskawie oddała im dwa z zaplanowanych czterech walców. Wpadli w zachwyt z wdzięczności, zerwali się na nogi i odeszli.

Gdy się oddalili, zbliżyła się do nich grupka kilku mężczyzn, którzy błagali, by przedstawić im Phoebe, i dopraszali się o tańce z nią i pozostałymi dziewczętami.

– Widzisz, jaka to świetna zabawa? – powiedziała do niej Marie.

Phoebe musiała jej przyznać rację, chociaż czuła się trochę przytłoczona teatralnymi gestami, które temu towarzyszyły.

Jakiś przystojny młodzieniec przyniósł szklaneczki z ratafią i wetknął im w dłonie. Z kolei drugi, który chciał być lepszy niż poprzednik, podał im szampana. Phoebe wypiła łyczek, a potem trzy następne.

Nie przeszkadzało jej, że nie jest królową balu. Ta rola należała w tym sezonie do Lisbeth i nikt nie zamierzał tego kwestionować. Gdyby wystawiła swój karnecik na aukcję, zdołałaby spłacić dług narodowy. Ale Phoebe i tak cieszyła się, że w ciągu kilku minut od pojawienia się w sali jej karnet został całkowicie zapełniony.

Przejechała kciukiem po nazwiskach mężczyzn, którzy chcieli z nią zatańczyć. Wiedziała, że zachowa ten wieczór w pamięci na zawsze, bez względu na to, jaki obrót przybierze jej życie.

Po raz pierwszy zawahała się, czy rzeczywiście chce wyjechać do Afryki.

Gdy podniosła wzrok, odkryła ze zdziwieniem, że siostry Silverton i Lisbeth odpłynęły gdzieś z falą tłumu jak płatki unoszone z nurtem rzeki. A na linii jej wzroku, niczym przeklęta Gwiazda Polarna, stał nie kto inny, jak Jules.

I wpatrywał się w nią w zupełnie niestosowny sposób.

To niedobrze. Naprawdę niedobrze. Desperacja walczyła w niej o lepsze z radością. Ubrany jak zwykle w czerń i biel powinien był wtopić się w tło niczym światło i cień. Ale nic z tych rzeczy. Wybijał się z ludzkiej masy jak surowy posąg i wszystko inne w sali wydawało się wyłącznie jaskrawym tłem dla jego postaci. Kręcący się wokół młodzieńcy sprawiali wrażenie niemądrych teatralnych statystów czy wręcz klaunów. Tylko on jeden był prawdziwy. Tylko on jeden zawsze będzie prawdziwy.

Poczuła skrępowanie. Szybko odwróciła głowę. Obawiała się, że pomimo zgiełku i tłoku ktoś mógłby dostrzec te iskry sypiące się z ich oczu, gdy wymieniali spojrzenia. Wiedziała, że nie powinna rozmawiać z nim bez osób trzecich. Była niezamężną kobietą, a on, na litość boską, markizem Drydenem, którego każdy krok pilnie śledzono i opisywano w rubrykach towarzyskich.

Próbowała uciec, ale jej ciało sprzeciwiało się nakazom umysłu, gdy w grę wchodził markiz.

Jules zaczął bezwiednie iść w jej stronę jak marionetka pociągana za sznurki. Phoebe była dla niego tak piękna i pełna blasku jak księżyc i gwiazdy razem wzięte. Nikt inny nie wyglądał tak jak ona, pomimo że były tu setki kobiet, a wiele z nich odznaczało się niezwykłą urodą według obiektywnych kryteriów. Co mu się stało, że chciał patrzeć tylko na tę jedną?

W końcu przed nią wyrósł.

– Nie spodziewałem się, że tu panią spotkam – odezwał się po chwili.

– Na balu czy w Londynie?

– Jedno i drugie, rzecz jasna. Przecież wybierała się pani do Afryki. I zdążyliśmy się pożegnać.

– Siostry Silverton mnie zaprosiły. Wygląda na to, że zrobiłam na nich wrażenie. Postanowiłam cieszyć się chwilą. Proszę sobie wyobrazić, że przedstawiły mnie wielu dobrze urodzonym młodym mężczyznom i wszyscy poprosili mnie o taniec – powiedziała z nutą ironicznego lekceważenia.

Ale nie potrafiła ukryć nieśmiałej radości, która wprost z niej kipiała. Jej twarz roztaczała promienny blask.

– Doprawdy?

Czuł się rozdarty i wydawało mu się to śmieszne. Z jednej strony był szczerze uradowany, że odniosła sukces, z drugiej – przepełniała go najprawdziwsza zazdrość.

– Tak.

– To szczęściarze.

– Oni też każą mi w to wierzyć – powiedziała drwiąco. – Wszystkie komplementy kręciły się wokół tego. – Dotknęła kwiatu wpiętego we włosy. – Uważają, że to bardzo oryginalny pomysł. A ja po prostu wyjęłam ten kwiat z wazonu w moim pokoju!

Nie wiedział, co powiedzieć. Przepływało przez niego tyle sprzecznych emocji, że brakowało mu słów. Poratował się prozaicznym pytaniem.

– Jak długo będzie pani w Londynie, panno Vale?

– Myślę, że dwa tygodnie. Na tyle zostałam zaproszona.

– Kto w tym czasie zajmuje się Charybdą?

– Ja sama. Wzięłam ją ze sobą. Czy to przesłuchanie, lordzie Dryden?

Wiedział, że Silvertonowie mają papugę i pieska, którego lady Silverton nosiła ze sobą jak torebkę. Modlił się w duchu, aby nie doszło do konfrontacji i zignorował jej pytanie. Zapadło brzemienne milczenie.

– Czy zauważył pan to co ja, lordzie Dryden. Że mężczyźni mają coś w rodzaju… kosmyka nad czołem?

Istotnie, to uczesanie nosili niemal wszyscy panowie, nawet starsi, jeśli jeszcze mieli co zaczesać.

– Zauważyłem – przyznał ponuro.

– Ciekawi mnie, czy wszyscy oni oberwali w głowę cylindrem – zadumała się.

Rzucił jej złowrogie spojrzenie.

– Ciekawe, jak się nazywa ta fryzura. Na przykład Skradziony Pocałunek. Albo Siniak. A może Dryden? – bębniła palcami po brodzie.

– Właśnie to podoba mi się w pani najbardziej. Że przypomina mi pani o najlepszych chwilach.

Walczyła, żeby się nie uśmiechnąć, ale musiała dać za wygraną.

– Bo byłam z panem w tych chwilach.

– Bo była pani ich przyczyną.

Kolejne stwierdzenie, które niosło wiele ukrytych znaczeń.

Nagle jakaś kobieta zawirowała na parkiecie jak dziecięcy bączek, omiatając podłogę suknią, podczas gdy jej partner padł na kolana. Ktoś z innego końca sali popchnął ją delikatnie i tym samym spiralnym ruchem wróciła do partnera.

– Walc Drydena. – Phoebe nie posiadała się z zachwytu. Wolno pokręcił głową. – Proszę mi powiedzieć, drogi lordzie, jak się pan czuje, wiedząc, że ludzie pana podziwiają i próbują naśladować?

– Podziwiają? Jestem dla nich jak czysta kartka, na której piszą swoją interpretację. Nie ma znaczenia, co robię. Proszę wybaczyć, panno Vale, ale mam inną sprawę i muszę ją załatwić, zanim muzyka przestanie grać. Czy zechciałaby pani uczynić mi ten zaszczyt i zata...

– ...och, muszę panu wejść w słowo, drogi lordzie. Obawiam się, że nie mogę. Widzi pan, mój karnet jest już zapełniony.

Wydawał się zaskoczony.

– Naprawdę?

Próbowała zachowywać się wyniośle, co zupełnie jej nie wychodziło, ponieważ własny sukces w gruncie rzeczy napawał ją nabożnym lękiem. A markiz był jedynym człowiekiem na świecie, któremu mogłaby zdradzić prawdziwe uczucia i który z pewnością by je zrozumiał.

Znalazła się w dość kłopotliwym położeniu. W jednej chwili opuściła ją złość, poczucie odrzucenia i niezaspokojone pragnienie. Nagle stali się przyjaciółmi, a on wyraźnie był z niej dumny.

Do pewnego stopnia przestał być panem własnych uczuć. Teraz ona nimi zawładnęła.

– To było coś niesamowitego – zwierzyła się nieśmiało. – Jakby wszyscy dżentelmeni nagle chcieli zatańczyć właśnie ze mną. Może dlatego, że jestem kimś nowym?

– Nie. Dlatego że jest pani piękna i wyjątkowa.

Rozwarła szeroko oczy, na jej policzki wystąpiły ciemne rumieńce. Gwałtownie odwróciła głowę.

– Nie owija pan w bawełnę.

– Nie. I jestem szczery. Mogę zobaczyć pani karnet?

– Nie wierzy mi pan?

Kwiecistym ruchem pokazała mu karnet.

Przebiegł palcami po kolejnych nazwiskach.

– Hm... Waterburn? Łajdak. D'Andre. Jeszcze gorszy łajdak. Lord Camber to skończony łajdak. Lord Michaelson? Łajdak. Peter Cheswick? Łaj...

Ze śmiechem wyrwała mu karnet.

– I tak nie zatańczyłabym z panem walca, lordzie Dryden.

– Nie?

– Jeszcze przypadkiem skrzyżowałby pan spojrzenia z Lisbeth Redmond, potknął się i popchnął mnie na drugi koniec sali, żeby nie nadepnąć mi na nogę.

Wpatrywała się w niego wyzywającym wzrokiem.

Oboje doskonale wiedzieli, że to absolutnie niemożliwe, bo Lisbeth Redmond nie działała na niego w taki sposób, żeby się jąkał i mylił krok w tańcu. Albo wskakiwał w krzaki. Nie rozbierałby jej też w środku nocy na dziedzińcu rezydencji. Nie istniało nawet najmniejsze prawdopodobieństwo, że szukałby jej wzroku w zatłoczonej sali balowej.

– Czy ktoś już pani mówił, że ma pani piękną cerę, panno Vale?

Roześmiała się i pokręciła głową.

Znowu zapadło milczenie. W końcu jednak napięcie przerwało tamę jak wezbrana rzeka.

– Męczę się, i to bardzo, kiedy stoję obok ciebie i nie mogę cię dotknąć. To nie w porządku – rzucił cicho i pospiesznie rozgorączkowanym głosem.

– Przestań. – Zamknęła oczy i gwałtownie pokręciła głową. – Przestań, proszę. Nic nie rozumiesz, prawda? Podobno wybierasz to, co wyjątkowe, specjalne, najlepsze...

– Bo tak jest.

– I w tym właśnie kłopot. Myślałam, że to ty dyktujesz modę. A wygląda na to, że tym razem karta się odwróciła. Chciałbyś mnie zamknąć w swoim domu w Londynie i kochać się ze mną, i odwiedzać mnie, gdy tylko będziesz mógł. Ale nigdy, przenigdy nie mógłbyś zatańczyć ze mną na tym balu, bo po prostu nie zostałabym zaproszona. A ja zawsze pragnęłam tylko jednego. By należeć do jakiejś grupy, do jakiegoś miejsca. Gdybym została twoją kochanką, odebrałbyś mi to na zawsze.

Gdy powiedziała „kochać się", omiotła go fala ciepła i słabości.

– To nieprawda, Phoebe – powiedział ochryple. – Pomyśl o tym, co bym ci dał.

– Najpewniej tak by się stało, gdybym się zgodziła zawrzeć z tobą taką „umowę". Nawet teraz wydaje ci się, że chcesz ze mną zatańczyć, ale jest tak tylko dlatego, że wszyscy uważają, że tak wypada.

Logika – i zarazem jej brak w tych wywodach – była nie do podważenia.

Ogarnęła go nagle zimna złość.

– Dosyć. Co chcesz, żebym zrobił? Nigdy nie byłem wobec ciebie nieuczciwy. Ani razu. Masz rację, każde z nas ma zupełnie inne życie. Nie umiem sobie wyobrazić, co to znaczy dorastać w takiej dzielnicy jak St. Giles, a ty najwyraźniej nie potrafisz pojąć, jak to jest być częścią starej rodziny, jakie to dla mnie ważne. Moje życie nie należy wyłącznie do mnie. Odbudowałem nazwisko i rodową fortunę. Taki mężczyzna jak ja nie może żenić się z powodu kaprysu. Liczy się historia rodziny. Dziedzictwo... Ludzie, którzy na mnie polegają... To nie są nieistotne rzeczy, panno Vale. To są... korzenie mojego życia. To moja krew. Są... wszystkim, co mam.

Była blada jak płótno, tylko dwie różowe plamy na kościach policzkowych zdradzały jej wściekłość.

– Z powodu kaprysu... – powtórzyła, przeciągając słowa.

– Nie kpij sobie z czegoś, czego najwyraźniej nie rozumiesz.

Bił od niego chłód. Lodowy Lord.

– Nie da się wszystkiego poukładać równiutko w szufladkach.

– Och, doprawdy? – roześmiał się krótko, sardonicznie. – Panno Vale, jestem wdzięczny za to, że bez przerwy udziela mi pani nauk. Ale jest coś, czego przy całej swojej bystrości umysłu po prostu nie dostrzegasz. Uważasz, że powinienem wyrzec się tego, kim jestem, i zrezygnować z wszystkiego, czego pragnę, ponieważ pewne rzeczy nie mieszczą się w szufladkach. A tymczasem w swoim cholernym zadufaniu nie chcesz zrobić tego samego dla mnie. I które z nas jest większym hipokrytą?

Zamrugała, jak gdyby opryskał jej twarz wrzątkiem.

Czuł, że gdyby miała teraz pod ręką jakiś ciężki przedmiot, to wylądowałby na jego głowie.

– Wiesz, co myślę? – powiedział, przeciągając słowa, jakby to była zwykła konwersacja. – Myślę, że się boisz. Myślę, że wolisz uciec przede mną, przed swoimi uczuciami i pragnieniami aż do Afryki. Po co miałbym spędzać czas w towarzystwie tchórza?

Cofnęła się, jakby ją uderzył.

– Prawdopodobnie Isaiah Redmond będzie skrupulatnie liczył, ile walców zatańczyłeś z Lisbeth, i nie spodoba mu się, że tracisz czas z takim przelotnym kaprysem jak ja, z nauczycielką – stwierdziła chłodno. – Lisbeth ma żółtą suknię. Żółtą jak słońce. Nie możesz stracić takiego widoku. Wygląda pięknie.

– Jak zawsze – odparł.

Przez tłum przedarł się lord Camber, który z pewnym opóźnieniem przyszedł ją poprosić do umówionego tańca. Jules wbił oczy w mężczyznę, jakby chciał go powstrzymać samym spojrzeniem, jakby to wystarczyło, żeby nigdy, przenigdy nie zbliżył się do Phoebe, jakby chciał zmrozić wszystkich dookoła, wtopić w tapetę na ścianie, aby w całej sali nie pozostał nikt oprócz niego i Phoebe.

Wziąłby ją wtedy w ramiona i przekonywał na tuzin sposobów, uściskiem ramion, dotykiem ust, że tym, czego pragnie, jest on, bez względu na wszystko, tylko i wyłącznie on, i nieważne, w jaki sposób to pragnienie zrealizują. Ale nigdy wcześniej nie miał do czynienia z osobą o tak silnej woli. Wydawało mu się nie do pomyślenia,

218

że nie może dostać tego, czego chce, ponieważ nigdy wcześniej to się nie zdarzyło. Jego duma bolała niczym otwarta rana. Czuł się jak niedźwiedź w pułapce.

– Adieu, lordzie Dryden – powiedziała, jakby rzeczywiście się z nim żegnała.

Dygnęła i podeszła z uśmiechem do lorda Cambera, ani razu nie odwracając się za siebie. Sprawiała wrażenie, jakby taniec ze szlachetnie urodzonymi mężczyznami był dla niej czymś najzwyczajniejszym w świecie.

Odprowadzał ją wzrokiem. I chociaż wiedział, że jego duma ucierpiała, nie mógł nic poradzić na to, że czuł się tak, jakby przywiązano go do Phoebe postronkiem. Odchodząc, wyrywała mu serce.

22

Gdy strumień komplementów na chwilę przestał płynąć, podeszła do stołu, przy którym podawano ratafię.

Przybrała swój zwykły, nieokreślony uśmiech i lawirując w tłumie, ruszyła przed siebie. Każdy wydawał się teraz znajomy, chociaż wszyscy ci ludzie byli jej obcy. Nie miało to większego znaczenia, gdyż zjednoczyła ich wspólna zabawa, a przynajmniej tak to odbierał jej podchmielony umysł. Wzięła trzecią – a może czwartą? – szklaneczkę ratafii. Cofnęła się o krok i wpadła na kogoś, kto stał tuż za jej plecami. O mały włos oblałaby go trunkiem.

Odwróciła się ostrożnie.

– Wielkie nieba, tak mi przy…

Stała przed nią Olivia Eversea.

Phoebe zamarła z wzrokiem utkwionym w kobiecie.

– Panna Vale, prawda? – Olivia wydawała się szczerze uradowana. – Jak miło spotkać kolejną osobę z Pennyroyal Green.

– Och, doprawdy, święta racja! – powiedziała Phoebe, tryskając entuzjazmem. Nauczyła się tego stylu bycia dopiero tego wieczoru, ale przychodził jej z łatwością. W tej chwili gwarantował bezpieczeństwo. – Mam nadzieję, że doskonale się pani bawi, panno Eversea.

Phoebe nigdy nie umiała rozmawiać z Olivią. Dziewczyna była urocza, spokojna i zarazem irytująca, chociaż nigdy nie wykraczała poza zwyczajową uprzejmość i miała nienaganne maniery. Wszyscy z tej rodziny odznaczali się nienagannymi manierami, nawet ci, którzy, jak plotkowano, uciekali przez balkon z pokoju zamężnej hrabiny lub kończyli na szubienicy. Kiedy natykała się na Olivię w mieście czy w kościele, zawsze odnosiły się do siebie uprzejmie.

Jednak w przeciwieństwie do swojej siostry Genevieve, która była bardziej subtelna, Olivia wzbudzała w niej rodzaj lęku. Choć miła i urocza, wiele rzeczy traktowała bardzo emocjonalnie, wnikliwie zgłębiała przyczyny, była bystra i błyskotliwa.

I dlatego Phoebe nie wierzyła, że Olivia dobrze się bawi. Podniosła rękę, aby poprawić kwiat za uchem.

Olivia znieruchomiała. Jej twarz zrobiła się biała jak płótno. Wpatrywała się w rękę Phoebe, jakby miała przed sobą węża.

– Panno Vale… Skąd pani ma te rękawiczki?

Och.

Te słowa przeszyły ją jak cios noża.

Phoebe przeleciał po plecach zimny dreszcz, krew zahuczała w uszach. Błyszczące oczy Olivii przyszpiliły ją jak owada do tablicy.

W jednej chwili zupełnie wytrzeźwiała.

A ponieważ mówienie nieprawdy nigdy nie przychodziło jej łatwo, zbyt długo zwlekała z odpowiedzią. I tak była pewna, że Olivia od razu zorientowałaby się, że kłamie, więc nawet nie było sensu próbować.

Skąd wiedziała?

– To skąd je pani ma? – Głos Olivii brzmiał ochryple, była w nim natarczywość. Wyglądała jak chora. – Kto je pani dał?

Wokół nich przelewały się tłumy ludzi, którzy śmiali się z przesadą, wypijali kolejne szklaneczki ratafii, wznosili toasty i niczego nie rozumieli, widząc dwie kobiety stojące naprzeciwko siebie jak zwierzęta gotowe do skoku.

Co, na miłość boską, ma jej powiedzieć? Co może złagodzić jej głęboki żal, wściekłość i oburzenie?

– On mnie nigdy nie kochał – zaczęła Phoebe szeptem. – Niech mi pani uwierzy. Dał mi te rękawiczki tylko dlatego... tylko dlatego...

Tylko dlatego że nie mógł mieć ciebie.

Nigdy nie będzie tego pewna. W końcu Lyon był mężczyzną.

Pocałowałam go, ponieważ mi to pochlebiało i chciałam, żeby to zrobił, bo był Redmondem. Pocałował mnie, bo mógł to zrobić. A nie mógł mieć ciebie.

Słyszała plotki o Olivii i Lyonie. Ale dopiero gdy zobaczyła wyraz twarzy Olivii, uświadomiła sobie ich prawdziwość i poczuła się zdezorientowana, jakby nagle mit stał się rzeczywistością. Ona go kocha.

Pożałowała teraz, że pozwoliła Lyonowi, aby ją pocałował tamtej nocy po turnieju gry w rzutki, za gospodą Pod Świnką i Ostem. Jednak sekundę później wiedziała, że nigdy, przenigdy nie będzie za to przepraszać, bo gdyby go wtedy nie pocałowała, to nie wiedziałaby, jaka jest różnica między zwykłym pocałunkiem a... takim, który ogranicza cały wszechświat do dwojga ludzi. Inaczej mówiąc, jaka jest różnica między całowaniem się z Lyonem a pocałunkami markiza. Współczuła Olivii z powodu jej cierpienia, ale nie miała zamiaru przepraszać za skradzioną chwilę przyjemności.

Milczenie przeciągało się w nieskończoność. Ale Phoebe wiedziała, że jej słowa nie miałyby żadnego znaczenia.

Piękna twarz Olivii była jak wykuta z granitu. Przechyliła głowę i powoli wciągnęła haust powietrza, który wypuściła z głośnym westchnieniem. Phoebe odniosła dziwne wrażenie, że właśnie stała się świadkiem podjęcia decyzji.

– Niech mi pani wybaczy, panno Vale – powiedziała z godnym podziwu opanowaniem. – To na pewno nie jest pani wina. Mam nadzieję, że miło spędza pani czas w Londynie.

Delikatnie położyła dłoń na ramieniu Phoebe, po czym zanurzyła się w tłum i zniknęła.

Phoebe wpatrywała się w puste miejsce po Olivii, a jej nerwy były w strzępach. Spojrzała na rękawiczki – prezent ofiarowany pod wpływem kaprysu – i zastanawiała się, skąd Olivia wiedziała. Najwyraźniej nawet nazwisko Redmond albo Eversea nie chroni człowieka przed zmiennymi kolejami miłości. Przynajmniej to jedno zbliżało ją do Olivii.

Stała bez ruchu, porażona tą rozpaczliwą myślą.

– Panno Vale, pozwoli pani, że przyniosę jej następną szklaneczkę ratafii. Tę już pani wypiła.

Zamrugała. Stał przed nią jakiś młodzieniec – przewinęło się ich tylu, że nie pamiętała już nazwisk – i uśmiechał się promiennie.

– Ależ bardzo proszę – powiedziała.

I odsunęła od siebie natrętną myśl, że ona, Olivia, Lyon i markiz mogą nigdy nie dostać tego, czego pragną. Najlepszym sposobem, aby zapomnieć i o tym, i o Julesie, były ratafia, miłe słówka i taniec.

Jules tańczył z Lisbeth trzy razy. To wystarczyło, by rozpalić płomień plotek, dać pożywkę rubrykom towarzyskim i uspokoić samego siebie, że poświęcił jej wystarczająco dużo uwagi. To wystarczyło również, by przekonać Isaiaha Redmonda, o ile w ogóle przywiązywał do tego wagę, o szczerości intencji markiza. Bo przecież wszyscy wiedzieli, że markiz nie robi niczego bez powodu. Tańce, kwiaty, parada po Hyde Parku były kamieniami milowymi ustawionymi na drodze prowadzącej do małżeństwa. Ten rodzaj tańca był dla każdego zrozumiały.

W przeciwieństwie do nowej odmiany, która kazała popychać partnerkę na drugi koniec parkietu, a samemu padać na kolana.

– Czego pragniesz, Lisbeth?

Wydawała się zaskoczona.

– Czego pragnę? Masz na myśli takie rzeczy jak ratafia albo ciasteczko, albo nowa suknia?

– Nie. Pytam, czego oczekujesz od życia.

Długo rozważała to pytanie, jakby podano jej do ręki rzecz zbyt dużą, by ją utrzymać.

– Nie jestem pewna, co masz na myśli – wyznała przepraszająco.

– Co może cię uszczęśliwić?

– Czy sugerujesz, że jestem nieszczęśliwa?

Starała się sprawić mu przyjemność, a tymczasem on zasmucał ją czysto teoretycznymi pytaniami.

Poczuł przelotne ukłucie prawdziwego strachu. Stanęła mu przed oczami wizja życia przy boku pięknej, ale obcej osoby. Kobiety, którą mógłby zadowolić prezentami i komplementami. Kobiety, która uczyniłaby go dumnym i jeszcze bogatszym. Ale która, jak cudzoziemka, nigdy nie nauczyłaby się mówić... jego językiem.

– Nie, oczywiście, że nie.

Nadal wydawała się zaintrygowana.

– A czy ty oczekujesz czegoś szczególnego od życia?

Dobrze chociaż, że potrafiła odpowiedzieć pytaniem. Tyle tylko że nigdy nie będzie w stanie jej tego wyjawić, mimo że wiedział, czego sam pragnie.

Do końca życia będzie kłamał, leżąc obok niej w łóżku, i Lisbeth nigdy naprawdę go nie pozna.

– Tak – przyznał cicho, z rezygnacją. – Jest coś, czego pragnę od życia. I mam nadzieję, że wkrótce uczyni mnie to jeszcze szczęśliwszym człowiekiem.

To nie była nieprawda.

Nie zapomniał też o takim szczególe jak głębokie spojrzenie w jej oczy, pod wpływem którego oblała się rumieńcem. Tym razem bezbłędnie odczytała, co ma na myśli.

– Czy zauważyłeś, Jules... że stworzyliśmy modę?

– Co takiego? – Tym razem to on był zaskoczony.

Jak gdyby w odpowiedzi na jej pytanie jakiś nieszczęsny młodzieniec wprawił partnerkę w ruch obrotowy i popchnął, podczas gdy sam padł na jedno kolano. Ktoś z drugiej strony sali odepchnął ją z powrotem.

– Widzisz? Nowy rodzaj walca. Uważa się go za bardzo odważny. I każdy chce być taki jak my.

Spojrzał na nią, całkowicie skonsternowany.

– Lisbeth... przecież wiesz, że to był przypadek. Że popchnąłem cię na drugą stronę sali, aby nie nadepnąć ci na stopę. Pomyliłem się w tańcu.

– Nic podobnego – zaprzeczyła ze szczerym zdziwieniem, nieco zakłopotana. – Jesteś za skromny.

– Wcale nie – powiedział zgodnie z prawdą. – I nikt mi nigdy nie zarzucał skromności. Po prostu mam swoje wady.

– W twoim wydaniu nawet pomyłki są stylowe.

– Lisbeth... – zaczął, ale dał za wygraną. – Chyba tylko... w oczach obserwatorów.

Nie powinien był tego robić, ale gdy powiedział te słowa, spojrzał na Phoebe, która przepłynęła obok w ramionach jakiegoś mężczyzny. Ów młodzian wyglądał tak, jakby wygrał milion funtów. Jej kwiat chwiał się w tańcu, suknia była lekko zmięta na plecach, ale twarz jaśniała. Wydawało mu się, że Phoebe się śmieje. Zazdrość przeszyła go jak ostrze noża.

Szybko odwrócił głowę i spojrzał na Lisbeth, która ani na chwilę nie oderwała od niego oczu. Pobiegła wzrokiem za jego spojrzeniem.

– I co takiego widzą obserwatorzy? – zapytała nieco zbyt ostro, ale tego nie wyczuł.

– Wszystko – odpowiedział cicho.

Jules wśliznął się do biblioteki, mając nadzieję, że znajdzie tam przynajmniej kilku dżentelmenów, z którymi będzie mógł wypalić przyzwoite cygaro i napić się mocniejszego trunku. Nie pomylił się, rzecz jasna. Chętnie wdałby się też w pogawędkę o koniach, polowaniu i strzelaniu, co byłoby miłym wytchnieniem po katujących duszę i serce rozmowach, jakie przeprowadził tego wieczoru.

Przedarł się przez tłum wesołków o szklistych od alkoholu oczach i przez kłęby dymu, po czym nalał sobie brandy, wiedząc, że gospodarz nie miałby nic przeciwko temu. Skinął głową Giddeonowi Cole'owi, przyjacielowi i znakomitemu prawnikowi, który rywalizował z nim o palmę pierwszeństwa w oczach kobiet z socjety. Stał przy kominku razem z sympatycznym gospodarzem balu, lordem Kilmartinem. Siwowłosy jegomość mówił coś do ucha pana Cole'a, chcąc zasięgnąć darmowej porady prawnej. Wzniósł kieliszek brandy w stronę markiza w geście toastu.

W tym momencie do biblioteki wpadł lord Camber, rozkładając szeroko ręce.

– Zatańczyła ze mną! Tańczyłem z Oryginałką. Ofiarowała mi walca! Który z was może się tym pochwalić?

W powietrze wzniosły się okrzyki z gratulacjami, pełne jednak zazdrości.

– Przysięgam, że na następnym balu zatańczę z nią pierwszy taniec – mruknął ktoś pod nosem.

Oryginałka, pomyślał Jules. Wystarczył jeden bal i Phoebe już miała przezwisko.

Poczuł, że ziemia usuwa mu się spod nóg. Jak gdyby stał na brzegu morza i patrzył, jak Phoebe oddala się coraz bardziej od niego zagarnięta przez falę, jak tonie w morzu towarzyskiego życia.

A jeżeli jeden z obecnych tu mężczyzn, bez zobowiązań wobec historii, ziemi i rodziny, na poważnie ruszy do niej w konkury? A jeśli ona dojdzie do wniosku, że to jest właśnie życie, jakiego pragnie?

Chociaż słynął z chłodnego opanowania i samokontroli, zapragnął nagle rzucić z całej siły szklaneczką brandy i patrzeć, jak się rozbija pod nogami zaskoczonych mężczyzn. Zupełnie jak jedna z jego pełnych temperamentu kochanek.

Musiał mieć wyjątkowo ponury wyraz twarzy, gdyż nieszczęsny Camber wzdrygnął się, gdy przechwycił jego spojrzenie, a radość od razu z niego wyparowała. Podniósł dłoń i nerwowo poprawił nowy kosmyk nad czołem, nie domyślając się nawet, czym mógł obrazić markiza. Jules zastanawiał się, czy nie zrobić nachmurzonej miny, aby jeszcze bardziej przestraszyć młodego człowieka.

W końcu jednak odwrócił się, co nie przyszło mu łatwo, gdyż mimo wszystko był jednak dżentelmenem i lubił grać uczciwie. I wtedy zobaczył nad wyraz dziwną rzecz.

Waterburn i d'Andre wymienili spojrzenia, a ten pierwszy skinął podbródkiem na Cambera. Następnie bez słowa potarł palce, na co d'Andre westchnął, zanurzył dłoń w kieszeni i wyjął kilka banknotów, które po przeliczeniu podał Waterburnowi.

Wyglądało na to, że Waterburn wygrał jakiś zakład.

23

Phoebe, obudź się! Dostałaś bukiety. Aż pięć! Pięć! Pięć!

Phoebe nie mogła otworzyć oczu. Wydawało jej się to niezmiernie trudne. Spowijała ją gęsta i czarna sieć snu. Spróbowała raz jeszcze, wkładając w to więcej wysiłku, i w końcu jej się udało. Pod jej czaszką zamieszkał dobosz, który niestrudzenie walił w bęben.

Otworzyła usta i próbowała coś powiedzieć. Ale język przez noc jej skołowaciał. Zamroczona, pomyślała z rezygnacją, że będzie musiała od nowa nauczyć się mówić.

– Ile bukietów? – Na szczęście wciąż potrafiła się zdobyć na sarkazm, mimo że jej głos brzmiał sucho i ochryple.

– Pięć! – wrzasnęły unisono Marie i Antoinette, zupełnie nieczułe na ironię.

Phoebe się skrzywiła.

Najwyraźniej siostry Silverton były przyzwyczajone do takich nocy jak ostatnia, czego nie można było powiedzieć o niej. Przejechała dłonią po pościeli i natknęła się na Charybdę – tłuste i miękkie kocisko wciąż spało – potem natrafiła na drugą poduszkę. Ach... Jak przyjemnie miękka i chłodna. Przyciągnęła ją leniwym ruchem i delikatnie przykryła nią twarz.

– Która godzina? – mruknęła spod poduszki.

– Jedenasta rano, śpiochu! Wstawaj, wstawaj, wstawaj! Musisz zobaczyć kwiaty i... zaproszenie.

– Zaproszenie?

Poderwała się jak oparzona i jęknęła, bo ból rozsadzał jej czaszkę. Położyła ręce na głowie, aby ją unieruchomić. Czuła się, jakby miała w środku tykające wahadło.

– Pokojówka już idzie z kawą. Z całym dzbankiem. To cię postawi na nogi – powiedziała lady Marie tonem nauczycielki. Szkoła Rozpusty Silvertonów, pomyślała Phoebe. – Wieczorem będziesz gotowa do powtórki. Nie martw się. Szybko się przyzwyczaisz.

Dzbanek kawy rzeczywiście postawił ją na nogi, ale nie mogła nawet myśleć o śniadaniu. Patrzyła z obrzydzeniem na jedzące z apetytem bliźniaczki, które komentowały wczorajsze kreacje.

Bukiety Phoebe stały na stoliku na dole. Lisbeth przyglądała im się niemal z naukową fascynacją. Jak gdyby właśnie ucieleśniło się niemożliwe.

Były to orchidee podobne do kwiatu, który zeszłego wieczoru Phoebe miała we włosach. Siostry Silverton odczytywały wizytówki i wygłaszały opinie na temat ofiarodawców.

– Ten jest od Cambera. Szanowany, ale dość pospolity. Odziedziczy tytuł wicehrabiego. Cheswick... to zero. Pomniejszy baron. Och, Wapping... no, no, nieźle. Kiedy z nim tańczyłaś? Ach, już wiem, to był ten szkocki taniec. Argosy... och, to naprawdę podnosi twoją wartość, bo on interesuje się tylko najważniejszymi gwiazdami sezonu, moja droga. Odniosłaś wielki sukces!

Nie do wyobrażenia. Phoebe grzała się w promieniach ich pochwał.

– Ach, przyszedł jeszcze ten. Wygląda, jakby ktoś zerwał chwasty z pola. Korciło nas, żeby go wrzucić do kominka, ale miał przypiętą karteczkę. Bez nazwiska.

Phoebe wpatrywała się w bukiecik i ostrożnie wzięła „chwasty" do ręki. Musiała mieć dziwny wyraz twarzy, bo wszyscy ucichli i przez chwilę trwali zaskoczeni w milczeniu.

Był to bukiecik szałwii przewiązany lawendową wstążką.

Co za przeklęty mężczyzna.

Powoli podniosła kwiatki do nosa i zamknęła oczy, ale szybko je odsunęła, gdyż zapach wywołał kolejną falę mdłości. Jeszcze jej nie przeszło.

Otworzyła dołączoną wizytówkę.

Mylisz się. Ja Cię naprawdę znam.

Zapragnęła ją pognieść i cisnąć mu prosto w twarz, bo miał rację co do niej. Ale zamiast tego przyłożyła karteczkę do nosa i powąchała. Pachniała szałwią. Zgniotła ją w dłoni.

– Czy to jakieś czary? – spytała niespokojnie lady Marie. – Wyglądają jak zioła czarownicy.

– Och, na litość boską, Marie. – Jej siostra przewróciła oczami.

– No popatrz na te chwasty! – Marie była wzburzona. – Mówię całkiem poważnie. Jedna Cyganka, Lenora Heron, która mieszka w obozowisku koło Pennyroyal Green, za szylinga albo dwa rzuca urok. Ma takie zioła jak te. Możesz na przykład poprosić, żeby zniknęła twoja rywalka, która walczy o miłość tego samego mężczyzny.

– Naprawdę? – spytały jednocześnie Lisbeth i Phoebe z taką samą fascynacją, po czym umilkły zmieszane.

Siostry Silverton wydawały się zaskoczone. Po chwili w ich jasnych, psotnych oczach pojawiło się wyrachowanie.

– Hm... tak słyszałam – powiedziała w końcu lady Marie i zaczęła oglądać swoje paznokcie.

– To tylko bukiecik szałwii – stwierdziła Phoebe. – Taki sam, jaki wkłada się do szafy, żeby suknie miały ładny zapach. Przysłała go kobieta, którą wczoraj poznałam. Musiała pomyśleć, że mi się przyda.

Delikatnie położyła bukiecik obok swojego talerza. Powinna go spalić w kominku po powrocie do pokoju. Wiedziała, że w niektórych kulturach używano szałwii, aby oczyścić domostwo ze złych duchów. Zastanawiała się, czy taki zabieg mógłby ją uwolnić od jałowej tęsknoty.

Ponieważ temat przechowywania sukien niebezpiecznie zahaczał o prowadzenie domu, bliźniaczki szybko go zmieniły.

– Lisbeth, dla ciebie też jest bukiet! Ale tylko jeden.

W ich słowach wyczuwało się zbyt wyraźną ulgę. Za to wskazały najbardziej okazałą wiązankę ze wszystkich.

Były w niej orchidee, całe mnóstwo różowych różyczek i białych lilii, które razem tworzyły wyrafinowany, subtelny, skomponowany ze smakiem i niewiarygodnie bogaty bukiet.

– Co jest napisane na karteczce?

– Czekam niecierpliwie na dzisiejsze spotkanie. Dryden.

– Zbyt wylewne – skomentowała lady Marie, a siostra szturchnęła ją z rozbawieniem.

– Po południu wybieramy się na przejażdżkę do Hyde Parku – poinformowała Lisbeth z roztargnieniem wyczuwalnym w głosie i uwidocznionym na twarzy. – Jules i ja.

– W klubie u White'a stawiają na ciebie zakłady, Lisbeth – rzuciła lady Marie. – Waterburn mi mówił.

– Naprawdę? A o co się zakładają?

– Że przed końcem miesiąca będziesz zaręczona.

– Niby z kim?

– Bystra uwaga, moja droga – pogratulowała jej lady Marie.

I wtedy stało się coś, co zaskoczyło Phoebe. Lisbeth sięgnęła po bukiecik szałwii i podniosła go ze stołu. Marszcząc czoło, ostrożnie obracała go w dłoni w tę i z powrotem, jakby chciała odgadnąć jego tajemnicę.

– Gdzie zazwyczaj rosną te kwiatki?

– W całej Anglii – powiedziała Phoebe zgodnie z prawdą.

Lisbeth przeniosła wzrok na Phoebe i przyglądała jej się tak badawczo jak kwiatkom.

– Zamierzasz go zatrzymać?

– Tak – odparła Phoebe.

Ich spojrzenia się skrzyżowały.

I nagle Lisbeth odłożyła gwałtownie bukiecik, jakby trzymała w ręku trujące ziele.

Phoebe dostała też zaproszenie od lorda Cambera, mężczyzny o uczciwych brązowych oczach i mocnym podbródku, aby zechciała udać się z nim, Waterburnem, d'Andre'em i siostrami Silverton na przejażdżkę do Hyde Parku. Ponieważ Phoebe nie umiała jeździć konno, miała skorzystać z jego odkrytego powozu spacerowego. Zaproszenie obejmowało też Lisbeth, ale nie przyjęła go, tłumacząc, że jest umówiona na później z markizem.

A raczej Julesem, jak mówiła o nim przy każdej okazji.

– Pójdę przygotować się na popołudnie – powiedziała w końcu i odeszła od stołu.

Po drodze zabrała swój bukiet kwiatów.

Godzinę później zadźwięczał dzwonek, a Phoebe zbiegła po schodach z siostrami Silverton, aby powitać Waterburna i d'Andre'a. Miała na sobie najlepszą dzienną suknię z nieco spłowiałej złotej wełny, raczej praktyczną i skromną, ale wolała myśleć, że doskonale pasuje do włosów. Jej buty zostały tak wypolerowane przez służbę Silvertonów, że przestała się przejmować, że mają cienkie, wytarte podeszwy.

– Mam dla was nowiny, panowie – powiedziała lady Marie do Waterburna i d'Andre'a w radosnym podnieceniu. – Panna Vale dostała rano orchidee, i to aż pięć bukietów.

– Wolne żarty! – Waterburnowi opadła szczęka. Spojrzał na d'Andre'a z wściekłą radością. – Tylko proszę nie mówić, że mam rywali.

– Obawiam się, że nie jednego, tylko całą socjętę, lordzie Waterburn – drażniła się z nim Phoebe.

– Będziemy walczyć o panią z Camberem. Albo ścigać się z nim.

Phoebe zauważyła, że panowie wymienili się gotówką. Ach, ci mężczyźni. Pewnie znowu o coś się założyli, jak to miał w zwyczaju Waterburn.

Na paradzie w Hyde Parku Phoebe szeroko otwierała oczy z zachwytu, którego wcale nie próbowała kryć. Dzień był rześki i pogodny, a w alejce przelewały się tłumy przystojnych i wspaniale ubranych ludzi. Jedni dosiadali cudownych wierzchowców, inni jechali w pięknych powozach, ale wszyscy nawzajem się nawoływali, kiwali do siebie, a mijając się, wedle wszelkiego prawdopodobieństwa wymieniali najświeższe plotki.

Odkryty powóz Cambera typu high flyer był cudzoziemskim wynalazkiem i wyglądał dość dziwacznie w porównaniu z pojazdem, który prowadził Waterburn, ale jej się podobał. Był piękny i bardzo szybki, dosłownie i w przenośni. Pozwolił jej ostatecznie stwierdzić, w jaki sposób lord Camber postrzegał siebie i grupę przyjaciół, z którymi przestawał. Nie miała nic przeciwko temu wizerunkowi, chociaż był uderzająco sprzeczny z pierwszym wrażeniem, jakie odniosła. Siedziała obok Cambera ubrana w nowy szykowny czepek i czuła się jak królowa, górując nad innymi powozami, które były zdecydowanie niższe. Ciągnęły go dwa lśniące gniade konie. Nie robiły, rzecz jasna, takiego wrażenia jak czarne wałachy z białymi skarpetkami. Ale cóż z tego.

– Wygrałem w tym powozie kilka wyścigów – pochwalił się. – I prawie pięćset funtów.

Zakręciło jej się w głowie od wysokości wygranej.

– Wspaniale – powiedziała, kiedy doszła do siebie.

Podczas przejażdżki ludzie pozdrawiali ich skinieniem głowy. Odpowiadała tym samym z królewskiej wysokości ławeczki, podczas gdy Camber wykrzykiwał pozdrowienia.

– Proszę spojrzeć, panno Vale. Wszyscy mi zazdroszczą, że jedzie pani ze mną.

Samo to stwierdzenie wydawało jej się tak niewiarygodne, że nie przejmowała się faktem, iż wedle wszelkiego prawdopodobieństwa Camber zaprosił ją do powozu tylko po to, żeby inni mu zazdrościli. Przez całe popołudnie upijała się jak winem spojrzeniami pełnymi podziwu i zazdrości. Po jakimś czasie czuła się tak zamroczona, że niemal przeoczyłaby mężczyznę, który dosiadał czarnego konia z białymi skarpetkami.

Niemal.

Jakąś godzinę po tym, jak bliźniaczki i Phoebe wraz z młodymi lordami udali się na przejażdżkę do Hyde Parku, lady Charlotte i Lisbeth, które siedziały razem w saloniku nad robótką, zostały wyrwane z tej sennej czynności nagłym wrzaskiem Kapitana Nelsona, który wykrzykiwał w kółko jedno słowo:

– *Singe! Singe! Ferma la Bouche! Singe!*

Lisbeth podniosła zdumiony wzrok znad haftu.

– Czy ta papuga krzyczy to, co myślę?

– Krzyczy coś o małpce. Mówi małpce, żeby zamknęła buzię. Głupi stary ptak. Zaraz przestanie. To nic takiego.

Lady Charlotte wróciła do haftowania.

– *Singe! Charlotte! J'ai faime!* – wykrzyknęła ostro i stanowczo.

Lady Silverton westchnęła, odłożyła robótkę, wzięła na ręce pekińczyka Franza, z którym się nie rozstawała, i zeszła na dół.

– Wielkie nieba, mój drogi Kapitanie Nelsonie, co cię tak zdenerwo...

Skamieniała na ostatnim stopniu.

Najwyraźniej nieszczęsna papuga nie wiedziała, jak się po francusku mówi na kota, więc posłużyła się w swoim mniemaniu wspaniałym zamiennikiem.

Charybda przyczaiła się pod huśtawką, na której siedziała papuga, i zastygła w bezruchu, machając tylko swoim grubym, giętkim ogonem, przypominającym ogon małpki. Skrzyżowała spojrzenia z Kapitanem Nelsonem, z ich oczu płynęła wzajemna antypatia, pełna jednak fascynacji. Z gardła Charybdy wydobywał się niski pomruk, a jej oczy były okrągłe jak spodki i tak zielone jak upierzenie papugi.

Papuga mówiła kotu, żeby się zamknął.

– Charlotte! *Singe*! – wrzasnęła z oburzeniem papuga, co zabrzmiało mniej więcej jak „przecież ci kazałem!"

– Wielkie nieba! Skąd się tu wzięło to stworzenie? Przecież nie mamy kota. Ale ma taką piękną wstążkę. Chodź tutaj, kici, kici…

Lady Silverton zeszła z ostatniego stopnia i kiedy stawiała stopę na marmurowej posadzce holu, Franz heroicznym wysiłkiem wyskoczył z jej ramion w powietrze i poszybował niczym fruwająca wiewiórka. To był jego pierwszy w życiu zryw wolnościowy. Wylądował na marmurowej podłodze i przez kilka sekund bezowocnie przebierał łapami w poszukiwaniu punktu oparcia, a w końcu rozpłaszczył się na posadzce. Gdy w końcu udało mu się pozbierać, z głośnym szczekaniem ruszył prosto na Charybdę.

Kot usiadł na tylnych łapach i przyglądał się z zainteresowaniem poczynaniom pekińczyka. Najwyraźniej uważał, że ma przed sobą tylko głośniejszego niż zwykle gryzonia.

Charybda pacnęła psa łapą prosto w nos, aż lśniąca jedwabista kulka potoczyła się po podłodze jak gnana silnym wiatrem.

– Och! Och! Och! – krzyknęła Charlotte, bezskutecznie próbując złapać ulubieńca.

Franz w końcu stracił impet, wyprostował się i pokuśtykał przed siebie, ale oślepiony własną poczochraną sierścią wpadł prosto na huśtawkę Kapitana Nelsona, która zaczęła się gwałtownie kołysać.

– *Merde*! – wrzasnęła papuga ze wstrętem i urazą, uniosła się w powietrze i wylądowała na ramieniu Charlotte. W tym momencie zadźwięczał dzwonek.

Lokaj, nieświadomy sytuacji, otworzył drzwi. A Charybda, która poczuła zapewne uwodzicielski zapach dzikich kotów, ruszyła do wejścia, gnana wstrętem do przebywania w zamknięciu i namiętną miłością do otwartych drzwi, po czym w mgnieniu oka wypadła na dwór i zbiegła po schodach z szybkością kuli wystrzelonej z muszkietu.

– A to co, do diabła, za licho?

W drzwiach stał Jules ubrany w strój do konnej jazdy.

– To był kot, lordzie Dryden – wyjaśniła lady Charlotte. – Chociaż moja papuga wzięła go za małpkę. Czy to nie zabawne? W kółko powtarzała „singe". Nie mamy kota, w każdym razie nic mi o tym nie wiadomo, więc nie mogę panu powiedzieć, skąd on się wziął w…

Jules rzucił tak siarczyste i obrazoburcze przekleństwo, że lady Silverton wydała głośne westchnienie, przeżegnała się i uniosła pekińczyka jak talizman.

Następnie markiz odwrócił się i wystrzelił za drzwi tak szybko jak Charybda.

– Widziałeś, w którą stronę pobiegł kot? – zapytał Jules lokaja, który stracił mowę w obliczu siły bijącej od jaśnie pana i tylko bez słowa wskazał w lewo.

Jules pobiegł w tym kierunku. Kot musiał już przebiec plac. To były szybkie i zwinne stworzenia. Mógł się wślizgnąć przez bramę do ogrodu. Mógł wskoczyć na grzbiet jakiejś szkapy jadącej do doków.

To był kot. Mógł pobiec wszędzie.

Markiz zatrzymał się i chwilę zastanowił. Bo dotychczasowy sposób myślenia nie pasował do człowieka, który podejmował decyzje i dokonywał wyborów z zegarmistrzowską precyzją. Będzie tam, gdzie go znajdzie. O ile go znajdzie.

Gdy się oddalał, słyszał cichy głos za plecami, ale nie w pełni sobie to uświadamiał. Pędził tak szybko, że powiew powietrza po jego przejściu podnosił przechodniom poły surdutów i strącał kapelusze z głów. Usłyszał stłumiony, pełen zdumienia śmiech, ale tylko raz. Wiedział, że porzucił Lisbeth i że prawdopodobnie spóźni się na spotkanie w klubie White'a z Isaiahem Redmondem. W tym momencie sprawy te straciły jednak na znaczeniu.

Co rusz zatrzymywał przechodniów i zadawał to samo pytanie:

– Czy nie widział pan kota z niebieską wstążką? Pręgowanego, z puszystą sierścią?

Nikt nie odpowiadał od razu i nie było w tym nic dziwnego. Przechodnie wpatrywali się w niego nieufnie, poruszeni emocjonalnym tonem głosu i zaskoczeni groteskowym pytaniem.

Nigdy dotąd w całym swoim życiu nie spotkał się z takimi spojrzeniami.

– Przegrał pan zakład, lordzie Dryden? – zapytał mężczyzna, który najwyraźniej go rozpoznał. Nie ulegało wątpliwości, że wykorzysta to jako pożywkę dla plotek.

Jules spojrzał spode łba, na co mężczyzna cofnął się o krok.

– Skąd mam wiedzieć, dokąd uciekł pana pieszczoszek, lordzie Dryden? – powiedział pospiesznie i odszedł.

Każdy po kolei odpowiadał przecząco na jego pytanie. Słońce chyliło się ku zachodowi, a jego bursztynowy blask spływał na budynki, ozłacając bramy z kutego żelaza, i odbijał się od okien.

Spojrzał groźnie w stronę horyzontu i przeklął słońce, odgrażając się w duchu. Był gotów zastraszyć nawet noc, by nie zapadała, dopóki nie znajdzie kota.

Ciężko oddychał, gdy w końcu dotknął ręki przysadzistego mężczyzny, który miał przewieszony przez ramię tani niebieski płaszcz.

– Czy nie widział pan kota z niebieską wstążką na szyi? Pręgowanego, o gęstej sierści?

Mężczyzna nawet nie mrugnął. Wydawał się wręcz zadowolony, że w końcu padło na niego.

– Jasne, że tak. Kąpał się w słońcu, o tam. Próbowałem zatrzymać tego małego drania, ale się nijak nie dało. Uciekł tamtędy, Wasza Lordowska Mość. Pomknął jak strzała. Będzie z pięć minut temu.

Wskazał na klatkę najbliższej kamienicy w bocznej uliczce.

– Wielkie dzięki!

Jules wycisnął pocałunek na lśniącej łysinie zaskoczonego mężczyzny i pobiegł we wskazanym kierunku, jakby ścigały go sfory piekielne albo przynajmniej pekińczyk. I nagle stanął jak wryty.

Przed nim na ulicy leżało na grzbiecie jakieś stworzenie z gęstą sierścią, a jego cztery kończyny sterczały w powietrze. Miało na szyi niebieską wstążkę.

O Boże. Serce podeszło mu do gardła. Wyglądało na to, że kot dostał się pod końskie kopyta albo koła powozu i prawdopodobnie został ogłuszony lub nawet zabity.

Żal i rozczarowanie niemal zbiły go z nóg i przyprawiły o mdłości. Chwycił się za głowę. Nie mógł znieść myśli, że będzie musiał jej powiedzieć.

Z wielką niechęcią pochylił się ostrożnie nad stworzeniem.

Kot przeciągnął się leniwie, prostując łapki jak baletnica i wystawiając ku słońcu puszysty, złotawobrązowy brzuszek. Mrugnął sennie dużymi zielonymi ślepiami, po czym zamknął je i podłożył łapę pod podbródek. Wyglądał jak pięściarz z grubym, włochatym brzuchem, którego nagle zwaliła z nóg senność.

Rozkoszny!

Chryste. Chyba jeszcze nigdy w życiu nie użył tego słowa. Być może powinien na nowo zdefiniować swój stosunek do kotów. Ten przed nim miał brzuszek jak... jak chmurka... i aż chciało się go dotknąć. A błękitna satynowa wstążka wokół jego szyi wydawała się nieodparcie wyrafinowana.

Na litość boską!

Podkradł się do kota bardzo powoli i ostrożnie, aby ustrzec się przed jego nagłym skokiem. W końcu z tego słynęły koty. Stworzenie uchyliło jedno oko i śledziło jego poczynania, ale nie wykazywało lęku, a tylko beznamiętne zaciekawienie. Być może promienie słoneczne tak je zamroczyły, że nie dawało się łatwo wystraszyć. Gruby brzuszek kota podniósł się i opadł pod wpływem głębokiego westchnienia.

Gdy podszedł do Charybdy na wyciągnięcie ręki, ukucnął powoli, ciesząc się w duchu, że kolana mu przy tym nie strzeliły i nie wybudziły kota z letargu. Bardzo powolnym ruchem wyciągnął rękę i – nie mogąc się oprzeć – poddał pokusie: delikatnie zatopił dłoń w puszystym futerku.

– Spokojnie, malutka. Może byśmy tak...

Łapy kota szybkim ruchem zacisnęły się na jego ramieniu jak pułapka na niedźwiedzie, a jego zęby wbiły się w skórę ręki. Stworzenie złowrogo nastroszyło uszy.

Jules wrzasnął jak kobieta.

Kotu najwyraźniej się to spodobało i mocniej zacisnął kleszcze, po czym kopnął tylnymi łapami jak królik.

Jules zerwał się na równe nogi. Charybda nie zwalniała uścisku, wpijając się w jego skórę wszystkimi czterema kończynami i dwudziestoma pazurami, co wywoływało absurdalnie silny ból. Kot zmrużył na Julesa swoje piękne ślepia i poprawił chwyt, wbijając się mocniej i zębami, i pazurami, jakby zamierzał pozostać w tej pozycji na dłużej.

Jego uszy były rozpostarte jak skrzydła nietoperza. Patrzył w oczy markiza z chłodnym opanowaniem.

Dopiero wtedy Jules zdał sobie sprawę, że jego krzyk ściągnął tłum dobrych samarytan, robotników w czapkach z daszkiem, ciężkich butach i fartuchach, którzy spieszyli w jego stronę, dając nadzieję, że jeszcze istnieje ratunek dla dusz londyńczyków.

Wszyscy jednak zatrzymali się w bezpiecznej odległości. I przyglądali arystokracie szamoczącemu się z kotem przyssanym do ramienia, jakby zapłacili za takie przedstawienie.

– Lepiej nie krzyczeć, panie – rzucił mężczyzna w brązowej czapce z daszkiem i brudnej lnianej koszuli – bo to go zachęca.

– Moją żonę też zachęca! – zawołał inny, ubrany w duże zniszczone buciory.

Wśród zgromadzonych wybuchły salwy śmiechu. Ludzie nadal trzymali się z dala, jakby oglądali zmagania bokserów.

Jules ciężko dyszał z powodu palącego bólu, ale zdobył się na wysiłek i wolną ręką chwycił Charybdę za kark. Jej oczy rozszerzyły się z oburzenia.

Kot w magiczny sposób oderwał jedną łapę i wykonał dziki zamach, przesuwając pazurami po brzuchu Julesa.

Tłumek wydał okrzyk podziwu.

– Pan Jackson nie dałby rady tej kici!

Przeklęte zwierzę rozdarło mu lnianą koszulę! Paliło jak diabli. Na pewno krwawił.

– Dalej, kicia, dalej! – krzyknął któryś z gapiów na zachętę.

Jules był oburzony.

– Mam innego kota. Mogę go dać, Wasza Lordowska Mość. Nie odda panu! A ten to pana pokona i w ogóle!

Ludzie zaczęli stawiać zakłady.

– Stawiam pięć na tego gościa!

– A ja na kicię!

Gapie wykrzykiwali z coraz większą energią. Oczy kota rozbłysły. Poprawił uścisk na ręce markiza, jakby miał zamiar przystąpić do walki.

– Czy... ktoś... z was... mógłby mi... pomóc? – wycedził markiz, podtrzymując wolną ręką puszysty, giętki kręgosłup kota i unosząc trochę stworzenie, bo wtedy ból był mniejszy, niż jak zwierzę bezwładnie wisiało. Puszysty ogon świsnął z impetem, uderzając go w żebra. Był bardzo miękki.

– No bo widzi pan, Wasza Lordowska Mość, nie wiemy, o co chodzi – powiedział mężczyzna w czapce.

– To... jest... ukochany kot... pewnej damy i chcę... jej... go zwrócić. Żywego. Chciałbym go odczepić od mojej... o Boże... – ze świstem wciągnął oddech – skóry. Czy to jasne?

Niebieska satynowa wstążka poluzowała się i wisiała zawadiacko jak krawat.

– Nie ma pan wyboru, co nie? Ta bestia przyssała się na dobre, co nie?

– Ten kot nie pasuje do damy, psze pana. Mam borsuka, który jest lepszy. Też mu można zawiązać wstążkę.

Domorosła trupa komediowa wywołała kolejny falę wesołego śmiechu.

– Wprost przeciwnie – powiedział ponuro Jules. – Pasuje idealnie. Dam funta każdemu, kto mi pomoże uwolnić się od tej bestii, nie robiąc jej krzywdy.

Obietnica pieniędzy nadała sprawie poważniejszy obrót. Wywiązała się krótka dyskusja dotycząca strategii działania i wysokości oferowanej kwoty. Charybda nie opierała się, kiedy trzej mężczyźni oderwali delikatnie jej pazurki od ramienia Julesa. A gdy jeden z nich wyjął śledzia z zawiniątka z jedzeniem, udało się w końcu przekonać ją, aby chwyciła zębami rybę zamiast ręki markiza. Ryba okazała się zgubą już dla wielu zdeterminowanych kotów.

Markiz, z krwawiącymi punktowymi ranami rozsianymi po ręce, trzymał teraz wierącego się, puszystego i nadzwyczaj silnego kota na rękach jak nowo narodzone jagnię – stanowczym chwytem, ale nie ściskając go za mocno. Kończyny Charybdy bezskutecznie waliły powietrze poniżej skrzyżowanych ramiona markiza, którego ciało znajdowało się w końcu poza zasięgiem kociej szczęki.

W końcu Charybda pogodziła się z losem, umościła mniej lub bardziej wygodnie w ramionach markiza i przestała się miotać. Przypadkowy przechodzień mógłby pomyśleć, że patrzy na zadowolone kocisko. Tyle tylko że co jakiś czas z jej pyska wydobywało się nieziemskie, pełne złości wycie, jakby dobiegające gdzieś z czeluści jej ciała.

Na ten dźwięk mężczyźni, którzy mu pomogli, przeżegnali się i odsunęli z niepokojem. Jeden z nich powiedział:

– Niech pan weźmie te banknoty i powodzenia. Ta młoda dama to chyba mieszka w Hadesie, żeby trzymać takiego demona z kokardką. Mam jeszcze nadzieję na zbawienie, więc nie wezmę tych pieniędzy.

Ukłonił się, odwrócił na pięcie i odszedł w swoich wielkich buciorach tak szybko, jak tylko potrafił na krótkich nóżkach.

Pozostali jednak chętnie wyciągnęli ręce po banknoty. Jules wydał całą gotówkę, jaką miał przy sobie, nie mógł więc wziąć powozu ani do klubu White'a, ani w jakiekolwiek inne miejsce.

Markiz Dryden nie miał więc wyboru i musiał ruszyć pieszo do klubu, trzymając w ramionach wyjącego od czasu do czasu kota.

24

Kiedy to się stało?

Nogi odmówiły Phoebe posłuszeństwa. Osunęła się na szezlong w salonie i patrzyła niewidzącym wzrokiem w przestrzeń. Właśnie wróciła z zapierającej dech w piersiach przejażdżki po Hyde Parku w piękny słoneczny dzień, aby przeżyć... koniec świata, w każdym razie takiego, jaki znała.

Charybda uciekła.

– Przed jakąś godziną. Dokuczała papudze, a potem wypadła na dwór.

Lady Charlotte, po przekazaniu tej wiadomości, oddaliła się z pokoju, trzymając pod pachą psa.

– Na pewno któraś ze służących musiała zostawić otwarte drzwi do pokoju. Zwolnimy je wszystkie – zapewniła lady Marie Phoebe.

Dobry Boże.

– To nie rozwiąże problemu – powiedziała tępo Phoebe.

– Ale może być zabawne – zasugerowała siostrze lady Antoinette. – Na pewno na pozostałe pokojówki padnie blady strach.

Phoebe podniosła na nią zdumione spojrzenie, nie mając pewności, czy tamta rzeczywiście żartuje.

– Kupisz sobie nowego kota.

Marie poklepała ją pocieszająco po kolanie.

Phoebe powoli odwróciła do niej głowę i spojrzała z niedowierzaniem. To było koszmarne przeżycie, jakby została obnażona przed tymi ludźmi. Ludźmi, którzy myśleli, że kot jest jak futerko i można go zastąpić innym na zawołanie.

Dłonie miała zimne jak lód, a żołądek ściśnięty z żalu.

– Muszę iść go poszukać.

Wstała z szezlonga. Usiadła. Znowu wstała.

Wyobrażała sobie, że jest bardzo silna, a teraz miała miękkie kolana i bała się jak dziecko. Kto mógł wiedzieć, że tylko kot ratował ją przed popadnięciem w skrajną rozpacz?

– Przecież mógł pobiec wszędzie – powiedziała uspokajająco Marie.

– Na pewno jesteś pomocna na pogrzebach, Marie – stwierdziła uszczypliwie Phoebe.

Antoinette spojrzała na siostrę i zmarszczyła lekko brwi, po czym wzruszyła ramionami. Nie miały pojęcia, co zrobić w tej sytuacji. Nie odpowiadał im ten nagły ponury akord przerywający pasmo wesołości.

Do pokoju weszła Lisbeth i stanęła jak wryta, jakby poczuła smród. W salonie panowała pogrzebowa atmosfera.

– Co się stało, na Boga?

– Kot Phoebe wyszedł z domu – wyjaśniła Marie.

Phoebe poderwała głowę.

– Wyszedł! Na litość boską, przecież nie zamówił powozu na Drury Lane. Wygląda na to, że uciekł z mojego pokoju i wypadł na dwór przez frontowe drzwi.

Ach, gdy to mówiła, uświadomiła sobie prawdę. W baśniach i mitach wymaga się od bohaterów strasznego poświęcenia, jeśli pragną rzeczy zakazanych, znajdujących się poza ich zasięgiem. Proszę, tylko nie Charybda. Proszę, proszę, proszę.

– Ktoś musiał zostawić otwarte drzwi od twojego pokoju – powiedziała łagodnie Lisbeth, szukając nerwowo wzrokiem lustrzanej powierzchni, aby ocenić swoje odbicie. – Pokojówka, prawdopodobnie.

Phoebe powoli podniosła na nią wzrok.

I wszystko stało się jasne.

Lisbeth odwróciła głowę w stronę Phoebe, jakby przyciągana w nieunikniony sposób jej wzrokiem.

Mierzyły się spojrzeniami przez tak długą chwilę, że siostry Silverton zaczęły się niespokojnie kręcić.

Przecież masz wszystko, pomyślała Phoebe. I mimo to czujesz się tak bezsilna, że musiałaś uciec się do podstępu, by mnie pokonać. Musiałaś zabrać mi kota. Jules i tak będzie w końcu twój.

– Mam nadzieję, że ktoś znajdzie twojego kota – powiedziała wreszcie Lisbeth bardzo uprzejmie, patrząc w skupieniu.

– Ty wygrasz – stwierdziła Phoebe i nawet nie mrugnęła okiem.

Lisbeth zbladła i spuściła wzrok, co było dla Phoebe pewnym zadośćuczynieniem.

Skoro nic innego nie mogła zrobić, to chciała chociaż, żeby Lisbeth była niespokojna, śpiąc z nią pod jednym dachem.

Lisbeth odchrząknęła.

– Jules się spóźnia. Miał mnie wziąć na przejażdżkę. Mam nadzieję, że nic mu się nie przytrafiło.

Jules, Jules, Jules, Jules. Lisbeth uwielbiała wypowiadać jego imię.

Mów jego imię, ile chcesz. Wyjdź za niego. Nigdy nie będzie naprawdę twój. I nawet nie będziesz tego wiedziała.

A może będziesz.

Lady Silverton po raz drugi weszła do pokoju, trzymając na ręku Franza. Wydawał się szczęśliwy, że wrócił na dawne, bezpieczne miejsce w ramionach swojej pani. Rozległy i zdradziecki marmurowy ocean zdecydowanie mu nie odpowiadał.

– Och, droga panno Redmond, widzę, że jest pani ubrana w strój do konnej jazdy. Zapomniałam pani powiedzieć, że markiz był tu przez chwilę, ale wybiegł na dwór, jakby się paliło. Czy on się przypadkiem nie boi psów? Bo obawiam się, że Franz go wystraszył swoim szczekaniem. Od razu się odwrócił i wybiegł.

– Wygląda na to, że wszyscy uciekają dziś z tego domu – zaświergotała lady Marie.

Dwadzieścia minut później Jules przybył do klubu White'a. Napotykani po drodze ludzie uciekali w popłochu na drugą stronę ulicy. Charybda uciszyła się dopiero, kiedy weszli do klubu. Jej wycie ucichło jak nożem uciął, a markiz spojrzał na nią zdziwiony, aby się upewnić, czy przypadkiem nie wyzionęła ducha od napadu złego humoru.

Ale nic z tych rzeczy. Kot rozglądał się z ciekawością, otwierając szeroko duże, inteligentne zielone oczy. Sprawiał wrażenie przyszłego członka klubu, który uznał to miejsce za godne uwagi.

Jules minął bez słowa lokaja, który wyciągnął ręce po jego płaszcz i kapelusz, po czym cofnął je szybko zaszokowany i wytrzeszczył oczy, gdy zobaczył kota na ręku markiza.

Gdy przemierzał klubowe pomieszczenie, kot zawadiacko wymachiwał grubym ogonem, oczyszczając powietrze z wszechobecnego dymu.

W pewnej chwili smagnął ogonem Waterburna, który akurat przechodził obok.

– A co to, u diabła…

Jasnowłosy olbrzym obrócił się na pięcie, gotowy wyzwać kogoś na pojedynek, i szeroko otworzył oczy.

– Ładna sztuka – odezwał się do markiza swoim zwykłym tonem wyrażającym podziw z pewną dozą niechęci. – Ile za niego dałeś?

– Zdziwisz się, Waterburn, ale można dostać coś takiego zupełnie za darmo. Może go pogłaskasz?

Waterburn wyciągnął rękę.

– Miau... ooouwrrrr!

Złożone z kilku sylab operowe miauknięcie mogło zmrozić krew w żyłach. Jak warczenie głodnej, rozzłoszczonej, przyczajonej na drzewie pantery, gotującej się do skoku na niczego się niespodziewających ludzi.

Pułkownik Kefauver wyprostował się w fotelu jak oparzony i wybałuszył oczy.

– Przynieś mi pędem rusznicę, Haji! – zawołał. – Przeklęty tygrys pożarł wieśniaków! Damy mu po...

Mrugnął kilka razy, po czym osunął się w fotelu i na powrót zatopił w objęciach Morfeusza.

Wszyscy w klubie zamarli w pół ruchu. Z opuszczonymi gazetami, z kieliszkami wzniesionymi w pół drogi do ust. Wydawało się, że nawet para unosząca się z filiżanek zastygła w powietrzu.

Jules wcale by się nie zdziwił, gdyby później okazało się, że któryś z obecnych dżentelmenów zmoczył się w spodnie.

Oczy wszystkich zgromadzonych spoczęły na markizie i jego kocie.

Tymczasem Dryden ze spokojem minął skamieniałego Waterburna i podszedł do siedzącego nieopodal Isaiaha Redmonda, który zamarł tak samo jak pozostali mężczyźni obecni w sali.

Jules poczuł piekący ból w miejscach skaleczeń. Cholerny kot.

W ciszy, która zawisła w pomieszczeniu, głos markiza brzmiał tak donośnie, jakby wygłaszał przemowę.

– Redmond, przyjmij moje najgłębsze i szczere przeprosiny, ale obawiam się, że muszę przełożyć nasze spotkanie. Mam pilną sprawę do załatwienia.

Wskazał na kota, jakby to było wystarczające wytłumaczenie.

– Z pewnością – powiedział Redmond po chwili jak gdyby do kota, gdyż jego oczy znajdowały się na poziomie zwierzęcia, którego zielone ślepia były tak zniewalające jak spojrzenie Isaiaha.

Markiz czuł powiew powietrza od ogona wędrującego niestrudzenie w tę i z powrotem. Uderzał w jego żebra tak, jakby ktoś smagał go kijem.

Redmond podniósł badawcze spojrzenie na Julesa. Zmarszczył nieznacznie brwi. Jednak Jules był pewien, że jego wyraz twarzy jest równie wyniosły i nieprzenikniony jak zwykle. A może nawet bardziej. Spojrzenie Julesa miało zniechęcić do zadawania kłopotliwych pytań, których nie życzył sobie nawet ze strony takich ludzi jak Isaiah Redmond. I przekonać, że wszystko, co robi, jest wiarygodne i nie podlega najmniejszym wątpliwościom, co więcej, należy uznać jego poczynania za całkowicie normalne i nie podważać ich sensu i celowości.

I choć ostatnio jego wizerunek został poważnie nadszarpnięty, nadal był w stanie zdobyć się przynajmniej na spojrzenie.

Jules ukłonił się, a kot razem z nim.

Zanim wyszedł, zrobił jeszcze jedną rzecz odbiegającą od rutynowego zachowania. Po raz pierwszy zatrzymał się przy księgach zakładów, nie zważając, że obecni zgodnie śledzą każdy jego ruch. Wsadził kota pod ramię i odwracał kartki.

Już pierwszy, zupełnie nieoczekiwany, wpis przykuł jego uwagę.

Lord Landsdowne zakłada się z lordem Callowayem o pięćset funtów, że przed końcem roku panna Olivia Eversea zostanie jego żoną.

Tylko głupcy albo masochiści mogą się zakładać o cokolwiek, co dotyczy Olivii Eversea. Wpis był nowy, z wczorajszą datą i nigdy wcześniej nie pojawił się zakład dotyczący Olivii.

Przewrócił kartkę, kierując się intuicją, dzięki której udawało mu się zwykle wygrywać tysiące funtów. Tylko że tym razem wolałby, aby przeczucia się nie sprawdziły.

Ujrzał zakłady następującej treści:

Lord Waterburn zakłada się z sir d'Andre'em o dwieście funtów, że M.V. uzyska przezwisko przed upływem dwóch tygodni.

Sir d'Andre zakłada się z lordem Waterburnem o pięćset funtów, że M.V otrzyma bukiety orchidei przed upływem dwóch tygodni.

Lord Waterburn zakłada się z sir d'Andre'em o dwa tysiące funtów, że przed upływem dwóch tygodni odbędzie się pojedynek z powodu M.V.

Pierwsze dwa zakłady zostały już odhaczone jako załatwione. M.V.?

O Boże.

Chodziło o pannę Vale.

Jej sukces wynikał tylko i wyłącznie z kaprysu arystokratów. Stała się rozrywką dla dwóch znudzonych paniczyków, którzy wykorzystali jej tęsknotę za pięknem i potrzebę, by gdzieś należeć. Waterburn zastosował z wielkim powodzeniem strategię znaną z *Nowych szat cesarza* – stała się sensacją, ponieważ sam wyznaczył jej taką rolę.

Gdyby ten podstęp kiedykolwiek został ujawniony, londyńska socjeta nie przyjęłaby ze spokojem takiego upokorzenia.

„Nigdy bym na to nie wpadł, gdyby nie ty", powiedział do niego Waterburn na balu u Redmondów.

I to była jego wina. Każdy krok owianego domniemaną tajemnicą markiza Drydena był pilnie śledzony, a ponieważ w chwili słabości rzucił światło na Phoebe, dostrzegli również ją. Przecież podsłuchał strzępy rozmowy, gdy wrócił do Londynu. Jak to było? Dyskutowano w klubie o jakiejś sprawie, o orchideach, o dowodzie... O co im chodziło?

„Zapytamy dziewczęta".

Jules zamknął na chwilę oczy. Zatem siostry Silverton również są w to zamieszane. Według wszelkiego prawdopodobieństwa zaprosiły ją do Londynu tylko po to, by zabawić się jej kosztem.

Stał bez ruchu w oniemiałym klubie, poruszony do głębi mimowolnym okrucieństwem tych drobnych zakładów, a koci ogon chłostał go po żebrach.

W końcu odwrócił się powoli i przygwoździł Waterburna i d'Andre'a spojrzeniem tak bezkompromisowo ponurym i badawczym, że mogłyby od niego uschnąć ostatnie liście na okolicznych drzewach.

Kot przeszywał ich na wylot zielonymi ślepiami.

– Ciekawe zakłady, Waterburn. – Jego głos zadźwięczał w pokoju.

Waterburn poruszył się niespokojnie. Ale jakimś cudem udało mu się ściągnąć jasne brwi z udawaną niewinnością.

– Sam wiesz, że nie lubię nudnych zakładów.

Julesa pocieszała jedynie myśl, że perspektywa pojedynku była całkowicie absurdalna. Wysoko urodzeni często kierowali się owczym pędem, ale nie mieściło mu się w głowie, aby nawet ktoś bardzo popędliwy – czy do cna znudzony – narażał się na śmierć z powodu Phoebe Vale. I to jeszcze w ciągu dwóch tygodni.

Ale z pewnością byłaby skończona, gdyby do takiego pojedynku jednak doszło.

Tyle tylko że wybiera się do Afryki.

Wbił w Waterburna wzrok, w którym kryła się niejasna groźba. Nie ważył się wypowiedzieć jej na głos, ale chciał, żeby to spojrzenie przeszyło Waterburna do szpiku kości. A potem zobaczył w wyobraźni jaśniejącą z radości twarz Phoebe i przypomniał sobie jej śmiech. Wypowiedział w duchu modlitwę, chociaż nie miał zwyczaju się modlić:

Oby nigdy nie dowiedziała się o tych zakładach.

Następnie obrócił się na pięcie i wyszedł z klubu, lawirując między zamarłymi jak posągi arystokratami. A kot pod jego ramieniem niestrudzenie wymachiwał w tę i z powrotem grubym, puszystym ogonem.

Smagnął dłoń lokaja, który niósł tacę z porto.

– O! Jaki miękki! – zawołał służący i się uśmiechnął.

Po wyjściu markiza po sali rozszedł się cichy szmer, który z wolna przerodził się w zgiełk.

Waterburn zgiął się wpół i przyciągnął krzesło do stolika, przy którym siedział d'Andre. Obrócił je i usiadł okrakiem, kładąc ręce na oparciu.

– Po co ta niebieska wstążka? Masz jakiś pomysł?

– Może to ma związek z jego herbem? Może jest na nim niebieski kolor?

– A może to jakieś przesłanie na temat wierności? Przecież niebieski symbolizuje wierność.

– A po co w ogóle sprawił sobie kota?

Jeszcze długo rozmawiano w klubie na temat markiza z ożywieniem, z jakim konspiratorzy planują spisek przeciwko Koronie.

25

Nie mógł wrócić pieszo do swojego domu – mimo że z klubu było do niego bliżej niż do Silvertonów – i nie mógł również, z powodu Lisbeth, którą porzucił, by ruszyć w szalony pościg za kotem, udać się do tych ostatnich, chociaż zostawił tam konia. Pozostawało mu jedynie wynająć dorożkę i wydać odpowiednie polecenie woźnicy.

Chciał być sam z Phoebe, kiedy odda jej kota. Nic więcej nie miało w tej chwili znaczenia. I nie potrafił opanować niecierpliwości, ponieważ każdym koniuszkiem nerwów czuł, że Phoebe cierpi, i miał wrażenie, że jest to również jego cierpienie.

Spokojnie zniósł przeciągłe, rozbawione i bezczelne spojrzenie, którym obrzucił go woźnica z wysokości swojego siedziska.

– Płacę pięć funtów za dwa kursy. Zapłacę ci, kiedy dotrzemy do mojego domu.

Woźnica obrzucił markiza spojrzeniem od stóp do głów. Przejechał wzrokiem po kocie, butach do konnej jazdy, płaszczu, nie omijając żadnego guzika, i w końcu zatrzymał go znowu na kocie... ale stracił rezon, gdy ujrzał wyraz twarzy arystokraty.

Mężczyzna poruszył się niespokojnie na siedzisku, a jego uśmiech od razu zgasł.

– Do usług, panie. Tylko żeby ta bestia się nie zsikała w dorożce.

O Boże. Jules nawet nie wziął pod uwagę, że kot musi robić siusiu.

– Założę się o moją głowę, że nie takie rzeczy widziała ta powózka.

Po piętnastu minutach jazdy, podczas której Charybda zdawała się spać w jego ramionach, wbiegł w końcu po schodach do swojego domu.

W drzwiach powitał go Marquardt, który widział przez okno, że pod dom zajechał sfatygowany powóz, z którego wysiadł markiz.

Jules wsunął senną Charybdę pod ramię jak paczkę. Marquardt pobiegł wzrokiem za tym ruchem, jakby jego głowa była przywiązana do kota sznurkiem, i nie krył zdumienia przemieszanego z fascynacją.

Jules od razu wydał polecenia.

– Niech woźnica jedzie zaraz do domu Silvertonów na St. James Square. Niech przekaże pannie Vale, żeby niezwłocznie przybyła. Mam jej kota.

– Czy dać mu również liścik z żądaniem okupu, sir? Czy pan go sam napisze, czy może wyciąć literki z gazety i przykleić je na kawałek papieru?

– Ile ci płacę za to, żebyś myślał, Marquardt?

– O wiele za mało, milordzie.

– Tylko dopilnuj, żeby się pospieszył. I niech to przekaże osobiście pannie Vale. Bez pośredników.

– A jeśli ona ma dość rozumu, żeby nie wsiadać do pojazdu bez znaku herbowego? Albo nie będzie jej w domu?

– Ach. I za to ci płacę, Marquardt. Ma jej powiedzieć... ma jej powiedzieć...

Nie mógł wysłać po nią do Silvertonów własnego powozu ani wiadomości z herbową pieczęcią napisanej jego charakterem pisma, tym bardziej że przebywała tam Lisbeth, którą tak haniebnie porzucił.

– Niech powie pannie Vale... że kiedy zobaczy Charybdę, to głęboko się zastanowi, zanim zechce rzucić we mnie kasetką do cygar.

Marquardt wysłuchał go życzliwie i kilka razy skinął głową. Najwyraźniej przetrawiał w myślach sens tych słów.

– Czy nie wypił pan przypadkiem za dużo u White'a, milordzie? – zapytał w końcu ostrożnie i ze współczuciem.

– Nie, Marquardt – odparł markiz poirytowany. – Ale chciałbym, żeby tak było. Dopilnuj, żeby przekazano jej tę wiadomość. Zrozumie. I pospiesz się.

– A jeśli jej nie będzie?

Charybda poderwała się i zaniepokojona nowym otoczeniem, wydała niski pomruk.

Nawet Marquardt zamrugał i zbladł.

– Módl się, żeby była.

Przez całą drogę na St. James Square, a trwało to kwadrans, woźnica powtarzał sobie zaszyfrowaną wiadomość. I przekazał ją osobiście pannie Vale. Poczuł się jednak obrażony, bo zanim przyprowadzono adresatkę, musiał odbyć negocjacje z ubranym w liberię głąbem. A czas to pieniądz, kiedy się jeździ dorożką. Na jego nieszczęście razem z nią pojawiły się na orbicie jej dwa księżyce, urocze i zdumiewająco czyste identyczne kobiety, z którymi nadciągnęła jeszcze trzecia, piękna jak obrazek.

I wcale nie zamierzały odejść.

To był jeden z najdziwniejszych dni w życiu woźnicy, a biorąc pod uwagę, że znajdowali się w Londynie, słowa te miały swoją wagę.

– Mam przekazać wiadomość tylko pannie Vale – zaczął.

– To ja jestem panną Vale! – zawołały unisono siostry Silverton i zachichotały.

– To ja jestem panną Vale – powiedziała zdecydowanie Phoebe, przybierając nauczycielski ton.

Woźnica doszedł do wniosku, że pięć funtów to za mała zapłata za takie nonsensy. I przekazał wiadomość Phoebe, bo wydawała się najpoważniejsza z całej czwórki.

– Mam panią zawieźć do kota. Coś tam gadali o rzucaniu w głowę jakąś kasetką – powiedział pospiesznie, niedokładnie powtarzając wiadomość, po czym czekał na reakcję.

– Ooooch, jakie to ekscytujące! – Marie i Antoinette klasnęły w dłonie i podskoczyły na palcach. – Czy to jakaś zabawa twojego wielbiciela? Czy ktoś porwał malutką Charybdę? Czy powinnaś się martwić...

Phoebe wypadła na dwór jak pocisk, zbiegła po schodach, trzymając spódnicę. Dała susa z pierwszego stopnia do czekającej dorożki i zatrzasnęła za sobą drzwi. Woźnica pobiegł za nią, wdrapał się na siedzisko i trzasnął lejcami ponad grzbietami koni.

A siostry Silverton i Lisbeth zastygły z otwartymi buziami w drzwiach.

Drzwi otworzyły się przed nią, nim zdążyła podnieść imponującą mosiężną kołatkę. Ukazał się w nich niski, przeciętny i prawie łysy mężczyzna w nieokreślonym wieku, ubrany w strój w dwóch kolorach: czarnym i białym. Mogłaby się założyć, że konsternacja widoczna teraz na jego twarzy nigdy z niej nie znikała.

– Powiedział... że ma... mojego... kota.

– Ach – odezwał się słodziutko mężczyzna. – Pani musi być panną Vale.

Odsunął się na bok i pokazał, żeby weszła.

Zmierzył ją z góry na dół. Ściągnął lekko brwi, ale wyraz jego ust się nie zmienił. Odchrząknął.

– Pan markiz polecił, żebym... skierował panią na górę – powiedział z wypracowaną obojętnością, nie zmieniając wyrazu twarzy, ale mimo to wymknęła się drobna nuta wahania. Najwyraźniej nie pasowała do wizerunku kobiet, które zwykle „kierował na górę". Pomyśli o tym później. – Zechce pani zanieść to markizowi, panno Vale? Na piętrze proszę skręcić na lewo. Zresztą trudno nie usłyszeć nieziemskiego wycia tego stworzenia. – Podał jej białą szmatkę i słoik ze starannie przyklejoną etykietą, na której widniało koślawe pismo należące bez wątpienia do czyjejś gospodyni. – To maść z dziurawca.

O rety. Charybda musiała zostawić ślady.

Charybda, która wcześniej rozpoznała jej kroki, wybiegła na spotkanie, a markiz ruszył za nią. Kiedy zobaczył Phoebe, zatrzymał się tak gwałtownie, że niewiele brakowało, a spadłby ze schodów.

Ona za to nawet na niego nie spojrzała. Złapała kota, podniosła go i otoczyła ramionami, ściskając tak mocno, jakby to stworzenie trzymało ją przy życiu. Przytuliła policzek do jego sierści. A ten przeklęty stwór wydawał z siebie zadowolone pomruki i wcale nie chciał przestać. Były ogłuszające, gdyż to zwierzę niczego nie robiło połowicznie. Mruczało z takim samym zapamiętaniem, jak zawodziło.

Jules mógłby patrzeć na Phoebe bez końca. Łapczywie upajał się widokiem jej zamkniętych oczu i twarzy rozpromienionej radością i poczuciem ulgi. W tym momencie wydawało mu się, że dokonał najważniejszej rzeczy w swoim życiu i że niczego więcej mu nie trzeba. Zrobiłem to. Sprawiłem, że jest szczęśliwa. Zniósłby nawet kolejny atak kocich pazurów, aby tylko zobaczyć ten wyraz jej twarzy.

– Dziękuję ci – powiedziała cicho, z ustami przyciśniętymi do futerka Charybdy. Ale do tej pory jeszcze na niego nie spojrzała. – Dziękuję, dziękuję, dziękuję.

Głos uwiązł mu w gardle.

W końcu podniosła wzrok i otworzyła zielone oczy. I zanim zdążył pomyśleć, co robi, wyciągnął rękę i wytarł kciukiem łzę, która błyszczała w kąciku jej oka.

A potem spojrzał na swój kciuk i wytarł łzę o skórę, tak jakby można było w ten prosty sposób wymazać jej smutek i krzywdę. Tak jakby chciał wziąć na siebie każde jej cierpienie.

Zamknęła oczy zawstydzona.

Przez jakiś czas jedynym dźwiękiem było absurdalnie głośne mruczenie kota.

Phoebe odchrząknęła.

– Czy bardzo ucierpiałeś? – zapytała miękko. Nieufnie. Jakby chciała mu przypomnieć, że przy ostatnim spotkaniu pokłócili się w gniewie i rozstali bez postanowień. – Twój służący dał mi po drodze maść z dziurawca.

– Mhm... A wiesz – zagadnął – że otrzymałem kiedyś cios bagnetem? Ale ten francuski żołnierz nie kłuł mnie nim bez końca. To zwierzę jest opętane. Powinienem zawiadomić arcybiskupa. Na pewno zna jakiegoś egzorcystę.

Nie roześmiała się, choć miała na to ochotę.

– Nie tyle opętane, ile wyposażone w małe ząbki i pazurki.

Na potwierdzenie tych słów podniosła włochatą łapę kota. I Charybda jej na to pozwoliła, jak gdyby była pluszowym misiem, a nie groźnym drapieżnikiem ukrytym pod postacią słodkiego kotka.

– Ta bestia ma niedopasowane imię. Powinna nosić imię jakiegoś stwora ze szponami. Smoka albo feniksa. Albo jeszcze lepiej Minotaura. Tak bym ją nazwał. Minotaur.

Roześmiała się, odwróciła puszysty kłębek w swoją stronę i pocałowała pomarańczowy nosek, a markiz przyglądał się tej scenie z niedowierzaniem. Następnie Phoebe postawiła stworzenie na podłodze. A Charybda okręciła się giętkim włochatym ciałem, nie wyłączając ogona, wokół łydki markiza. I wpatrywała się w niego krystalicznym wzrokiem.

– Chce uśpić moją czujność przed kolejną napaścią.

– Zaczynasz mówić jak nieszczęsny pułkownik Kefauver.

Zamrugał.

– A skąd ty, do diabła, wiesz o pułkowniku…

– Och, wszyscy mężczyźni o nim gadają. Waterburn i d'Andre, i inni.

Zapadła cisza.

– Wszyscy mężczyźni – powiedział ponuro, przeciągając słowa.

Wzruszyła beztrosko ramieniem.

Po chwili wahania Jules zdecydował się postawić pytanie. Po prostu musiał wiedzieć.

– Phoebe, czy… nie dostałaś dziś przypadkiem orchidei?

Chociaż była zdziwiona, jej twarz znowu rozpromieniła się radością.

– Tak, istotnie. A oprócz nich bukiecik szałwii.

Które kwiaty bardziej ci się podobały? – zapragnął spytać.

Mierzyli się wzrokiem, a powietrze drgało od niewypowiedzianych słów.

Nie był w stanie powiedzieć jej o zakładach. W tym stanie ducha mogłaby mu nawet nie uwierzyć. Nie chciał być posłańcem przynoszącym złe wieści. Nie zniósłby tego. Nie potrafił zdecydować, czy jego milczenie jest przejawem tchórzostwa, czy altruizmu.

251

Z pewnością wynikało jednak z samolubstwa. Bo jej radość była jego radością.

– Pogłaskaj ją. Lubi, jak się ją głaska po grzbiecie. I drapie po głowie.

– To stworzenie zadało mi dotkliwe rany, a teraz spodziewa się przebaczenia?

– Nie ona jedna zadaje dotkliwe rany, a potem spodziewa się przebaczenia.

Słowa przecięły ciszę jak ostrze siekiery.

W milczeniu mierzyli się wzrokiem. Phoebe ze spokojem. A markiz jakby nieufnie.

– Czy to znowu jakaś głęboka myśl, panno Vale? Dajesz mi kolejną lekcję? Domyślam się, że to była aluzja, ale ja krwawię – powiedział w końcu z wielkim, ale udawanym przekonaniem o własnej wyższości.

Uniosła brew.

– Och, tylko nie używaj takich sztuczek... – westchnął, po czym pochylił się i posłusznie podrapał Charybdę po czubku głowy. Kot zaczął znowu zajadle mruczeć i wykręcał głowę, żeby Jules podrapał go także pod brodą. Markiz nie krył oburzenia. – Szalona i kapryśna bestia – powiedział śpiewnie, nie przestając głaskać.

Po chwili wyprostował się, a Charybda, po zaspokojeniu swojej potrzeby pieszczot, wślizgnęła się pod łóżko.

Milczeli. Ponieważ temat zastępczy zniknął z pola widzenia, markiz zastanawiał się, co jeszcze można powiedzieć.

– Czy to bardzo bolało? Jak cię zraniono bagnetem?

Oboje wiedzieli, że to głupie pytanie. Ale kiedy spojrzał w jej oczy, wiedział, że Phoebe chce wyleczyć jego rany, że czuje to samo co on. I cierpi na samą myśl, że on może cierpieć.

– Bolało – odpowiedział po prostu. – Przez jakiś czas. A potem się zagoiło.

Phoebe zbladła. Zacisnęła usta, głośno wciągnęła powietrze.

– Chcesz zobaczyć bliznę? – zaproponował.

Powstrzymała uśmiech.

– Na pewno wypróbowałeś to zdanie na niezliczonych kobietach.

– Nie były niezliczone. Potrafię je wymienić.

Teraz już uśmiechała się bez zahamowań.

– Strasznie, strasznie mi przykro, że Charybda cię zraniła. Ale nie potrafię nawet wyrazić, jak bardzo jestem ci wdzięczna.

Skinął tylko głową.

I wtedy zadała najbardziej kłopotliwe pytanie, jakie mogła zadać.

– Jak ją znalazłeś?

Otworzył usta, ale nic nie powiedział. Szukał właściwych słów.

– Ta mała szelma kąpała się w promieniach słońca w pewnym zaułku. Leżała na grzbiecie.

Powiedział to szorstkim tonem, odwracając się od niej w stronę okna, za którym zachodzące słońce rzucało ostatni złocisty blask.

I rozpalało czerwone iskierki w jej włosach.

Po tych słowach już wszystko wiedziała: wypadł na dwór, żeby szukać jej kota. Porzucił Lisbeth i naraził na szwank swoje dobre imię... dla niej. Kolejny raz.

Wprowadzała zamęt w jego życie.

Odwrócił się z powrotem do niej. Jego twarz wydawała się nieodgadniona, tylko na czole rysowały się dwie delikatne zmarszczki. Spojrzał na nią zakłopotany, z błaganiem w oczach. Ocal mnie przede mną samym.

– Jules – wyszeptała jego imię jak dziękczynną modlitwę. I niewiele myśląc, położyła dłoń na jego policzku.

Przypomniała sobie, jak pierwszy raz zwróciła uwagę na to fascynujące połączenie wgłębienia i wypukłości. Jeszcze go w to miejsce nie pocałowała. Wtedy nie był dla niej człowiekiem z krwi i kości, ale zlepkiem informacji zaczerpniętych z rubryk towarzyskich. Kiedy pocałował ją podczas ich walca, poznała chłodny dotyk jego policzka oraz drapanie drobnego zarostu.

Niepewnie, jakby na próbę, odwrócił twarz i ukrył ją w dłoni Phoebe. Następnie położył rękę na jej dłoni. A potem z jego ust wymknęło się westchnienie.

Patrzyła na to jak zahipnotyzowana. Jego szerokie ramiona uniosły się i opadły, kiedy w jednej chwili złożył na jej barki cały ciężar i poddał się jej czułemu dotykowi. Byli jak dwoje ludzi, którzy nie przywykli do przyjmowania gestów pocieszenia i dawania wsparcia drugiej osobie. Phoebe była pełna lęku, że mogą kiedyś odnaleźć to w sobie.

Jules zamknął oczy.

Skorzystała z okazji, aby zapamiętać szczegóły jego wyglądu. Wyraziste, ciemne łuki brwi. Rzęsy rzucające cień na policzki. Ledwo widoczna biała linia blizny tuż nad szczęką.

Ta chwila nieskrywanej czułości była dla nich obojga o wiele bardziej niebezpieczna niż namiętność. Jej serce wezbrało uczuciem. Zapragnęła się otworzyć i oddać jemu. Z konieczności trzymała je na uwięzi. Nie był osobą, której mogła bez obaw powierzyć swoje serce.

– Jesteś… skończonym idiotą – szepnęła.

Gwałtownie, ze zdziwieniem rozwarł powieki, po czym zmrużył oczy.

– Przeżyjesz, jeśli posmaruję twoje rany maścią z dziurawca – powiedziała z udawanym ożywieniem.

Wpatrywał się w jej twarz. Wychwycił zmianę tonu. Zacisnął szczęki.

– Doskonale.

Z zaskakującą werwą rozpiął guziki koszuli i zsunął ją z ramion, po czym cisnął na łóżko w taki sposób, jakby rzucał jej rękawicę.

Och, zachwyciła się w duchu.

To było jak silny cios. Wstrzymała oddech. W głowie jej zawirowało, a gorąca fala słabości ogarnęła kończyny. Kolana miała miękkie jak z waty. Całe szczęście, że długa spódnica znakomicie maskowała to chwilowe osłabienie.

– Zbyt nagle? – spytał prowokacyjnie.

Przeczesał włosy rękoma, odgarniając je z czoła. Przyglądała się grze mięśni doskonale rysujących się pod jasną skórą, tej zapierającej dech w piersi poezji ciała. Smuga ciemnych włosów biegła środkiem klatki piersiowej i znikała kusząco za paskiem spodni, domagając się języka, który podążyłby jej tropem. Wyrazista pochyłość ramion, każde ich zagłębienie i wypukłość, wydawała się stworzona dla czyjejś dłoni.

Siniak na czole był jeszcze widoczny. Połowa przybrała zielonkawy odcień, podczas gdy reszta pozostała fioletowa.

– Kuszenie mnie to robota diabła. Nie twoja – powiedziała cienkim głosem, ale mimo to cierpko.

– A różnica między diabłem a mną to...?

– Nie potrafię jej dostrzec. – Otworzyła słoik z maścią i włożyła do niego palce. – Pokaż mi, gdzie cię boli.

Zdobyła się na zuchwałość, chociaż nie była pewna, czy po dotknięciu jego ciała nie podda się całkowicie.

Teraz to on wyglądał na zakłopotanego. Przyjęła rzuconą rękawicę.

W końcu wyciągnął niepewnie rękę jak mały chłopiec. Zauważyła kilka punktowych ran o zasinionych i nieco obrzmiałych brzegach.

Dotknęła ich delikatnie.

– Strasznie mi przykro, że cię zraniła.

Wzruszył nonszalancko ramionami. Wydawało jej się, że wstrzymuje oddech. Delikatnie przykładała palce po kolei do każdej ranki.

– Lepiej? – zapytała.

Skinął bez słowa.

– Jeszcze tutaj – powiedział miękko, wskazując na klatkę piersiową.

Zawahała się i przez chwilę pełną napięcia jej palec wisiał nieruchomo tuż nad jego skórą. Przestrzeń między nimi wydawała się gorąca jak ogień.

W końcu się poruszyła. Dotknęła delikatnie palcem jego piersi i przejechała wzdłuż niewielkiego zgrabnego łuku z kropelek zaschniętej krwi. Mały różaniec będący dowodem przemocy ze strony kociaka, który kierował się tylko instynktem obrony.

Gdy Jules z sykiem wciągnął powietrze przez zęby, odniosła wrażenie, jakby stal stężała pod satynową powłoką.

Zwolniła ruch drżącego palca, a w końcu go zatrzymała. O Boże. Nie umiała nad tym zapanować. Myślała tylko tym, żeby nie zamykać oczu. Jej zmysły się rozpadły. Wzrok nagle zaczął jej przeszkadzać. Pragnęła jedynie poczuć go całą sobą i całkowicie się zatracić.

I gdy tylko o tym pomyślała, zamknęła oczy.

Przez chwilę słyszała tylko ich zmieszane oddechy. Jak szum lekkiej burzy. Czuła pod dłonią równomierne, silne bicie jego serca.

– Dalej, Phoebe. – Jego szept przeciął ciszę. – Zrób to, na co masz ochotę.

Wahała się tylko sekundę.

Tym samym palcem przejechała powoli i delikatnie, jakby z namysłem, po płaszczyznach jego piersi, kierując się ścieżką wyznaczoną przez wypukłości mięśni.

Ramiona Julesa pokryły się gęsią skórka, a jego sutki zamieniły w dwie twarde kulki. Rozpostarła dłonie jak wachlarz i zaginając nieco końce palców, przeciągnęła je bardzo delikatnie po stwardniałych wypustkach.

Wciągnął gwałtownie powietrze, jakby się zachłysnął, i odchylił do tyłu głowę. Ten dźwięk wydawał jej się tak silnym erotycznym bodźcem jak język dotykający jej szyi.

Pulsowało w nim napięcie, a skóra była rozgrzana jak w gorączce.

Oddychała z coraz większym trudem.

Położyła płasko dłonie i zachłannie przesunęła nimi po wypukłości jego klatki piersiowej, zadziwiona nowymi doznaniami. Zatrzymała się dłużej w miejscu, gdzie biło serce. I ucieszyła jego przyspieszonym, dudniącym rytmem. Wciąż trzymał ręce wzdłuż boków. Pozwalał jej, by poznawała jego ciało w taki sposób, jak chciała. Stał spokojnie, mimo że jego stwardniały członek wyrywał się do niej przez spodnie.

Przysunęła się odrobinę bliżej, z rozmysłem ocierając się o niego udami. Może był diabłem. Ale za to ona była sprytną lisiczką.

Jej palce powędrowały wzdłuż uwodzicielskiego pasma włosów i przesuwały się coraz niżej, aż do miejsca, w którym szczupła talia ginęła w spodniach.

Zatrzymała się przy ich pasku, tuż nad imponującym pagórkiem.

Ich oddechy stały się szybkie i urywane. Phoebe oparła czoło na jego piersi. Pachniał jak niebo, jak seks, jak pokusa, poczuła się tak, jakby znalazła się w domu. Bezradnie pokręciła głową. I choć próbowała, w narkotycznym zamroczeniu nie potrafiła się od niego oderwać jak człowiek uzależniony od opium. I prawie skomlała o kolejną dawkę. Ratunku.

– Wiesz, co mi się zdaje? – szepnął Jules, a powiew jego oddechu poruszył jej włosy. Ton jego głosu brzmiał tak, jakby prowadził zwyczajną rozmowę. Doskonale nad sobą panował mimo widocznego podniecenia.

Po raz drugi pokręciła głową. Nie każ mi nic mówić.

Jej pierś, oparta teraz o jego piersi, wznosiła się i opadała w coraz szybszym oddechu. Jules podniósł ręce i objął ją leniwym ruchem, przesuwając po linii jej ramion. I zaczął mówić bez pośpiechu urywanym i bardzo niskim głosem. Otulał ją i zniewalał tym głosem jak zmysłowy hipnotyzer.

– Wiesz, o czym myślę, kiedy tak stoimy? O twojej skórze nad pończoszkami, o tym sekretnym miejscu po wewnętrznej stronie twoich ud. Tuż nad podwiązkami. Bo... tak mi się wydaje... drogi Boże, przypuszczam, Phoebe, że to miejsce jest bardzo miękkie. To świeża skóra, której nikt nie dotykał. Delikatniejsza niż płatki kwiatu. Charybda nie dorasta ci do pięt. Gdybyś to ty położyła się na plecach w alejce, tłumy zbiegłyby się ze wszystkich stron, żeby choć raz dotknąć tej cudownej skóry, choć jeden raz.

Próbowała się roześmiać. Ale te słowa pobudziły do życia każdą cząstkę jej istoty. Skóra paliła jak w gorączce, a fragment ciała między udami płonął żywym ogniem, jakby wiedział, że o nim mowa, jakby chciał, by poddać próbie wysuniętą hipotezę.

Serce waliło jej jak młotem, pompując krew, która dudniła w uszach.

A Jules nie przestawał mówić. Jego głęboki szept dźwięczał tuż przy jej uchu, co samo w sobie było trudną do zniesienia erotyczną podnietą.

– I myślę, że w tej chwili, głęboko między nogami... jesteś wilgotna, Phoebe, bo tak bardzo mnie pragniesz, bo wyobrażasz sobie, jak cię dotykam, jak cię liżę w tym miejscu. Gdybym wsunął teraz palce między twoje nogi, to byłyby mokre. Gdybym cię dotknął tam ustami, ugasiłbym pragnienie.

O Boże. O Boże. O Boże.

Jej oddech był teraz jak ryk oceanu. Jules przysunął się odrobinę bliżej. Jego twardy członek uciskał jej brzuch. Dłonie zsunęły się na pośladki Phoebe i przyciągnęły ją delikatnie jeszcze bliżej. Z godnym podziwu opanowaniem.

– Taki... kwiecisty – westchnęła, jakby na znak słabego protestu, z ustami przy jego piersi.

To go trochę zaskoczyło.

– Och, masz na myśli mój język? Oczywiście, że tak. Ale czy da się to wszystko opisać... Szeherezado?

Diabeł dobrze się bawił.

– Założysz się ze mną, że mam rację, Phoebe? Podnieś spódnicę na „tak". Chcę twojego współudziału.

Ogarnął ją strach, że jej ręce odmówią posłuszeństwa. Miała straszny dylemat. Próbowała oderwać dłonie od jego piersi, ale nie chciały drgnąć, jakby bały się, że już go więcej nie dotkną.

I znowu odezwał się tym samym szeptem.

– Raz... dwa...

Heroicznym wysiłkiem oderwała ręce od jego klatki piersiowej i zsunęła je między fałdy spódnicy. I zaczęła ją podnosić coraz wyżej, a Jules zsuwał się w dół, aż ukląkł na podłodze.

Powietrze owionęło jej nogi w pończoszkach i to nagie miejsce nad podwiązkami. Jules zamknął dłonie na jej pośladkach. Rozpostarł palce jak wachlarz i przeczesywał skórę, zostawiając na niej dziesięć cieniutkich ognistych pasemek, rozpalając ogniska rozrzucone po całym systemie nerwowym. Wszystkie włoski na jej ciele natychmiast stanęły dęba, a gęsia skórka pokryła ją od stóp do głów, gdy jego palce minęły podwiązki i zatrzymały się na nagości tuż nad nimi.

Westchnęła. A właściwie jęknęła cicho i bezwstydnie. Nawet nie marzyła, że mogą istnieć tak przejmujące doznania.

Jej nogi rozchyliły się mimowolnie, prosząc o więcej.

Przesunął palcem po skraju podwiązki. Pochylił się i przyłożył usta do wewnętrznej strony jej uda. Samo oczekiwanie na to, że zaraz rozchyli wargi i dotknie języczkiem jej skóry, wywołało intensywne tęskne pulsowanie między nogami.

I w końcu to zrobił. Rozchylił wargi i dotknął językiem jej skóry. Krew odpłynęła jej z głowy, pędząc ku nowemu centrum wszechświata położonemu bardziej na południe.

– Miałem rację. Jest taka miękka.

Wydawał się zamroczony tak samo jak ona.

Desperacja, przyjemność, żądza i przeczucie walczyły między sobą o lepsze. Nie wiedziała, czego pragnie, ale mimo to tego pragnęła, a on był jedynym człowiekiem, który mógł jej dać to, czego tak bardzo chciała.

Zanurzyła palce w jego włosach, targając je i ciągnąc, gdy jego usta przesunęły się delikatnie na lewo, a język musnął szparkę.

Przeszył ją dreszcz niewiarygodnej rozkoszy.

Podskoczyła. Zaklęła siarczyście. Musiała zgromadzić w pamięci te brudne słowa, gdy wychowywała się w St. Giles, ale dopiero teraz znalazła się w sytuacji, która wymagała ich użycia.

– Jesteś niewiarygodna. Miałem rację, wygrywam – zamruczał. – I chcę sprawić, żebyś rozsypała się w moich rękach i wykrzyczała moje imię. To będzie moja nagroda.

I znowu polizał ją w tym samym miejscu.

– O Boże... Jules...

To jeszcze nie był krzyk, ale błaganie.

Zrobił to po raz kolejny.

Przesunęła dłonie na jego ramiona, opierając się na nim, gdyż kolana odmówiły jej posłuszeństwa. Ramiona Julesa były tak silne, że przeszył ją strach, niemal przerażenie. Ani trochę nie ugiął się pod jej ciężarem. Wyobraziła sobie, że byłby w stanie udźwignąć cały świat albo przełamać ją na pół. Ale było już za późno na myślenie, w czyje ręce się oddaje.

Zaczęli oboje poruszać się instynktownie, aby znaleźć rytm, który najbardziej jej odpowiadał. Leniwe ruchy aksamitnego języka stały się bardziej wyrachowane, natarczywe i precyzyjne, gdy odkryli wspólnie, czego pragnie. Przez okno wpadały ostatnie promienie słońca, które otulały ciepłem jej szyję, ale nie zwracała na nie uwagi. Była zamroczona przyjemnością, w której całkowicie się zatraciła. Własny oddech dochodził do niej jakby z oddali, jak urywany, świszczący dźwięk. Jules zaczął ssać, a wtedy uderzenie rozkoszy prawie ją rozerwało, wciągając w otchłań przyjemności tak gwałtownej, że niemal bolesnej.

Zadrżała i wysunęła biodra w jego stronę. I poruszała się w rytm jego ruchów. Lodowata gorączka pochłaniała kolejne fragmenty jej skóry, jakby nerwy powielały w nieskończoność każdą chwilę przyjemności.

Wbiła paznokcie w jego ramiona. Fale rozkoszy były teraz jej nieodłączną częścią jak bicie własnego serca, jak oddech unoszący płuca. Napływały z coraz większą siłą, wdzierały się w każdy kawałek jej jestestwa. Myślała, że zaraz umrze. Albo zacznie krzyczeć. Czuła, że coś nadciąga z oddali, ale nie wiedziała dobrze co. Pragnęła tego, potrzebowała tego i odczuwała lęk.

I wtedy Jules włożył w nią palce, zagiął je i przesunął.

– Jules... jestem... błagam!

Uderzyło w nią morze gorących gwiazd, odrywając ją od własnego ciała. Fala nieopisanej przyjemności niemal ją zmiotła, pozostawiając bez sił.

I w końcu krzyknęła jego imię.

Otoczył ją silnymi ramionami, chroniąc przed upadkiem. W tej samej chwili zarzuciła mu spódnicę na głowę.

Powoli wracała do swojego ciała, ale tylko fragmentarycznie. Czuła oddech, gorącą skórę, pot, kończyny i uciekające myśli. Nie wiedziała, czy to wszystko należy do niej, czy może do niego. Musiała odnaleźć własne zmysły, odseparować się od niego.

Wyplątał się spod jej spódnicy. I spojrzał na nią. Był potargany.

Wstał powoli. Przypuszczała, że woli nad nią górować. Było w nim tyle pierwotnej męskości, że znowu zabrakło jej tchu.

Spuściła oczy. Miał imponującą erekcję. Zastanawiała się, czy oczekiwał, że da mu coś więcej, skoro on sam tyle jej ofiarował. Ale w tym momencie pragnęła tylko uciec.

– Gdzie jest kot? – zapytał oszołomionym głosem.

– Pod łóżkiem. To jego ulubiona kryjówka. Dlaczego?

– Jeśli wezmę cię teraz tutaj, na tym łóżku, jeśli będę się z tobą kochał, to mnie zaatakuje?

– Może sam się przekonasz?

– Czy to zaproszenie, panno Vale?

Przywołała na pomoc całą siłę woli, żeby powiedzieć to, co zamierzała. Wiedziała jednak, że tak właśnie myśli.

– W najmniejszym stopniu.

Obserwowała jego twarz. Przepływały przez nią myśli, które chciał ubrać w słowa, ale po chwili zastanowienia odrzucał. Rozważał, czy da się ją przekonać. W końcu westchnął, wyciągnął rękę, niezręcznie odgarnął z jej twarzy kosmyk włosów i wsunął go za ucho. Jak niedźwiedź zmuszony do delikatnych gestów. Czułość nie była dla niego naturalnym odruchem. Mogłaby się nim stać, gdyby tylko sobie na to pozwolił, gdyby tylko poddał się jej sile. Wówczas czułe gesty przychodziłyby mu z takim samym wdziękiem jak wszystko, co dopuszczał w swoim życiu.

Lubiła tę jego niezręczność i niepewność. Podobał jej się, kiedy szukał samego siebie.

Usiadł ciężko na łóżku. Oparł czoło na dłoniach.

Przypomniał sobie o siniaku i szybko podniósł wzrok.

Phoebe wygładziła spódnicę.

Przez jej ciało wciąż przebiegały dreszcze po pierwszym w życiu orgazmie. Były jak echo tamtych anielskich chórów. W lustrze nad toaletką dostrzegła, że wszystkie odsłonięte miejsca na skórze są zaróżowione. Wyglądała jak piękna rozpustnica.

Ale ta chwila słodyczy wydawała się zaprawiona goryczą.

– Niczego bardziej nie pragnę niż kochać się z tobą, Phoebe – powiedział żałośnie.

I tak samo wyglądał. Z siniakiem na czole, drobnymi zadrapaniami kota i potężną erekcją.

– Wiem.

Rzucił jej spojrzenie pełne nadziei. Ale gdy zobaczył wyraz jej twarzy, skrzywił usta i pokręcił głową, po czym znowu odwrócił się w stronę okna.

Przez chwilę oboje milczeli.

– Przykro mi, że cię zostawiam… w tym stanie.

O Boże. Cóż za niezręczna sytuacja. Chciał jednak, aby sprawa była całkowicie jasna. Nie zamierzała z nim zostawać.

Roześmiał się krótko.

– Już mi się zdarzały bezowocne erekcje. Dam sobie radę i tym razem. Od tego się nie umiera. Tylko że... – słowa się rwały. – Gdybyś tylko wiedziała, co czułem, kiedy... – przerwał. – To, co się tu przed chwilą zdarzyło, to jedynie przedsmak tego, jak mogłoby być. Bo niewiarygodnie dobrze do siebie pasujemy. Widzisz, wiem coś o tym... Mam w tych sprawach doświadczenie, czy ci się to podoba, czy nie. Bo... pragnę cię, jak nikogo dotąd nie pragnąłem. Nigdy. Nigdy z nikim innym nie było takiego... iskrzenia.

Pragnę? Kocham, ty głupcze. To jedyna przyczyna. I siniaka, i kota, i pożądania.

– Wiem. – Nie była w stanie zdobyć się na więcej.

– Sama powiedz, czy nie było ci dobrze? Nie wiedziałem, że nauczycielki znają takie cudownie brzydkie słowa.

Uśmiechnęła się do niego.

– To było niesamowite – powiedziała łagodnie.

Otworzyła szeroko oczy, a potem roześmiał się krótko, ale bez radości.

– Nie traktuj mnie protekcjonalnie.

Wzruszyła ramionami.

– Wiem, jak bardzo mnie pragniesz. Mnie – powiedział, jakby chciał wydobyć z niej wyznanie.

Wstał i jednym susem znalazł się tak blisko, że znowu mogłaby go dotknąć. Czuła jego zapach i, rzecz jasna, znowu zapragnęła otoczyć go ramionami. Ale trzymała ręce wzdłuż ciała. Była silna.

Podniósł rękę i ostrożnie, z czułością, przesuwał kciukiem po jej wargach, muskając nawet mały pieprzyk tuż przy ustach.

– Pragniesz mnie – powiedział natarczywym szeptem, niemal błagalnie. – Nikogo innego, tylko mnie.

Czuła jego oddech na ustach. Gdyby ją pocałował, byłaby zgubiona.

Pocałuj mnie.

Nie, proszę, nie całuj.

– A która kobieta cię nie pragnie, lordzie Dryden? – odpowiedziała impertynenckim pytaniem.

Zesztywniał i w jednej chwili oderwał dłoń od jej ust.

Był tak urażony, że chciała go pocieszyć, ale gdyby to zrobiła, to kto by potem pocieszył ją?

Nic się nie zmieniło. Nie miał nic nowego do zaoferowania.

– Czy znajdzie się tu jakiś koszyk, w którym mogłabym przewieźć Charybdę do domu Silvertonów? I możesz zamówić dorożkę?

Na dźwięk swojego imienia Charybda sennie wyślizgnęła się spod łóżka. Phoebe uklękła i poprawiła jej przekrzywioną wstążkę.

Markiz obserwował jej ruchy.

– Czy ta wstążka jest po to, żeby wyglądała na łagodnego kotka?

– Po to, żeby zastawić pułapkę na niczego się niespodziewających ludzi.

Tym razem uśmiechnął się bez przymusu. Każdy jego uśmiech łamał jej serce. Otworzył nagle szafę, wyjął czystą koszulę, włożył ją i szybko zapiął. Czuła żal, gdy cała jego męska wspaniałość znikała pod kawałkiem materiału.

Uświadomiła sobie, że gdyby dane jej było spędzić z nim całe życie, ciągle mogłaby oglądać te oznaki męskości. Zapinanie guzików koszuli. Golenie się. Rzeczy niekoniecznie nasycone erotyzmem, ale nie mniej cenne. Intymne czynności, które budują więź między ludźmi. Pragnęła ukoić jego rany, wziąć na ramiona ciężar, który dźwigał, i uczynić jego życie łatwiejszym, wnosząc w nie więcej spontaniczności i pasji.

Te myśli były bolesne. Cóż z tego, że mógł jej ofiarować wszystkie dostępne rodzaje przyjemności, a ona kochała go tak, jak tylko można kochać, skoro właśnie z tego powodu miał też moc, by wciąż na nowo ją ranić?

– Kiedy wypływa twój statek do Afryki?

– Za dwa tygodnie.

– I wyjedziesz?

– Nic mnie tu nie trzyma.

Po tych słowach jego twarz przybrała twardy i nieodgadniony wyraz. To było gorsze niż Charybda, która gryzła dłoń głaskającą ją po brzuszku.

Zapiął ostatni guzik.

– Twoje rany się zagoją, milordzie – powiedziała, siląc się na oschły ton.

Ale on i tak zrozumiał ukryte w tym zdaniu znaczenia i znowu odwrócił się w jej stronę.

– Wątpię – odparł w końcu chłodno, udowadniając, że oboje potrafią zdobyć się na zimną obojętność. – Marquardt znajdzie ci koszyk. Życzę ci szczęścia, panno Vale, dokądkolwiek się udasz.

26

Siostry Silverton nie dawały jej spokoju. Koniecznie chciały się dowiedzieć, dlaczego wypadła z domu jak szalona. Phoebe tylko się śmiała i powtarzała, że nigdy im nie powie, kto odnalazł jej kota. Na szczęście, zupełnie jak kot, nie potrafiły długo się skupiać na jednej rzeczy, więc ten temat szybko przestał je zajmować.

Przez cały następny tydzień pochłaniał ją zbawienny wir życia towarzyskiego.

Zbawienny, bo w przyjemnym oszołomieniu i nieustannym paśmie przyjęć nie musiała zastanawiać się, co czuje. Wypijała kolejne kieliszki alkoholu, po których budziła się z ciężką głową. Tańczyła z mężczyznami, którym nie zależało na poważnej konwersacji, a tylko na wymianie frywolnych żarcików i plotek, na tym, by ci, którzy nie zostali namaszczeni przez siostry Silverton, Waterburna i d'Andre'a, podziwiali ich i zazdrościli popularności. Wszystko ślizgało się jedynie po powierzchni jej zmysłów jak miła muzyka i nie przenikało głębiej. Przydzielono jej pokojówkę Abigail, która zajmowała się sukniami. Oprócz tych, które ze sobą przywiozła, siostry Silverton pożyczyły jej kilka własnych spacerowych kreacji, a także ładny rozpinany płaszczyk z pelerynką.

Po każdym balu przychodziły kolejne wiązanki kwiatów, wszystkie przeznaczone dla Oryginałki.

I w końcu w rubryce towarzyskiej po raz pierwszy pojawiło się jej nazwisko, powiązane z lordem Camberem. W istocie zachowanie

Cambera sprawiało wrażenie, jakby zamierzał ruszyć do niej w konkury, gdyż z niezwykłym uporem przysyłał jej ogromne ilości kwiatów. Zabrał ją na jeszcze jedną przejażdżkę swoim wysokim powozem, tak jak poprzednio w towarzystwie sióstr Silverton, Waterburna i d'Andre'a. Na każdym balu rezerwował walca. Zdążyła się już dowiedzieć, że ma trzy siostry, ojca, który wydziela mu niewielką pensję, że bardzo lubi konie, broń i polowania, a także sprośne wodewile.

On natomiast nie wiedział o niej zupełnie nic oprócz tego, że była Oryginałką i uczyła w szkole. Nigdy o nic nie pytał, a ona nie miała zamiaru opowiadać o sobie. Szybko odkryła, że wszyscy młodzi mężczyźni, których poznała, uwielbiali mówić tylko na swój temat.

Jedynie markizowi zależało na tym, żeby ją naprawdę poznać.

Widziała Julesa jeszcze trzy razy. Przyglądała się ukradkiem z drugiego końca sali, jak tańczy z Lisbeth. Czuła się tak, jakby patrzyła na niego przez szybę, jakby wiódł równoległe życie, w którym należał już do Lisbeth. I był dla niej na zawsze stracony.

Dwukrotnie zjawił się w domu Silvertonów, żeby zabrać Lisbeth na konną przejażdżkę, a Phoebe zawsze tak manewrowała, aby w tym czasie przebywać w swoim pokoju, byle tylko go nie spotkać. W tych dniach przychodziły też bukiety dla Lisbeth od markiza. Nieodmiennie w kolorach bladego różu i bieli, za każdym razem trochę inne, ale nadzwyczaj gustowne.

Phoebe odnosiła wrażenie, że nie przypomina to wcale konkurów, ale raczej kolejne etapy pokuty grzesznika. Była jednak uprzedzona, nie słyszała też rozmów, które prowadzili na osobności. Być może gruchali ze sobą jak dwa gołąbki ponad końskimi grzbietami. Ale wydawało jej się to niewiarygodne.

Nikt nie rozmawia ze mną w taki sposób jak ty.

Uznała jednak, że dystans, jaki utrzymywali, pozwalał zagoić rany. Był też rozsądnym rozwiązaniem. Markiz wydawał się pogodzony z jej utratą i ze stoickim spokojem szykował się do spędzenia z Lisbeth życia, którego treścią miało być obsypywanie jej komplementami, kupowanie drogich sukien i wychowywanie nieprzyzwoicie pięknych dzieci. Być może gdzieś na tej drodze widział też miejsce dla nowej i ognistej kochanki, która dopełniłaby to, czego nie otrzymałby od Lisbeth. Po to, by jego życie było spełnione. Albo chociaż bliskie spełnienia.

Phoebe nie otrzymała już od niego ani bukiecika szałwii, ani niczego innego.

Szaleństwo, które nimi owładnęło, skończyło się zatem na dobre. I to również uważała za zbawienne.

W piątek rano lady Marie podeszła do Lisbeth, która właśnie podziwiała swoje odbicie na ściance srebrnej filiżanki oraz najnowszy bukiet kwiatów przysłany przez markiza.

– Czy wiesz, że dzisiaj jest bal u Settlefieldów? Wszyscy wiemy, co to oznacza!

– Na balu u Settlefieldów tradycyjnie ogłasza się zaręczyny. Przynajmniej jedne w sezonie. Kto to był w zeszłym roku…? – Lady Marie zwróciła się z pytaniem do siostry.

– Och, nie przypominam sobie – westchnęła lady Antoinette. – Zapominam nazwiska znajomych osób, gdy się pobierają.

Bliźniaczki zachichotały.

– Pamiętamy tylko tych, którzy mają wspaniałe, imponujące tytuły, rzecz jasna – pospieszyły dodać. – W księgach zakładów stawiają, że w tym roku to będziesz ty, Lisbeth.

Dłoń Phoebe zamarła wokół filiżanki z kawą. I wcale nie czuła, że ją parzy.

– Jutro umówił się na spotkanie ze stryjem Isaiahem u White'a – zdradziła Lisbeth z tajemniczym uśmieszkiem. – Podobno ostatnie. Tak powiedział.

– Pewnie po to, żeby poczynić jakieś plany – zastanawiała się lady Marie. – Związane z jego oświadczynami, rzecz jasna.

Phoebe siedziała nieruchomo jak martwa. Jak gdyby jej dusza była zbudowana z łatwopalnej materii i spłonęłaby doszczętnie, gdyby się poruszyła. Ale w gruncie rzeczy odczuła dziwny przypływ szczęścia, że Jules dostanie wreszcie to, o co przez całe życie zabiegał. Wiedziała, że wypełnienie obowiązku, dokończenie dzieła, dopełnienie historii rodziny i odzyskanie rodowych ziem da mu zadowolenie. Nie potrafiła jednak tego zrozumieć.

Tak czy inaczej, wolała teraz nie patrzeć na Lisbeth. Doszła do perfekcji w udawaniu obojętności i potrafiła to robić wręcz błyskotliwie, ale tylko wtedy, gdy nie musiała patrzeć prosto w błękitne jak niebo oczy, w których widziała śmierć swoich marzeń.

Dziewczęta przybyły na bal u Settlefieldów otoczone jak zwykle delikatnym blaskiem i zostały wchłonięte przez falę gości zmierzających w tym samym kierunku. Spotkały tam Waterburna i d'Andre'a, którzy jak zawsze dołączyli do ich stadka i zgodnie z zasadami weszli razem do sali balowej.

– Co was zatrzymało, drogie panie? – marudził Waterburn.

– Przyjechałybyśmy wcześniej, ale kot Phoebe chciał się pobawić wstążką – wyjaśniła mu lady Marie. – I był taki słodki. Przeżył niezłą przygodę.

Waterburn zastygł jak posąg.

– Kot... Phoebe?

– Tak, mam kota – potwierdziła Phoebe. – Przywiozłam go z Sussex.

– Czy to nie zabawne? – Lady Marie wydawała się już znudzona tematem.

– Oryginale – odparł zagadkowo Waterburn. – A jak ten kot wygląda?

– Jest bardzo puszysty. Z przodu ma białą sierść, a na szyi niebieską wstążkę. Pewnego dnia uciekł, ale odnalazł go jakiś tajemniczy dobroczyńca i oddał Phoebe. Nie chciała powiedzieć kto. Ale po co tracić czas na takie rozmowy? Przynieś nam lepiej ratafię – powiedziała i klepnęła go żartobliwie wachlarzem.

– Już się robi – odpowiedział z roztargnieniem, nie ruszając się z miejsca. – Ale najpierw... Lisbeth, czy zechcesz łaskawie zatańczyć dziś ze mną walca? Może to będzie twój ostatni walc przed zaręczynami.

– No, no! Takie sentymentalne gesty nie są w twoim stylu, ale pasują do ciebie! Mogę ci ofiarować jednego walca – odpowiedziała tonem królowej.

Wkrótce po tym, jak Waterburn poprosił Lisbeth do walca, patrzyli, jak jeden z tancerzy wypuszcza partnerkę ruchem wirowym przez salę, a sam pada na kolano.

– Zupełnie jakby się oświadczał – zauważył Waterburn. – To ten fragment z klękaniem.

– Stworzyliśmy modę – powiedziała Lisbeth wyniośle.

– My?

– Markiz i ja.

– Jesteś pewna, że to moda, Lisbeth? Bo ja zaczynam się zastanawiać, i to poważnie, Lisbeth, czy on się z nas zwyczajnie nie naśmiewa. Ten człowiek nigdy nie robi nic bez powodu, chociaż nie zawsze się domyślam, jaki jest ten powód. Czy wiesz, że przyszedł do klubu z kotem?

Zesztywniała i zrobiła się blada jak porcelanowa lalka.

Jej reakcja była dokładnie taka, na jaką liczył Waterburn.

– Kiedy to było? – zapytała dociekliwie ochrypłym głosem.

– Och, jakiś tydzień temu – odpowiedział bez pośpiechu, gdy wirowali w tańcu. Phoebe tańczyła walca z lordem Camberem. – Mam nadzieję, że mi to wybaczysz, Lisbeth, ale nie popchnę cię na drugi koniec sali.

Jego słowa w ogóle do niej nie dotarły.

– A czy ten kot był w paski i miał na szyi niebieską wstążkę?

– O tak. Ładne kocisko. Ach! Więc go widziałaś. Jeśli znajomość z kotem nie zapowiada bliskich zaręczyn, to nie wiem, co je zapowiada. Skąd go wziął? Też chciałbym mieć takiego kota. Bo to był jego kot, prawda?

Ponieważ milczała, ponaglił ją.

– Lisbeth?

– Nie rozumiem. Przecież jest zwykłą nauczycielką. Nie ma rodziny. Ani pieniędzy. Nie jest nawet ładna. Więc dlaczego? – mówiła coraz gwałtowniej, bez oddechu, uderzając w piskliwy ton.

Ścisnęła jego rękę tak mocno, że mało się nie skrzywił. Na jej twarz wystąpiły nieładne rumieńce.

– O czym ty mówisz, Lisbeth? Chodzi ci o pannę Vale? A dlaczego miałabyś się nią martwić? Przecież chodzi tylko o to, żeby nabić tych ludzi w butelkę. Chyba wiesz, że ona jest tylko żarcikiem?

Lisbeth od razu zainteresowała się jego słowami.

– Co masz na myśli?

– Bliźniaczki ci nie powiedziały?

– Wir życia towarzyskiego tak mnie pochłonął, że musiałam zapomnieć.

Waterburn wiedział jednak, że siostry Silverton nie pisnęły jej ani słowa.

– No bo widzisz, to taka zabawa. Przyszło mi to do głowy podczas przyjęcia w twoim domu. Chciałem zobaczyć, czy uda nam się zrobić ze zwykłej dziewczyny, która nie ma nawet rodziny, ulubienicę sezonu. Chciałem zobaczyć, czy uda się z jej pomocą ośmieszyć socjetę. Bliźniaczki poprosiły cię, abyś je przedstawiła Phoebe, a potem zaprosiły ją do Londynu. Reszta należała do nas. Boże, czuję się jak sam Stwórca, bo to doskonale zadziałało, prawda? Wszystkie zakłady są zapisane w księgach u White'a. D'Andre i ja wygraliśmy pokaźne kwoty.

– Och, no oczywiście. Oczywiście, że o tym wiedziałam. Bardzo sprytnie! Teraz sobie przypominam. To znaczy, że ona jest... tylko żarcikiem – powtórzyła w zamyśleniu jego słowa. – A więc niczym, w istocie – ciągnęła, jakby chciała przekonać samą siebie. – To tylko taki psikus.

– To nasz żart, Lisbeth! Założyliśmy się, że w ciągu mniej więcej dwóch tygodni będzie miała przezwisko i dostanie orchidee. Jej popularność została przez nas wykreowana. Waterburn to zaczął i Waterburn to zakończy. Możesz mi pogratulować sprytu.

– Szatański pomysł – powiedziała cicho Lisbeth. A po chwili namysłu dodała: – A czy markiz o tym wie?

– Nie sądzę, żeby wiedział. Chociaż któregoś dnia czytał księgi zakładów, a nigdy tego nie robi. To było tego samego dnia, kiedy przyszedł z kotem. Ale on nie jest podatny na takie nonsensy. On nie ulega modzie, sam ją tworzy. I ani razu z nią nie zatańczył, prawda? Od razu potrafi ocenić, co ma prawdziwą wartość, a ty, moja droga, z pewnością ją masz.

– I zawsze chce mieć to, co najlepsze – powtórzyła Lisbeth w zamyśleniu, przypominając w tym momencie kota z piórkami przyklejonymi do mordki.

– Naturalnie. – Nawet Waterburna zaczęło już irytować ciągłe podkreślanie przez Lisbeth swojej wyższości. – Wyobraź sobie, jaki będzie skandal, gdy to wszystko się wyda. Panna Vale będzie skończona.

– Bez wątpienia – zauważyła Lisbeth.

Walc się skończył, a Waterburn prawie już czuł zapach tysiąca funtów. Musiał tylko zamienić słówko z właściwą osobą: z lordem Camberem.

Phoebe nie była specjalnie zdziwiona, kiedy lord Camber w końcu powiedział:

– Chciałbym pokazać pani ogród. Jest uroczy.

Wiedziała, że to eufemizm zastępujący słowa: „Chciałbym ci ukraść całusa i trochę się popieścić w ogrodzie, bo myślę, że oboje wypiliśmy tyle ratafii, że sprawi nam to przyjemność".

Była jednocześnie zaskoczona i przygotowana na ten moment. Camber był w końcu mężczyzną, i to upartym. Do nieśmiałych też nie należał. Wszystko zmierzało ku temu, że w końcu złoży jej taką propozycję. Różnica między arystokratami a innymi mężczyznami z Pennyroyal Green polegała tylko na tym, że ci pierwsi mieli więcej pewności siebie i czuli się upoważnieni do składania takich ofert.

– To bardzo miło z pana strony. Ale może innym razem? Dzisiaj jest dosyć zimno – odpowiedziała i zadrżała dla potwierdzenia swoich słów.

– Może mógłbym panią rozgrzać.

Och. To już było zaskakujące. Nie spodziewała się natarczywości.

– Lordzie Camber…

– Och, niech się pani nie opiera, panno Vale. Osoba tak oryginalna jak pani na pewno nie jest spętana obowiązującymi zasadami.

– To znaczy jakimi?

Roześmiał się.

– Podziwiam panią. I wiem, że mój pocałunek sprawiłby pani przyjemność. Jestem w tym znakomity. Niech pani nie będzie taka pruderyjna.

W tym momencie objął dłonią jej nadgarstek i mocno przytrzymał.

Była tak zaszokowana, że nie zdążyła w porę wyrwać ręki. Wpatrywała się w jego dłoń z bezgranicznym zdumieniem. Widok długich i grubych białych palców pokrytych gęstymi włoskami przyprawiał ją o mdłości.

Szarpnęła się, ale jej nie puścił.

Jego twarz zaczerwieniła się od przyjemności, jaką dawało mu dotykanie jej i panowanie nad nią, oraz od alkoholu, którego wypił za dużo.

– Przysięgam, że kiedy zaczniemy, spodoba ci się to. Wiem, że już się całowałaś. Chodźmy do ogrodu.

Pociągnął ją i ku swojemu przerażeniu przesunęła się o kilkadziesiąt cali w stronę drzwi prowadzących do ogrodu.

– Domagam się stanowczo, aby natychmiast puścił pan moją rękę, lordzie Camber.

– Powinna pani wiedzieć, że nigdy tak łatwo się nie poddaję.

Znowu ją pociągnął. Był zdumiewająco silny.

Zapierała się, ale jej pantofle ślizgały się po marmurowej posadzce. Czuła się zażenowana, a jednocześnie ogarnął ją zwykły strach.

– Proszę... lordzie Camber...

Mogłaby go kopnąć w krocze, gdyby znalazła się bliżej. Albo z całej siły nadepnąć mu na stopę. Nie bała się takich radykalnych działań.

– No nie, tylko proszę tu nie robić sceny. Jeden całus, panno Vale – zachęcał ją. – Zauważyłem, jak pani na mnie patrzy. I słyszałem, że lubi pani te rzeczy.

– Patrzę na pana, bo po to mam oczy. To wszystko. I gdzie, na Boga, słyszał pan, że...

Uwolnił na chwilę jej rękę, ale tylko dlatego, że miał inne plany. Przesunął dłonią po jej rękawiczce, aż jego ciepłe, wilgotne palce dotknęły nagiej skóry ramienia. Zaczął zamykać dłoń.

– Lordzie Camber, błagam pana. Stanowczo nalegam, żeby pan puścił...

271

Lord Camber oderwał się nagle od podłogi i poszybował w górę, po czym z donośnym hukiem upadł na marmurową posadzkę, niemal nakrywając się nogami, które dopiero po chwili z trzaskiem uderzyły w podłogę. Leżał chwilę ogłuszony.

Kiedy podniósł w końcu głowę, zobaczył nad sobą dwie twarze: Phoebe i markiza Drydena. Ten ostatni patrzył wzrokiem twardym jak granit, a z jego oczu biły mordercze błyski.

– Chyba słyszałeś, że kazała ci przestać, Camber – powiedział przerażająco cichym głosem, wyraźnie i w równych odstępach wymawiając wyrazy.

Camber ze zdumiewającą szybkością pozbierał się z podłogi. Wpatrywał się w Julesa z osłupieniem, a jego twarz była szkarłatna z oburzenia i wściekłości. Szeroka pierś unosiła się z furią.

I nagle rzucił się do przodu jak z katapulty, mierząc pięścią w Julesa.

Ten ze zdumiewającym refleksem złapał pięść Cambera w powietrzu, obrócił go szybkim ruchem i przycisnął do siebie ramieniem, tak że przeciwnik nie mógł się ruszyć.

Oczy Cambera wychodziły z orbit. Był przygwożdżony do twardej jak ściana szerokiej piersi markiza. Nozdrza wściekle mu falowały jak rozjuszonemu bykowi.

– Nie masz do niej żadnych praw, Dryden – wydusił ochrypłym głosem.

– Ty też nie.

– Na litość boską, Dryden. Oszalałeś? Bądź rozsądny. Nie jest nawet damą. To zwykła nauczycielka. Nie chciałem zrobić jej krzywdy. Słyszałem, że lubi rozdawać swoje wdzięki. Tak mi powiedziano.

Phoebe stała oniemiała i zaszokowana.

Gdy w końcu zdołała wydobyć głos, miała wrażenie, że dobiega z oddali.

– Przy... przysięgam... że nigdy... ale kto?

Jules wycedził leniwie, ale złowieszczo:

– Nie pozwolę ci jej dotknąć, jeśli sobie tego nie życzy. Czy to jasne?

Nozdrza Cambera wściekle się rozszerzyły, próbował się wyrwać.

Jules mocniej pociągnął go za ramię.

– Czy to jasne?

Camber syknął z bólu.

– Tak. Jasne jak słońce. Puść mnie.

Jules puścił go tak nagle, że Camber się zatoczył. Wyprostował się i wycofał jak najdalej od markiza, trzymając się za ramię i rzucając groźne spojrzenia jak człowiek wprowadzony w błąd.

Jules wyciągnął rękę do Phoebe, ale dłoń zawisła w powietrzu. Powstrzymał się w samą porę.

– Czy nic ci nie zrobił?

– Nie. Nic mi nie jest. Dziękuję ci. Ja... Dziękuję.

Zafascynowana, upajała się wyrazem twarzy Julesa, a jej serce wezbrało. Hamowana wściekłość, troska, zaborczość, tęsknota – uczucia przebiegały przez jego oblicze, wymykając się spod kontroli.

Nigdy dotąd nikt nie wystąpił w jej obronie.

Nic nie mówili, pochłonięci własnym widokiem, i dopiero gdy ktoś chrząknął, Phoebe się ocknęła. W tym momencie oboje zdali sobie sprawę, że pary przestały wirować w tańcu. Otaczał ich gęsty tłum. Phoebe zauważyła, że Lisbeth i siostry Silverton oraz Waterburn i d'Andre zbliżają się do nich jak szczury zwabione zapachem skandalu.

O Boże, jęknęła w duchu.

I w jednej chwili ogarnęły ją przerażenie i żal, że nie potrafiła obronić się sama. Zrozumiała teraz z całą jasnością, że Jules zaryzykował przyszłość, na którą tak żarliwie pracował od wielu lat. Z rozpaczą zdała też sobie sprawę, że chociaż się rozstali i próbowali unikać swojego towarzystwa, ten stan separacji był jedynie złudzeniem. Pospieszył jej na ratunek, gdyż była to dla niego rzecz tak samo naturalna i oczywista jak oddychanie. Po prostu nic nie mógł na to poradzić. Prawdopodobnie przez cały bal śledził jej ruchy i doskonale wiedział, w którym miejscu sali się znajduje.

Jules wziął głęboki oddech jak człowiek, który próbuje opanować zdenerwowanie, i próbował przybrać neutralny wyraz twarzy.

Lisbeth, która stała wśród tłumu innych gapiów, wpatrywała się w nich dwoje swoimi pięknymi oczami. Usta zacisnęła w wąską białą linię, rysy stężały w napięciu. Wyglądała jak krucha lalka z porcelany.

– Jules…? – zaczęła słabym głosem.

Jules dołożył wszelkich starań, by mówić obojętnym głosem.

– Camber zapomniał na chwilę, że jest dżentelmenem. Musiałem mu o tym przypomnieć w dosyć dosadny sposób. Takie rzeczy zdarzają się na balach, to nic niezwykłego. Ale Camber więcej tego nie zrobi.

Po tych słowach oczy wszystkich gości spoczęły na Phoebe. Błyszczały jak ślepia stada wilków.

Lisbeth odezwała się podniesionym głosem, ale cienkim, czystym i nabrzmiałym udręką, jak dziecko, któremu ktoś popsuł szyki.

– Ale… no naprawdę… dlaczego z jej powodu? Dlaczego zawracałeś sobie tym głowę? Nie wiesz… że to wszystko było tylko zabawą, Jules?

Roześmiała się krótko, dźwięcznie i objęła tłum spojrzeniem, jakby chciała powiedzieć: czy mężczyźni nie zachowują się niemądrze?

– Lisbeth – powiedział cicho markiz, wysyłając jej wyraźne ostrzeżenie.

Ale Lisbeth już nie potrafiła się powstrzymać.

– Przecież musiałeś widzieć księgi zakładów u White'a, Jules. Ona jest niczym. To tylko żarcik! Zakład! Eksperyment. Nie jest nawet damą, a jej popularność została sztucznie stworzona.

Phoebe obróciła się i spojrzała na Julesa z przerażeniem.

Jej dłonie zrobiły się zimne jak kawałki lodu, gdy zobaczyła, że Jules wpatruje się w Lisbeth jak ogłuszony, kręcąc tylko głową. W końcu zamknął oczy.

I wtedy ziemia usunęła się spod stóp Phoebe, a przed oczami zawirowały jej ciemne płatki.

– Księgi zakładów? – poruszyła bezgłośnie ustami, trzymając się dłonią za nadgarstek. Wcale jej nie bolał, musiała tylko czegoś się przytrzymać, bo w przeciwnym razie upadłaby na podłogę.

Jules spojrzał na nią i zesztywniał, gdy zauważył ten rozpaczliwy gest. Jego twarz przybrała złowrogi wyraz. Utkwił spojrzenie w Camberze.

– Kto ci powiedział, że panna Vale będzie ci sprzyjać, Camber? – zapytał, tnąc słowami jak siekierą.

– I tak nie mogę ci powiedzieć.

Lord Camber odszedł jak zmyty, byle dalej od markiza, i w końcu wypadł pospiesznie z sali balowej.

Otaczało ich teraz kilka kręgów gości. Przez tłum przechodził cichy szmer domysłów i komentarzy jak bzyczenie much nad padliną.

Ale Lisbeth jeszcze nie skończyła.

– O tak, księgi zakładów, Phoebe! To wszystko nie było naprawdę, czyż nie... Phoebe? – mówiła Lisbeth radosnym i przerażającym tonem, niemal poufnie, a błysk jej oczu przypominał światło odbite od ostrza. – Twoje przezwisko i tak dalej. Założyli się, że uda im się wywieść w pole socjetę, że zamienią zwykłą nauczycielkę, bez rodziny i koneksji, w najbardziej popularną osobę w towarzystwie. Założyli się, że dostanie bukiety orchidei i zaproszenia. Postawili setki funtów. I rzeczywiście udało im się ośmieszyć socjetę. Oryginałka i tak dalej. No naprawdę.

Zmarszczyła nosek i znowu wybuchła krótkim śmiechem.

Phoebe nie była w stanie wydobyć głosu. Miała wrażenie, że oddzieliła się od ciała i zawisła nad tłumem. Patrzyła na siebie z góry, nieco zaskoczona, jak dwórka królowej Elżbiety, która właśnie odkryła, że jej suknia została nasączona trującym jadem.

I gdy spojrzała w końcu z niemym błaganiem na siostry Silverton, dostrzegła na ich twarzach jedynie psotny wyraz i poczucie winy trzyletnich dziewczynek, które przyłapano na kradzieży ciasteczka z kuchni. Były zachwycone tym, czego dokonały.

Niech to się okaże snem.

Po chwili lady Marie wzruszyła ramionami, a lady Antoinette podniosła zaciśnięte dłonie.

Phoebe czekała. Wciąż była w sali balowej, otoczona tłumem ludzi wpatrujących się w nią z chłodnym wyrachowaniem.

– Ależ oczywiście, że tak – powiedziała głosem cienkim jak nitka. – To był tylko żarcik.

Była w pułapce jak łania otoczona przez wilki. Wszyscy mężczyźni, z którymi tańczyła i flirtowała, wpatrywali się w nią

275

nieufnie, z żalem, co zrobiłby każdy człowiek, gdyby nagle się dowiedział, że ma do czynienia z falsyfikatem.

Jak mogła tego nie wiedzieć? Jak mogła być taka głupia?

– Kto wymyślił ten sprytny plan, Lisbeth? – zapytał markiz chłodno, ale tonem zwykłej rozmowy.

Lisbeth wyglądała teraz niepewnie.

– Waterburn. Ale wiedziałeś o tym, prawda, Jules? Waterburn powiedział, że przeglądałeś księgi zakładów. Myślałam, że wiesz.

Jules i Waterburn skrzyżowali spojrzenia. Ich antypatia była niemal namacalna.

– Oczywiście – zdołała powiedzieć Phoebe, chociaż dzwoniło jej w uszach. – Ja też o wszystkim wiedziałam! – dodała niemal wesoło. – Nie wiedziałaś, Lisbeth?

Waterburn, d'Andre i bliźniaczki wydawali się zaskoczeni jej wyznaniem. Wymieniali zdziwione spojrzenia.

– Naprawdę? – spytała Lisbeth z całkowitym niedowierzaniem.

Gdy do tłumu dotarła cała prawda, szmer w sali się wzmógł.

– To ona jest oszustką? Ta panna Vale. Co za podły żart. Zrobili z nas głupców!

– Nie jest nawet ładna.

– A ja wysłałem jej kwiaty – powiedział ktoś rozweselony. – Cholernie dobry kawał, Waterburn! Najlepszy zakład jak dotąd.

– Skoro Lisbeth doprowadziła przedstawienie do końca, pozwolicie, że się oddalę. Dziękuję, byliście cudowną publicznością.

Phoebe ukłoniła się nisko, teatralnie, posyłając w tłum pocałunki, po czym odwróciła się na pięcie.

Po chwili ciszy pełnej konsternacji z tłumu powoli dobiegły pierwsze niepewne oklaski. Jules uciszył je ponurym spojrzeniem.

– Czy ona naprawdę jest aktorką? – rozległo się ciekawskie pytanie gdzieś na obrzeżu zgromadzenia. – Czy ma protektora?

Julesowi wydawało się, że słyszy cichnący stopniowo stukot jej stóp na marmurowej posadzce, że potrafi wyłowić ten dźwięk spośród innych odgłosów otoczenia. Musiał przywołać na pomoc całą samokontrolę, aby za nią od razu nie pobiec. Wiedział, że jeśli będzie zwlekał za długo, to nigdy jej nie odnajdzie w ciemnościach Londynu, w których zniknie tak samo jak jej kot.

Odwrócił się i spojrzał znowu na Lisbeth. Jej ręce zaciśnięte w pięści aż zbielały na pięknej niebieskiej sukni. Z twarzy odpłynęła krew.

Jeszcze nigdy nie miał ochoty przebić kobiety włócznią.

Powinien był to zauważyć. Jak mógł być tak nieświadomy, niewrażliwy i nieostrożny. Miała więcej sprytu, niż uznawał za dopuszczalne, ale nie chciał jej bliżej poznać, tak samo jak ona jego. Traktował ją niegodziwie, wręcz niehonorowo. Zdał się nierozważnie na łaskę swoich uczuć i pragnień.

I w pewnym sensie traktował ją jak przedmiot. W taki sam sposób, w jaki socjeta potraktowała Phoebe. I jak traktowała jego samego.

W niezłą sytuację się wpakowałeś, Dryden.

– A co z markizem? – podsunął jakiś głos na obrzeżu tłumu. – On też grał? Czy cały ten wieczór to było przedstawienie? Ten człowiek potrafi wszystko.

Jedyne, co umieli, to podziwiać go, ponieważ tak im kazano. Plotki rodzą się bardzo szybko i sieją zamęt w ludzkich głowach, a prawda zaczyna się gubić w ich natłoku i nigdy już nie wraca do pierwotnego kształtu.

Odezwały się skoczne i żwawe dźwięki walca, co w tym momencie wydawało się absurdalne. Jules uznał go za melodię zupełnie niestosowną jako tło apokalipsy.

I nagle Lisbeth uśmiechnęła się do niego w sposób, który sugerował, że zrobiła to wszystko tylko dla jego dobra. Oczekiwała, że pogratuluje jej i podziękuje za ujawnienie tego szaleństwa. Najwyraźniej sądziła, że powinien być jej wdzięczny, bo, w swoim przekonaniu, uchroniła go przed popełnieniem kolejnego głupstwa z powodu oszustki, jaką była panna Vale. Tymczasem to właśnie ona okazała się najbardziej autentyczną osobą w tym towarzystwie.

Uświadomił sobie, że miał zatańczyć tego walca z Lisbeth, i ta myśl go zaszokowała.

Był całkowicie pewny, że nie zniósłby jej dotyku.

27

Phoebe wybiegła z sali odprowadzana zaintrygowanymi spojrzeniami. Paliły ją na całej skórze jak oparzenia drobnych iskierek.
Czuła, że ma szkarłatne rumieńce na twarzy, i nic nie mogła na
to poradzić, ale trzymała wysoko głowę i uśmiechała się władczo
jak aktorka zadowolona z zagranej roli. Całe szczęście, że miała
okazję zobaczyć signorę Licari, bo przynajmniej wiedziała, jak się
zachować.

Chciała pozostawić ich w przekonaniu, że sama uczestniczyła
w tym dowcipie. Pozostawić ich w niepewności. Zasiać w nich ziar-
no zwątpienia, z którego wyrastają pędy biegnące w niezliczonych
kierunkach. Waterburn, d'Andre i bliźniaczki będą musieli poświęcić sporo czasu, aby je wyplenić.

Gdy w końcu dotarła do schodów, wbiegła na nie jak zwierzę
wskakujące do norki.

Trzymając w rękach spódnicę, ruszyła na oślep przed siebie i zanurzyła się w ciemnościach Londynu. Przebiegła wzdłuż rzędów
jednakowych domów. Nie wiedziała, dokąd zmierza, chciała tylko
biec i biec tak długo, aż zabraknie jej tchu, aż serce wyskoczy z piersi, aż poczuje skrajne wyczerpanie. I nie będzie już czuła zupełnie
nic więcej.

Nagle zobaczyła powóz Silvertonów, na którego siedzisku przy-
cupnął woźnica i popijał trunek z flaszki.

Stanęła jak wryta.

– Zawieź mnie do domu Silvertonów – zażądała władczym
głosem.

Był tak zdumiony, że natychmiast się wyprostował i smagnął
lejcami ponad grzbietami koni, ledwo tylko zamknęła drzwi pojazdu.

Stuk, stuk, stuk.

Nie słyszał już jej kroków. Na pewno wyszła z budynku. Prosto
w londyńską noc...

Boże. Nie narazi Lisbeth na upokorzenie, mimo że zachowała się okropnie, bo sam nie był bez winy.

– Wybacz, Lisbeth – powiedział uprzejmym, grzecznym i przepraszającym tonem, ale miał wrażenie, jakby głos należał do innej osoby. Całe wieki dobrego wychowania nie poszły na marne. – Zdaje się, że zwichnąłem sobie nadgarstek, kiedy przekonywałem Cambera, by zachowywał się jak dżentelmen. Nie mogę spokojnie patrzeć, kiedy mężczyzna haniebnie traktuje kobietę – uśmiechnął się do niej.

I nagle poczuł złość na samego siebie, że jego uśmiech zawsze odnosi pozytywny skutek. Nienawidził się za to, że wykorzystuje tę umiejętność.

Zadziałało i tym razem. Lisbeth złagodniała.

– Och! Jules, naraziłeś się na taką przykrość, i to z powodu kogoś, kto jest tylko...

Wyraz jego twarzy powstrzymał ją przed dokończeniem zdania jak ręka położona na ustach.

Przez chwilę pełną napięcia nie wiedziała, co powiedzieć.

– Twoja honorowa postawa jest godna podziwu – rzuciła pospiesznie, a na jej twarz znowu wystąpiły wypieki.

Stuk, stuk, stuk. Oczyma wyobraźni widział coraz mniejszą sylwetkę Phoebe Vale, oddalającą się od niego nieuchronnie i znikającą na horyzoncie.

Szczęka rozbolała go od mocnego zaciskania. Nie mógł już tego znieść.

– Lisbeth – powiedział szorstko.

I nagle maska spadła z jego twarzy, a Lisbeth zrozumiała prawdę. Odezwała się błagalnym tonem, bliskim paniki.

– Jules, proszę, nie... chyba nie chcesz...

– To nie ma sensu, Lisbeth – rzucił łamiącym się głosem. – Nie potrafię wyrazić, jak bardzo jest mi przykro. Życzę ci wszystkiego najlepszego... ale to nie ma sensu. Muszę...

Otworzyła usta, ale nic nie powiedziała i szybko je zamknęła.

Ukłonił się, odwrócił, przeszedł przez długą salę balową, nie dostrzegając nawet, że kobiety suną ruchem wirowym po parkiecie, a ich partnerzy padają na kolano.

Odprowadzały go spojrzenia, ale był do tego przyzwyczajony.

Dopiero gdy dotarł do schodów, ruszył biegiem.

Zatrzymał się na moment w drzwiach, między dwoma lokajami. Niebo było ciemne i przepastne, a Londyn zdawał się nie mieć końca. Mogła być wszędzie.

Jeden z lokai najwyraźniej dostrzegł jego niezdecydowanie i się ulitował.

– Poszła tędy, milordzie – powiedział, wyciągając rękę.

Jules pobiegł we wskazanym kierunku.

Phoebe rzuciła się na ławkę w powozie. I dopiero wtedy zaczęła drżeć na całym ciele. Wściekłość, wstyd i poczucie krzywdy walczyły w niej o lepsze. Mocno objęła się ramionami, powstrzymując torsje, zamknęła oczy, odchyliła głowę i zaczęła uderzać nią raz za razem w oparcie.

– Boże... – jęknęła.

Z całej siły kopnęła drugie siedzenie. Jak gdyby to była Lisbeth albo Waterburn, albo ona sama, łatwowierna i głupia.

Ale najgorsza ze wszystkiego była świadomość, że Jules wiedział. Wiedział, że stała się przedmiotem zakładu. Słuchał jej pełnych zachwytu opowieści o mężczyznach, bukietach i walcach, wiedząc przez cały czas, że socjeta zrobiła z niej doświadczalne zwierzątko, rozrywkę, nowinkę.

Podróż nie trwała długo. Wyskoczyła z powozu jak strzała, ignorując wyciągnięte w jej stronę pomocne ramię woźnicy.

– Poczekaj tu – rozkazała.

Minęła zaspanego lokaja, który otworzył jej drzwi, wbiegła po schodach, przeskakując stopnie, i wpadła do wściekle różowego pokoju. Wyrzuciła wszystko z szafy – nie było tego wiele – i zaczęła bezładnie upychać do kufra, a na koniec z trzaskiem zamknęła wieko.

Dopiero wtedy zatrzymała się na chwilę w tym pędzie, pozwalając sobie na chwilę słabości, i zwymiotowała do nocnika.

Przycisnęła pięści do oczu, jakby chciała wyrzucić z pamięci na zawsze scenę z sali balowej. I oddychała, chcąc odzyskać spokój.

Próbowała też przywołać na pomoc swój rozsądek, odszukać w tym chaosie jakiś punkt, od którego mogłaby zacząć logiczne rozumowanie. Ale ten wysiłek był bezowocny. Nawet powietrze, którym oddychała, było nasycone jej bólem.

Jak mogła być tak żałośnie głupia? Niech ich wszystkich Hades pochłonie.

Jedzie do Afryki. I nigdy więcej nie będzie musiała o nich myśleć ani ich oglądać.

Nagle znieruchomiała.

Może i jest głupia... ale jeśli tak postąpi, będzie w dwójnasób głupia. I nic jej nie pozostanie. Spojrzała na ładny pożyczony płaszcz, który przed chwilą zdjęła i rzuciła na łóżko. Postanowiła zrobić z niego użytek.

Zadzwoniła po lokaja.

– Zanieś mój kufer do powozu.

Chwyciła kota, który obserwował ją z głęboką troską, i wsadziła go do koszyka.

Dziesięć minut później zatrzasnęła za sobą na zawsze drzwi domu Silvertonów.

Wkrótce zdał sobie sprawę, że błąkanie się w ciemnościach po St. James Square jest zajęciem absurdalnym i bezowocnym, podobnie jak przywoływanie Phoebe po imieniu niczym zaginionego psa. Nawet gdyby usłyszała i tak by do niego nie przyszła.

Nie pozostało mu zatem nic innego jak wrócić do domu.

Wpadł w czarną rozpacz i czuł w ustach jej cierpki smak. Wszedł do biblioteki, zdjął surdut i rzucił go z całej siły w przestrzeń. Kusiło go, żeby wrzucić go do ognia i w ten sposób wymazać wspomnienia tej nocy. Zerwał z szyi krawat, jakby to była pętla i też go odrzucił, ale nie poleciał daleko, co go jeszcze bardziej rozzłościło. Odpiął koszulę, która otworzyła się swobodnie, ukazując jego klatkę piersiową. Czuł, że całe jego życie jest jak klatka więzienia.

W zamyśleniu jego wzrok padł na karafkę z brandy. Zastanawiał się, czy byłby w stanie rzucić w gniewie przedmiotem – nie należał do tego typu ludzi.

Zawsze podejmował precyzyjne i doskonale przemyślane działania, przy czym robił to szybko. Działania, które wszystko rozwiązywały i wszystko pozwalały osiągnąć.

Bez wątpienia, pomimo niekorzystnych okoliczności, był nadal takim człowiekiem.

W domu panowała cisza jak w grobowcu. Nigdy wcześniej mu to nie przeszkadzało, a zapewne zawsze musiało tak być.

Powinienem sprawić sobie kota, pomyślał Jules.

Gdy nalewał sobie szklaneczkę brandy, zadźwięczał dzwonek. Zamarł. Ostrożnie odstawił pełną szklankę na stolik obok karafki, którą miłosiernie oszczędził.

Marquardt spał, podobnie jak pozostała służba. Nie miał kto otworzyć drzwi.

Dwoma długimi susami znalazł się przy oknie, odsunął zasłonę i wyjrzał.

Latarnie zostały przykręcone na noc, więc widział tylko ciemny zarys postaci stojącej na schodach. Bez wątpienia była to kobieta. Na ulicy dostrzegł niewyraźny kształt dużego i okazałego powozu.

Przeskakując po dwa stopnie marmurowych schodów, dopadł do drzwi i otworzył je na oścież.

I zawirowało mu w głowie od nagłej ulgi i niedowierzania.

Za drzwiami stała ona. Wydawała się mniejsza, ale być może przytłaczał ją tylko płaszcz, który miała na sobie, a który nie należał do niej. Był za duży, podbity futerkiem, a w ogromnym kołnierzu zupełnie ginęła jej szczupła szyja. Zapięła go aż po samą szyję.

Przy jej stopach stał koszyk, z którego dobiegało miauczenie.

Wpatrywała się w niego jasnymi oczami, w których płonął ogień. Nawet w ciemności było widać, że jest wściekła. Iskry złości strzelały z niej na wszystkie strony. Wyczuwał je w powietrzu jak zbliżającą się burzę.

Odwróciła się i zawołała do woźnicy chłodnym tonem:

– Czy możesz przynieść mój kufer?

Phoebe minęła Julesa, nawet na niego nie patrząc, nie czekając, aż zaprosi ją do środka. Skierowała się prosto na schody, pokonując je tak szybko, jak robiła prawie wszystko w życiu. Ruszył za nią jak we śnie. Nie był w stanie wydobyć głosu.

Słyszał jeszcze uderzenie kufra o podłogę w holu, a potem trzaśnięcie drzwi. Niech będą dzięki woźnicy Silvertonów, że nie zapomniał ich zamknąć.

Weszła do jego sypialni, postawiła koszyk na podłodze i otworzyła wieko. Ze środka wyskoczyła Charybda, która spostrzegła krzesło obok kominka, rozciągnęła się przy nim i zaczęła skubać jego tylną nogę.

Jules odzyskał mowę.

– Phoebe… ja… Dlaczego tu przyszłaś? Cieszę się, że jesteś, kochana, ale…

Zsunęła z ręki jedną rękawiczkę. Rzuciła ją na podłogę. Ściągnęła drugą i zrobiła z nią to samo, po czym obie kopnęła. Piękne rękawiczki z koźlęcej skóry poleciały w drugi koniec pokoju.

Wysunęła stopy z pantofli. Kopnęła je na bok, a jej gołe palce zanurzyły się w puszystym dywanie.

Drogi Boże. Zauważył, że cała drży. Wyciągnął rękę, próbował jej dotknąć.

– Phoebe, kochanie… Przecież ty cała drżysz. Przeżyłaś szok. Naleję ci brandy…

Zachowywała się tak, jakby w ogóle nie słyszała jego słów.

– Pragniesz mnie, Dryden. To mnie weź.

Zastygł jak sopel lodu. Był ogłuszony.

W ciszy, która zapadła, słychać było tylko trzaskanie ognia, który strzelał iskrami na znak solidarności z emanującym z niej gniewem.

– Phoebe, ja nie… – zaczął łamiącym się głosem.

– O co ci chodzi? Już mnie nie pragniesz, teraz, kiedy zabawa się skończyła? A czy ty w ogóle wiesz, co naprawdę myślisz i czego naprawdę chcesz? Czy wszystkie twoje pragnienia giną pod kaskadą powinności? Nie waż się tego powtarzać. Słyszałam już te absurdy. Tak, znam trudne słowa, takie jak kaskada. I przychodzą mi one łatwo. Ale to nie ma znaczenia, prawda?

Kręciło mu się w głowie. Nie wiedział, od czego zacząć.

– Ja…

– Nieważne, czy mnie jeszcze pragniesz. Bo miałeś rację. To ja pragnę ciebie. Tak jak kobieta może pragnąć mężczyzny. I tej nocy będziesz mój.

– Czy ty w ogóle wiesz, co ty… jesteś pijana… jesteś… proszę, może porozmawiamy o tym później?

Ale Phoebe odpinała już płaszcz.

– Taki z ciebie tchórz, Dryden? Potrafisz tylko gadać? Już nie jest zabawnie, tak? Wiedziałeś przez cały czas. Wiedziałeś. I nie przerwałeś tego. Pozwoliłeś, żeby zrobili ze mnie pośmiewisko. Przecież to wszystko było w tych cholernych księgach zakładów.

Poczuła ulgę, gdy mu to wszystko wykrzyczała.

– Dosyć. Wiem, że jesteś zła i czujesz się skrzywdzona, ale nie rzucaj fałszywych oskarżeń pod moim adresem. Nie wiedziałem. Nie od początku. Odkryłem to później. Nigdy nawet nie podchodzę do tych przeklętych ksiąg. Ale raz to zrobiłem. Jak miałem ci to powiedzieć, Phoebe? Przyznaję się tylko do tego, że postąpiłem samolubnie. Bo kiedy patrzę na twoje szczęście, odczuwam największą przyjemność w życiu, mimo że jesteś w ramionach innych mężczyzn, a ten widok mnie zabija. Złamałbym ci serce, a to było tak samo… tak samo… jakbym złamał własne. Miałaś wyjechać. Powiedziałaś, że wyjeżdżasz. Być może nigdy byś się nie dowiedziała.

To ją zbiło z tropu. Przez jej twarz przebiegły cudowne zdziwienie, porywająca tęsknota, a w końcu pojawił się wyraz szczerej nadziei, od którego zabrakło mu tchu.

Ale pokręciła twardo głową. Jej rozjuszona wściekłość szukała wyładowania, a nie miłości czy pokoju. Nie ufała tym uczuciom.

W końcu odpięła wszystkie guziki płaszcza. Strząsnęła go z ramion. Upadł u jej stóp.

Przenajświętsza Matko…

Była zupełnie naga.

28

Jego zmysły odebrały to jak uderzenie pioruna. Zakręciło mu się w głowie. Roztoczyła przed nim całe swoje piękno. Upajał się widokiem jasnej skóry, długich, smukłych nóg, zwężenia w talii i ciężkich, krągłych piersi.

Nie był w stanie oddychać.

Podniosła ręce i zaczęła wyjmować szpilki z włosów, zamknęła je w dłoni i rzuciła na gęsty dywan, a jej rozpuszczone włosy przykryły nagie ciało jak błyszczący jasny wodospad. Potrząsnęła głową.

– Powiedz, że mnie nie pragniesz.

Wiedziała, co oznacza wyraz jego oczu.

Nie był w stanie wydobyć głosu. Wpatrywał się w nią bez cienia zażenowania. Sycił oczy jej pięknem.

– Nie w ten sposób – odparł poruszony.

Boże, był cudownie podniecony.

– W jaki sposób? Nie podoba ci się, że jestem zbyt chętna? A może sam jesteś za zimny, Dryden? Czy muszę się jeszcze bardziej rozzłościć, żeby roztopić ten kawał lodu, który masz zamiast serca? Czy mam rzucać przedmiotami, żeby cię podniecić? A może wolisz najpierw kupić mi prezenty, żeby uzyskać prawo do mojego ciała? Czy teraz jestem już bezwartościowa dla człowieka, który lubi tylko rzeczy cenne?

Obrała prymitywną, ale skuteczną strategię. Uderzyła w jego słabe miejsca, które tylko ona znała, i przyłożyła lont, wywołując niemal wybuch.

– Uważaj, Phoebe.

– Jesteś tchórzem, Dryden. – Zrobiła krok w jego stronę. Popchnęła go dłonią, ale nie była w stanie go przewrócić. – Nie powiedziałeś mi o księgach zakładów, bo jesteś tchórzem. Nie mógłbyś znieść mojego rozczarowania, więc pozwoliłeś, by zabawa trwała. A co z moją dumą? Czy naprawdę jestem taka żałosna?

Chciała go rozzłościć. I udało jej się, bo teraz kipiał wściekłością.

– Uwierzyłaś im, Phoebe. Jestem jedynym człowiekiem, jedynym, który od samego początku był wobec ciebie uczciwy. Nigdy cię nie oszukiwałem, zawsze mówiłem otwarcie, czego chcę i kim jestem. I... Boże... nigdy nie jesteś żałosna. Nigdy więcej tak nie mów. Porozmawiamy rano i...

– Zawsze musi być tak, jak ty chcesz, prawda? Otóż nie. Tej nocy będzie tak, jak ja chcę. Czy jesteś wystarczająco męski, aby temu sprostać?

Zrobiła unik, kiedy skoczył w jej stronę, ale w końcu ją dopadł i przycisnął do oparcia łóżka.

Położył dłoń na jej mostku i popchnął. Runęła na łóżko i podniosła się na łokciach.

Zawisł nad nią swoim ciałem, podpierając się na rękach. Był na tyle blisko, że czuł jej oddech, który rwał się z wściekłości. Wpatrywał się w jej ogromne czarne źrenice.

Chryste. Jego członek był twardy jak skała, a ciało aż drżało z podniecenia. Kobieta, o której marzył, leżała pod nim naga, a jej miękkie ciało prosiło, by je wziął.

– Dosyć, Phoebe. – Ten ton zmroziłby krew w żyłach najodważniejszemu człowiekowi. – Jesteś załamana. Ustalimy rano, jak to zorganizować...

Wykręciła się i próbowała go kopnąć, ale w porę zrobił unik.

– Nie mów mi, jaka jestem albo jaka powinnam być! Ty i te twoje cholerne ustalenia... – Zamachnęła się z rozmachem, celując w jego twarz. – Teraz albo nigdy.

Szybkim jak błyskawica ruchem złapał ją za nadgarstki i przygwoździł do łóżka.

Napięła mięśnie, chcąc się wyswobodzić. Próbowała się ruszyć. Szeroko rozwarła oczy ze zdumienia, gdy stwierdziła, że nie jest w stanie nawet drgnąć. Ani trochę.

A jednak przytrzymywanie jej wymagało od niego niemałego wysiłku. Była drobna, ale zadziwiająco silna i gibka, zupełnie jak jej przeklęty kot. Musiał poluzować chwyt, bo w przeciwnym razie miałaby sińce na nadgarstkach, ale nie mógł jej pozwolić, aby biła go po twarzy albo gryzła, a w tym stanie była zdolna do wszystkiego.

Wciągnęli ją na szczyt, a potem zrzucili w przepaść, więc zamieniła się znowu w dzikie stworzenie, którym musiała być, gdy została wyrwana z podłej dzielnicy, gdzie się wychowywała. Była teraz taka jak jej kot. Skrzywdzona, przerażona i gotowa do walki.

Jego napięty członek boleśnie prężył się w spodniach. Pot wystąpił na czoło i ramiona Julesa, spływał też wzdłuż kręgosłupa. Jego samokontrola słabła.

Phoebe wiedziała.

Wygięła się ku niemu i pocałowała go, twardo biorąc w posiadanie jego usta. Jej wargi były sprężyste, ogarnięte złością i natarczywe. Polizała kąciki jego ust i delikatnie ugryzła w dolną wargę. Jej piersi muskały rozpiętą koszulę, a jej naprężone sutki ocierały się o nagą skórę klatki piersiowej.

Rozwarła nogi i otoczyła jego biodra, przyciągnęła go do siebie i przesuwała stopami po jego udach.

– No dalej, Dryden – szepnęła z ustami przy jego ustach. – Zrób mi przyjemność. Tylko tego chcę.

Przykrył ustami jej wargi i próbował przejąć kontrolę, ale wsunęła język do jego ust w akcie cielesnego podboju. Walczyli o przywództwo, a pocałunek stał się niezwykle erotyczny i jednocześnie pełen przemocy. Jules złapał lekko zębami jej miękką dolną wargę. Wciągnęła gwałtownie oddech, a on wykorzystał chwilową przewagę i rozpoczął podbój. Pocałunek stał się ostry i głęboki. Był to pojedynek języków, zębów, powolny, lubieżny akt pozbawiony finezji. Nie przerywając pocałunku, podniosła nogę uwięzioną pod jego ciałem i wolno przeciągnęła kilka razy kolanem po jego nabrzmiałym, obolałym członku, aż z jego gardła wydobył się niski, dziki jęk, a z ust wyrwało ciche, rozpaczliwe przekleństwo.

Uwolnił jej nadgarstki i wsunął ręce pod plecy. Jej głowa odchyliła się w tył. Wyciskał gorące, mocne, niemal brutalne pocałunki na jej szyi, jakby chciał wypalić swoje piętno. Przywarła do jego ramion, wbijając paznokcie w lniany materiał koszuli. Przesunął usta na jej piersi, polizał je, a potem ugryzł delikatnie sutek.

Wijąc się pod nim, sięgnęła dłonią do guzika spodni, a jej ręce były szybkie i zręczne pomimo drżenia.

Wysunął spod niej ręce. Opadła na łóżko. Przesuwał dłonie po jej ciele, nie mogąc się nasycić chłodem i gładkością skóry, zachwycając się tym cudownym dotykiem. Zamknął dłonie na jej okrągłych i naprężonych piersiach, a potem pochylił głowę i zaczął ssać jedną z nich mocno i bezlitośnie. Przeszył ją dreszcz nagłej rozkoszy, uderzyła głową w poduszkę i wiła się pod nim, wykrzykując przekleństwa, których nie znała żadna dobrze wychowana panna z wyższych sfer, słowa, które były częścią jej osobowości. Błagała go, obrażała, rozpalała, zachęcała do działania.

Przeciągnął językiem między jej drobnymi żebrami, aż dotarł do pępka.

Zamknęła go w uścisku swoich nóg, wyginając ku niemu całe ciało.

Zawisł nad nią i wziął w rękę członek, a ona oplotła go mocno nogami, przeciągając stopami po jego udach.

W tym momencie się zawahał.

– No dalej, Dryden.

Wysunęła ku niemu swoje ciało.

Z głośnym świstem wciągał powietrze, a wzrok zaszedł mgłą żądzy i wściekłości.

– Nie – wydusił z siebie.

– A właśnie, że tak.

Próbowała go przyciągnąć.

– Nie. Nie w ten sposób.

– Albo w ten, albo wcale.

I nagle przewrócił się na plecy, pociągając ją za sobą, tak że przykryła go swoim ciałem. Otoczył ją ramionami i trzymał mocno. Po chwili zorientowała się, że jest na jego łasce, że panuje nad sobą, pomimo że tak bardzo jej pragnie. To on sprawował tu kontrolę.

– Chcę się z tobą kochać.

Pokręciła gwałtownie głową, a jej oddech stał się urywany.

– Nie.

– I chcę, żebyś ty kochała się ze mną.

Przez chwilę słyszał tylko jej urywany oddech.

– Nie – szepnęła, walcząc z napływającymi łzami.

– Obawiam się, że nie masz wyboru – powiedział cicho, niemal z żalem, i tak, jakby mówił do samego siebie. – Nie masz... żadnego... wyboru.

Ostatnie słowa wyszeptał prosto do jej ucha, jakby nucił kołysankę, i przez dłuższą chwilę głaskał ją po włosach. Przeczesywał je palcami, jak gdyby to z nich brała się jej dzikość. Potem gładził palcami gorącą, jedwabistą skórę pleców, jakby grał na harfie, i szeptał jej coś do ucha jak dzikiemu stworzeniu, które trzeba oswoić. Drżała z napięcia, ale był nieskończenie czuły i nieskończenie uwodzicielski.

Przejechał koniuszkami palców po guziczkach kręgosłupa, a jego usta przesuwały się delikatnie po jej skroni, wzdłuż linii włosów aż do szyi. Potem wycałował jej brwi, jakby chciał jej wskazać po kolei te części ciała, które najbardziej go oczarowały i zafascynowały. I pokazywał jej źródła przyjemności ukryte w różnych zakątkach. Miał zamiar przywołać je na pomoc, udowodnić jej, jaką może czerpać z nich przyjemność. Kołysał ją w ramionach, budził podniecenie i zapamiętywał każdy jej fragment.

Kiedy pocałował jej powieki, poczuł słony smak. Bo właśnie tak kończy się wściekłość, gdy do walki z nią przywoła się czułość. Po prostu się roztapia.

W końcu westchnęła. Był to znak frustracji i poddania. Zamknęła oczy. Zauważył łzy drżące na rzęsach. Wycałował je. Oddech Phoebe był wciąż szybki i przerywany, ale ulotniła się oszalała furia, a jej miejsce zajęło tęskne pożądanie.

I dopiero to pobudziło go ponad wszelką miarę, bo wiedział teraz, że w końcu nareszcie będzie należała do niego.

Dotknął językiem jej ucha i znowu przeciągnął rozpostarte płasko dłonie po wypukłościach jej ciała, przytulając ją mocniej do siebie. Boże, tak bardzo jej pragnął.

A ona dotknęła ustami jego warg i pocałowała go delikatnie i ostrożnie, jakby pierwszy raz. To były przeprosiny i preludium. Uderzenie, wybuch, wstrząs. Można by pomyśleć, że to ich pierwszy pocałunek.

Po chwili się pogłębił, spowolnił. Stał się nie tyle pocałunkiem, ile kolejnym sposobem radosnego zespolenia. Jules miał wrażenie, że wyczuł w nim również nutę pożegnania.

Gdy go przerwała, pochyliła głowę, opierając ją na jego podbródku.

– Boję się – wyszeptała.

Wydawało mu się, że zdziwiła samą siebie tym wyznaniem.

Wiedział, że przyznanie się do lęku dużo ją kosztowało. I zrozumiał, co ma na myśli. Nie bała się seksualnego połączenia. Bała się zatracenia samej siebie, oddania się drugiej osobie, uczucia na tyle silnego, że otwiera człowieka na inny rodzaj bólu.

On też się bał. Ale tylko ona miała dość odwagi, by się do tego przyznać.

– Ze mną nic ci nie grozi – wypowiedział prostą prawdę.

Po tych słowach zsunęła się niżej, tak że mogła pocałować jego szyję rozchylonymi wargami. Potem zsunęła się jeszcze trochę i zlizała strużkę potu na obojczyku. W końcu przesunęła się na tyle nisko, że miała jego talię między nogami, a członek uderzał o jej bujne pośladki. Usiadła i zaczęła zsuwać koszulę z jego ramion. Pomógł jej, unosząc się nieco i strząsając z siebie odzież. Rzucił koszulę na drugi koniec pokoju, czym wystraszył Charybdę i wywołał śmiech Phoebe.

Pochyliła się nad nim, przejechała policzkiem po jego skórze, a potem delikatnie wycałowała wszystkie zabawne i cenne oznaki miłości: siniaka na czole i zadrapania na piersi. Pocałowała też wojenną pamiątkę, cienką białą bliznę po ranie od bagnetu. Przesunęła językiem między żebrami, podczas gdy Jules bawił się jej włosami. Jego ciało wyrywało się ku niej, szybki oddech unosił pierś, a serce mocno dudniło. Wiedziała, jak bardzo jej pragnie. Zsunęła się znowu niżej i usiadła okrakiem na jego udach. Pociągnęła w dół spodnie. Kolejne pociągnięcie uwolniło ukryty członek, który wyskoczył radośnie jak na sprężynce – gruby, napęczniały i wygięty w stronę jego brzucha. Zsunęła mu spodnie z bioder, które okazały się szczupłe i białe. Musnęła palcami ostre kości, podczas gdy Jules podniósł biodra, aby jej pomóc. Ale i tak musiała pociągnąć mocno kilka razy, a że szło jej to opornie i niezręcznie, oboje się roześmiali. W końcu udało się pozbyć niechcianej części garderoby. Jego uda były twarde jak pnie drzewa, pokryte kręconymi ciemnymi włoskami. Ich wnętrze było za to niesamowicie miękkie i białe, najwyraźniej włoski wytarły się od konnej jazdy.

I właśnie w to miejsce go pocałowała. Delikatnie rozsunęła jego kolana i dotknęła ustami, a potem językiem miękkiej skóry.

– Dobry Boże – westchnął z zachwytem.

Zrobiła to ponownie, dodatkowo przeciągając po jego skórze paznokciami, aż wciągał z sykiem powietrze przez zęby i kręcił się niespokojnie. Jego członek żwawo podskakiwał.

– Proszę... weź... go... do ust – wycharczał błagalnie.

Przejechała językiem wzdłuż jego członka. Z gardła Julesa wydobył się długi i pierwotny jęk, jakby ktoś go przebił bagnetem. Zamknęła usta na żołędzi i zsunęła je niżej.

Z trudem łapał powietrze i rzucał pod nosem brzydkie, ale pełne aprobaty słowa oraz sugestie, takie jak „zrób to jeszcze raz", wbijając podkurczone palce w narzutę łóżka. Uniósł biodra kołyszącym ruchem, wysuwając się w jej stronę. Odchylił głowę, a mięśnie szyi były naprężone do granic możliwości.

Zrobiła to ponownie, zafascynowana gorącą, jedwabistą siłą, władzą, jaką miała nad nim. Zachwycało ją, że potrafi dać temu ostrożnemu, opanowanemu mężczyźnie tak wielką przyjemność, że odchodzi od zmysłów. Jego członek był tak potężny, że z trudem zamykała na nim usta.

Zrobiła to po raz kolejny.

– To niewiarygod... Phoebe... Chryste...

Z jego ust wydobywały się ochrypłe, urywane dźwięki. Zarzucił rękę nad głowę, z trudem łapiąc hausty powietrza. Przełknął ciężko i głośno.

I nagle usiadł, podpierając się na łokciach i wbił w nią spojrzenie.

I w ciągu kilku sekund, których nie była w stanie odtworzyć, przewrócił ją na plecy i zawisł nad jej ciałem, wspierając się rękoma na łóżku.

Przesunęła palcami nóg po twardych jak diamenty pośladkach, a potem palcem dłoni po linii ust.

Zanurkował, przyłożył usta do jej warg, z rozmysłem przeciągając jednocześnie członkiem po jej szparce. Jej ciało wyrywało się ku niemu. Zakwiliła cichutko.

– Otocz mnie nogami, Phoebe.

Założyła stopy na jego plecach, a on wślizgnął się do jej wnętrza.

Westchnęła głośno pod wpływem nagłego bólu, po czym cichutko jęknęła, gdy jego twardy członek wypełnił ją całkowicie.

– Trzymaj się mnie, kochana.

Nie trzeba jej było wiele mówić. Poruszał się w niej z pewną finezją, jakby zależało mu na przedłużeniu przyjemności. Był ostrożny i nie chciał sprawić jej bólu. Ale w oczach, które w niej utkwił, płonęła dzikość zdobywcy, samolubna, podniecająca i niepowstrzymana potrzeba. Potrzebował jej. Był teraz we władzy rozkoszy i poddał się jej w końcu. Pokręcił lekko głową, jakby chciał ją przeprosić, że już nad tym nie panuje. Frustracja, tęsknota i pożądanie, tłumione przez całe życie, teraz stały się jego siłą napędową. Głęboko zanurzał w niej członek raz za razem, a ona poruszała się tym samym rytmem, wysuwając biodra do przodu, aby go przyjąć jeszcze głębiej, najgłębiej, jak tylko mogła. Przywarła do niego, wbijając palce w jego ramiona. Tempo wciąż przyspieszało, jego białe biodra uderzały w jej biodra, ciała zwierały się jak w walce.

Zatopiła paznokcie w jego bicepsach. Ze skraju jej świadomości nadciągało wyzwolenie, zwiastujące wszechogarniającą rozkosz, rozrywającą w strzępy jej istotę. Wiedziała, że jego wyzwolenie też się zbliża. Zacisnął szczękę, a napięcie wprost dudniło w jego ciele. Zatracił się w przyjemności, w tym dzikim pędzie. Uderzyła go pięścią w plecy, co go pobudziło do ostatniego wysiłku. Jej głowa opadła bezwładnie w tył.

– Ja... Jules...

Z krzykiem rozpadła się na kawałki, gdy na chwilę nad nią znieruchomiał. Potem przepłynął przez niego dreszcz orgazmu, który wstrząsnął jego ciałem. Wytrysnął do jej wnętrza.

Leżeli razem, nic nie mówiąc, wtuleni w swoje ciała, a jego ramiona obejmowały ją od tyłu. Jego klatka piersiowa unosiła się w oddechu, który miękko pieścił jej szyję. Na ich ciałach stygł pot. Ogień na kominku syczał i trzaskał, paląc się coraz słabiej. W narożniku pokoju Charybda robiła hałaśliwą toaletę.

Jego ręce nie przestawały się poruszać. Delikatnie błądziły po jej ciele, sycąc się dotykiem skóry. Badając wszystkie zakamarki. Uciszając burzę. Gdy znów zaczęła reagować na jego pieszczoty, stały się bardziej wyrafinowane, pobudzające jej ciało. Nigdy wcześniej nie cieszyła się tak bardzo z posiadania skóry, ust, koniuszków palców, z cudownej różnorodności przyjemnych doznań, jakich dostarczało jej ciało pod jego rękoma.

Zamknął w dłoniach jej piersi i delikatnie uszczypnął ustami skórę na jej karku. Przewróciła się w jego objęciach tak, by leżeć twarzą do niego. Poszukała ustami jego warg, otoczyła go nogami i przyciągnęła do siebie. Smakował słodko jak zawsze. Całowanie go było jak niekończąca się i rozkoszna podróż przez czas.

– Zróbmy to tak – szepnął.

Przewrócił ją delikatnie na brzuch, uniósł jej biodra i przesunął dłońmi po plecach, muskając ją twardym członkiem. Powoli wsunął się w nią, tak aby poczuła każdy jego cal. Jęknęła z przyjemności. Tym razem poruszał się w niej z wyrafinowaniem, finezją, odnajdując sekretne miejsca, które przeobrażały pożądanie w dziką żądzę. Wsuwał się w jej ciało coraz szybciej i mocniej, zachęcony jej ponagleniami, aż z ich ust wydobył się jednoczesny krzyk.

A potem zasnęli twardym snem, spleceni w uścisku.

Nie tylko signora Licari chrapie, pomyślała z lekkim uśmiechem. Jules też chrapał, ale cicho. Spał z jednym ramieniem odrzuconym na bok, a drugim zgiętym w obronnym geście na klatce piersiowej, jakby chciał osłonić serce. Wydawał się wyczerpany, ale szczęśliwy i odmłodzony.

Podparła się na łokciu i przez chwilę przyglądała się, jak śpi. Cieszył ją ten widok. Jules był teraz taki wrażliwy i ufny.

W pokoju zrobiło się chłodno. Przez okno wpływało blade światło świtu.

Wyślizgnęła się z łóżka i na palcach przeszła po dywanie. Pocałowała Charybdę na powitanie, po czym, wciąż na palcach, podniosła z dywanu rękawiczki i pantofle.

Ostrożnie podniosła wieko kufra i wyjęła z niego szkicownik. Położyła go na łóżku. Wzięła pierwszą sztukę garderoby, która wpadła jej w ręce. Była to znoszona i pognieciona spacerowa suknia. Włożyła ją przez głowę. Potem podeszła do łóżka i pochyliła się, żeby podnieść płaszcz.

W tym momencie wysunęła się ręka, która chwyciła ją za łydkę.

Wzdrygnęła się zaskoczona. Pociągnęła na próbę. Ale dłoń trzymała ją jak łańcuch.

– Odchodzisz – powiedział bezbarwnym głosem z niedowierzaniem. A może przypuszczeniem.

– Tak – odparła miękko. – Puść mnie, proszę.

Wahał się i przez chwilę myślała, że jej nie puści.

Ale w końcu zwolnił uścisk.

Odwrócił się na plecy i wsunął ręce pod głowę.

Ciężkie milczenie wypełniło pokój.

– Dlaczego? – odezwał się w końcu.

– Zmieniło się jedynie to, że się kochaliśmy. Wiesz, czego chcesz, i ja wiem, czego chcę. Ta noc była cudowna. A teraz odchodzę. To proste.

– Phoebe...

– Nie próbuj mnie zatrzymywać, proszę. Nie mam dość siły. Nie chcę się sprzeczać. Nie chcę, żebyś mnie przekonał. Przeżyliśmy jedną doskonałą noc. I to nam musi wystarczyć.

W jej głosie wyczuł drobną nutę wzmagającej się paniki.

Mógłby ją oskarżyć o wiele rzeczy i wiedział, że miałby rację. Nadal się bała. Uciekała przed nim i przed lękiem, że któregoś dnia może go stracić. Uciekała przed uczuciami, które ją przytłaczały, i przed niepewnością, jaka im towarzyszyła. Przez całe życie próbował przykroić niepewność w taki sposób, aby pasowała do jego wyobrażenia o tym, jak funkcjonuje świat, by nad nią zapanować.

Tymczasem Phoebe postępowała inaczej. Jeśli nie mogła oswoić niepewności za pomocą faktów, po prostu... uciekała.

– Ja... – zaczął.

Mógł dokończyć to zdanie na różne sposoby: „...wszystko zepsułem", „...kocham cię od chwili, kiedy cię ujrzałem", „...byłem kompletnym durniem", „...nigdy na ciebie nie zasługiwałem".

– Kocham cię – wyznał, choć wcale tego nie planował.

Znieruchomiała.

Pocałowała swoje palce i położyła na jego ustach, aby powstrzymać dalsze słowa.

– Dziękuję ci – powiedziała. – Nie odprowadzaj mnie.

29

Nie mieściło mu się w głowie, że Phoebe odeszła. Ukrył twarz w dłoniach i leżał jak człowiek ranny w bitwie. Próbował określić, czy rana jest lekka, czy może śmiertelna.

Mógłby znowu zwalić winę na ojca, gdyby chciał, bo wciąż starał się kształtować swoje życie w taki sposób, który by go zadowolił. Mógłby obwiniać samo życie, że narzuciło mu tyle zobowiązań. Mógłby wreszcie obwiniać socjetę za to, że podtrzymywała jego mit.

Oderwał ręce od twarzy i położył dłoń na jej stronie łóżka, która była jeszcze ciepła, ze zmierzwioną pościelą. Natrafił na szkicownik. Przyciągnął go do siebie i otworzył. Poruszony i zdziwiony, oglądał kolejne wersje samego siebie widzianego jej oczyma: posępną, namiętną i taką, na której był żałośnie brudny i zielony od trawy. Próbowała uchwycić jego charakter.

Uczucia wprowadzają anarchię, powiedziała mu. Nie sposób ich uregulować. Tymczasem on nie ustawał w wysiłkach, by tego dokonać. Jego opanowanie było zarówno słabością, jak i siłą. Był precyzyjny w swoich działaniach, robił zawsze to, co należało, jego wybory były doskonałe.

I, rzecz jasna, właśnie to go zgubiło.

Wiedział, że może zrobić tylko jedną rzecz, aby móc wytrzymać z samym sobą. Być może Phoebe nigdy nie będzie jego, być może już jej więcej nie zobaczy, ale chciał, żeby wiedziała ponad wszelką wątpliwość, ile dla niego znaczy, jak go zmieniła, co mu ofiarowała.

Odpowiedź była prosta.

Poczuł, jak wypełnia go spokój. Po raz pierwszy od długiego czasu pomyślał przychylnie o swoim ojcu, ponieważ dopiero teraz go zrozumiał.

Dryden wpadł tego popołudnia do klubu z takim impetem, że wywołał totalny i natychmiastowy popłoch w szeregach jego członków. Wyglądali jak ogłuszeni po ostrej kanonadzie.

Odruchowo zdjął kapelusz i podał go wraz z laską czekającemu lokajowi. Zrobił krok do przodu i zwolnił, kiedy usłyszał…

…miauczenie.

Nie mógł całkowicie wykluczyć możliwości, że to pułkownik Kefauver miauczy przez sen. Ale gdy rozejrzał się po pomieszczeniu… doliczył się… raz, dwa, trzy, czterech młodzieńców, którzy trzymali na ręku koty. W dodatku pręgowane.

Matko boska.

Zamknął oczy i pokręcił głową. Jego życie było farsą.

Gdy szedł przez salę, wszystkie oczy śledziły jego ruchy.

– Gdzie twoja kicia, Dryden? – wypalił ktoś.

Nawet się nie odwrócił.

Isaiah Redmond opuścił gazetę i patrzył wyczekująco.

Waterburn, którego szukał, siedział przy stole na samym końcu sali. Obok jasnowłosego olbrzyma usadowili się d'Andre oraz wielu innych młodzieńców, którzy spijali słowa z jego ust.

– Szkoda, że nie widzieliście jej twarzy. Najlepszy podstęp od lat! Cała socjeta w to uwierzyła. Orchidee! Przezwisko! – Towarzystwo wybuchło śmiechem. – No cóż, założę się, że pewnego dnia sami będą się z tego śmiać.

Waterburn nagle zdał sobie sprawę, że jego kompani przestali się śmiać i wpatrują się w jakiś punkt nad jego głową. Odwrócił się za siebie.

Gdy zobaczył markiza, zerwał się na równe nogi, omal nie przewracając krzesła.

– Dryden.

Początkowe przerażenie ustąpiło i pozwolił sobie nawet na nikły uśmieszek.

– Dzień dobry, Waterburn. Możesz zarobić tysiąc funtów.

Uśmieszek zniknł. Przez twarz Waterburna przebiegały pomieszane emocje: zainteresowanie, zdziwienie i chciwość. Gdy w końcu dotarło do niego, w czym rzecz, pozostało miejsce tylko na zimne przerażenie.

– Daj spokój, Dryden. – W jednej chwili jego twarz zbladła i lekko zzieleniała. – Chyba nie chcesz zrobić nic głupiego…

– Nigdy w życiu nie zrobiłem nic głupiego – odparł i zdał sobie sprawę, że to prawda. Miłość do Phoebe Vale wcale nie była głupia. Ani to, że oberwał własnym kapeluszem w głowę.

– To był tylko żarcik…

– Wyznacz sekundanta – rzucił mu wyzwanie od niechcenia.

Szmer, który przebiegł przez salę, mało nie poruszył ciężkich aksamitnych zasłon.

Wszyscy kompani odsunęli krzesła i zerwali się na równe nogi, po czym odsunęli od Waterburna, jakby wyzywanie na pojedynek było zaraźliwe.

Waterburn powiedział, krztusząc się:

– …ki diabeł… Czy ty oszalałeś, Dryden?

– Bez wątpienia. – Dzięki rubrykom towarzyskim szaleństwo wkrótce wejdzie w modę. – I pozwól, że uściślę sprawę. Wyzywam cię na pojedynek na pistolety za to, że naraziłeś na szwank honor panny Phoebe Vale. Do pierwszej krwi.

Waterburn gwałtownie pokręcił głową, nie wierząc własnym uszom.

– Ja… – zaczął się jąkać. – Chwileczkę, Dryden… to była tylko zabawa. Trochę nas poniosło, ale ona jest tylko…

– Jeśli zależy ci na życiu, to nie kończ tego zdania – powiedział tak zimnym tonem, jakby przystawiał lufę pistoletu do skroni.

Waterburn zakrył usta dłonią.

– Doskonale. Następnym słowem, jakie padnie z twoich usta, ma być nazwisko sekundanta.

Zapadła cisza, w której słychać było tylko skrzypienie krzeseł. Nawet pułkownik Kefauver obudził się i przytomnie patrzył, co się dzieje.

– D'Andre – powiedział w końcu Waterburn słabym głosem i głośno przełknął. – Jesteś pewien, że chcesz... Jutro wyjeżdżam do Sussex.

– Doskonale. – Jules wydawał się znudzony. – D'Andre może omówić szczegóły z moim sekundantem, panem Gideonem Cole'em. Proponuję łąkę w Pennyroyal Green jutro o świcie. Jeśli się nie pojawisz, strzeż się... – Pochylił się do przodu niemal konfidencjonalnie, a Waterburn, jak zahipnotyzowany, uczynił to samo. – Będę cię ścigał. Nie zaznasz spokoju, dopóki nie dasz mi satysfakcji. I nie ręczę, czy moje postępowanie będzie honorowe. Ostatnio honor stał się czymś irytującym. Nikt, ale to nikt, nie będzie wystawiał na pośmiewisko osoby, którą kocham.

Waterburn przysłuchiwał się tej tyradzie z dziwnie spiętą twarzą. Po obu stronach nozdrzy pojawiły się białe linie. Oparł dłoń na jednym z krzeseł, jakby się bał, że upadnie.

Jules skinął głową, odwrócił się i lawirując między stolikami, wyciągnął rękę po kapelusz i laskę, które przyniósł usłużny lokaj, po czym zatrzymał się obok Isaiaha Redmonda.

Isaiah wpatrywał się w niego tak, jakby Jules już popełnił morderstwo.

– Przyjmij moje przeprosiny, Redmond. Nie miałem wyboru.

– Rozumiesz, że to koniec naszej umowy, Dryden.

– Interesy z tobą to przyjemność.

Po tych słowach ukłonił się lekko.

Wszyscy obecni patrzyli nieruchomo, zapisując w pamięci wydarzenia, o których będą mogli opowiedzieć wnukom. A markiz Dryden opuścił klub White'a, wiedząc, że zrobił coś, czego przysięgał nigdy nie zrobić: poszedł w ślady swojego ojca.

W pomieszczeniu wisiało nabrzmiałe milczenie.

Pierwszy otrząsnął się pułkownik Kefauver.

– No cóż, myślę, że cię zabije, Waterburn – powiedział z podziwem, zdumiewająco przytomnym głosem. – Widziałeś, jak ten chłopak strzela?

Jules przybył do Sussex wczesnym wieczorem. Przez całe popołudnie czyścił i oliwił pistolety do pojedynku. Nabył je od Purdeya krótko po tym, jak ten rozstał się z Mantonem i założył własny interes. Od pięciu lat przynajmniej raz w miesiącu ćwiczył strzelanie.

Pan Gideon Cole obiecał, że spotka się z nim w gospodzie na obiedzie i drinku, ale potem musi wracać do Londynu, gdyż kłótnie w sądzie nigdy się nie kończą. I dopiero pojedynek może położyć kres tym aktom zuchwałości.

Markiz wynajął w Sussex pokój w gospodzie. Za pośrednictwem jego sekundanta, pana Cole'a, druga strona została poinformowana, gdzie można go szukać, na wypadek gdyby zdecydowano się na przeprosiny. Nie był pewien, czy ich chce.

W obecnym stanie ducha wolałby raczej zastrzelić Waterburna.

Wiedział, że ziemia, na której mu zależało, wniesiona w posagu przez matkę, pomimo wszystkich działań, jakie podejmował w tym kierunku, nigdy nie znajdzie się w jego posiadaniu. Przynajmniej dopóki żyje Isaiah Redmond. Wpadł we własne sidła, a ponieważ było to dla niego nowe doświadczenie, pomagało przeżyć rozczarowanie.

Nie miał najmniejszych wątpliwości, że nie zginie w pojedynku.

Wiedział też, jakie czeka go później życie, bo mógł założyć niemal ze stuprocentową pewnością, że nie będzie mu towarzyszyła Phoebe Vale. Postanowił skoncentrować się na prozaicznych czynnościach, które wypełniają dzień chwila za chwilą, co również było do niego niepodobne, ponieważ zwykle planował przyszłe sprawy z dużym wyprzedzeniem. Rozkoszował się każdym kęsem wczesnej kolacji, na którą spożywał smaczny, choć tajemniczy stek w wygodnej gospodzie koło Pennyroyal Green w towarzystwie pana Cole'a. Cieszył się widokiem jesiennego słońca, które chyliło się ku zachodowi nad zielonymi, łagodnymi pagórkami

Sussex rozciągającymi się za oknem, i kołysało nad krawędzią morza. Czerpał radość nawet z patrzenia na podróżnych odzianych w proste wiejskie ubiory.

Kończył właśnie stek, gdy drzwi do gospody otworzyły się i do środka wpadł powiew powietrza. Przestał gryźć.

W drzwiach stali sir d'Andre i lord Waterburn.

Połknął kęs mięsa.

– Masz naładowany pistolet, Cole?

– Oczywiście – odparł Gideon cicho i od niechcenia.

Ale dwaj nowo przybyli mężczyźni wydawali się pokonani. Perspektywa śmierci nie takim jak oni odbiera odwagę, pomyślał Jules.

– Możemy zamienić słówko, Dryden? – zawołał d'Andre, jako sekundant, od drzwi. Jakby potrzebował jego zgody, aby wejść do środka.

Jules się zawahał.

– Ależ proszę – powiedział z ironią.

Waterburn i d'Andre zaczęli przeciskać się między stolikami, obok uśmiechniętych gości nieświadomych faktu, że dwaj z obecnych w sali mężczyzn zawarli dżentelmeńską umowę, iż tego wieczoru będą pojedynkować się do pierwszej krwi z powodu kobiety.

– Powiem prosto z mostu. Przepraszam za to, że dopuściłem się obrazy, Dryden. Źle postąpiłem.

Jules spojrzał w jasnoniebieskie oczy Waterburna.

– A zatem nie chcesz umierać dziś wieczorem? – zapytał uprzejmym tonem. – To pierwsza rozsądna rzecz, jaką zrobiłeś od dawna, Waterburn.

– To się wymknęło spod kontroli, proszę, zrozum. Mam na myśli ten zakład. Nie jestem taki bezduszny, jak ci się wydaje

„Bezduszny" – to było interesujące słowo w ustach człowieka pokroju Waterburna. Ale nie był w stanie odmówić sobie nuty cynizmu, zwłaszcza wobec niego.

– Czy d'Andre zapłacił ci tysiąc funtów?

– Zakład to zakład, lordzie Dryden, a ja dotrzymuję słowa – powiedział d'Andre, ubrany w obcisłe spodnie, z grzywką ufryzowaną w loczki.

– A poza tym... – dodał Waterburn. – Chciałbym jeszcze pożyć, żeby zobaczyć, jak zachowa się socjeta, kiedy rozejdzie się nowina, że zakochałeś się w nauczycielce – zakończył ze szczyptą humoru i znacznie większą dawką dawnej antypatii.

Jules nie był jednak głupcem. Przeprosiny to przeprosiny.

Zatrzymał na chwilę wzrok na Waterburnie, jakby się zastanawiał. Wystarczyło, żeby zarówno on, jak i jego kompan zaczęli przebierać nogami, mimo że starali się zachować stoicki wyraz twarzy, co było godne podziwu. Jules pomyślał, że przedstawił sprawę dostatecznie jasno, kiedy był w klubie, i w świetle tego zabijanie Waterburna wydało mu się zbyteczne.

Skłonił uprzejmie głowę.

– Przeprosiny zostały przyjęte.

Z piersi Waterburna wydarło się głośne westchnienie ulgi.

– Idziemy teraz do gospody Pod Świnką i Ostem. Będziemy grać w rzutki, ale jeszcze nikomu nie udało się pokonać Jonathana Redmonda. Możesz do nas dołączyć, jeśli jesteś tym zainteresowany.

Jules odprowadzał ich wzrokiem, w którym odmalowało się niedowierzanie.

W końcu wzruszył ramionami. I w ten sposób zakończył się najbardziej dramatyczny gest, na jaki zdobył się w życiu.

Dojedli swoje steki, wznieśli toast za przeprosiny, po czym Gideon Cole wyruszył w drogę powrotną do Londynu.

Phoebe doświadczyła już kiedyś tego, jak może boleć złamane serce. Kiedy jej rodzice zniknęli jedno po drugim, przez wiele kolejnych nocy płakała w poduszkę, a gdy się budziła, serce waliło jej z przerażenia i czuła się tak, jakby pod jej stopami otworzyła się otchłań. Nie potrafiła sobie przypomnieć momentu, kiedy jej życie wróciło do równowagi, ale w końcu nadszedł taki dzień, kiedy płacz nie przynosił już ulgi.

Udało jej się przeżyć, a nawet, wbrew wszystkiemu, wyszło jej to na dobre.

Tym razem też przeżyje. Nie mogła w gruncie rzeczy powiedzieć, że jej serce zostało złamane, bo nigdy nie otworzyła go przed markizem.

Była teraz sama, choć wiedziała, że powinna być przy jego boku. Sytuacja ta wydawała jej się tak głęboko niewłaściwa, że trawił ją wewnętrzny ogień. Poruszała się po pokoju jak zamroczona, a w uszach bezustannie jej dzwoniło. Wiedziała, że im dalej będzie od niego, tym łatwiej będzie to znieść. Tak jak Jules skupiała się na kolejnych drobnych czynnościach, jak czyni więzień, który wydrapuje kreski na ścianie celi, by odhaczyć mijające dni.

Długo rozwodziła się w myślach nad faktem, że może zrealizować tak ekstrawagancki pomysł jak wynajęcie powozu na drogę powrotną do Sussex. Teraz było ją na to stać dzięki wygranej w karty. Gdy znalazła się w swoim pokoju w akademii, usiadła przy sekretarzyku, a Charybda usadowiła się na półce i spoglądała na nią z góry jak gargulec. Phoebe postanowiła w końcu odpisać na list, który otrzymała tego dnia, gdy pierwszy raz ujrzała Julesa w sklepie Postlethwaite'a.

Szanowny Panie Lunden!
Z przyjemnością dołączę do grupy misjonarzy w charakterze nauczycielki. Jestem wdzięczna, że zaproponował mi Pan to stanowisko. Do dnia wyjazdu proszę kierować wiadomości do mnie na adres akademii panny Endicott.

I załatwione. Krótki liścik, który kończył jeden etap jej życia i rozpoczynał nowy.

Charybda wyciągnęła łapę i położyła na jej głowie.

Gdy Jules pożegnał się z panem Cole'em, wybrał się na konną przejażdżkę, by po raz ostatni rzucić okiem na posiadłość w Sussex, która już nigdy nie stanie się jego własnością. Oczekiwał, że będzie czuł żal, ale tak się nie stało. Zatrzymał się tam tylko na minutę i wiedział, że równie dobrze mógłby to być jakikolwiek kawałek ziemi.

Zawrócił konia, aby popatrzeć na usytuowaną na wzgórzu akademię panny Marietty Endicott. Objechał ją dookoła, jakby była słupem soli, a potem popędził konia do galopu i udał się w drogę powrotną do Pennyroyal Green. Ostry jesienny wiatr przyjemnie chłodził mu skórę. Cienka warstwa chmur zasnuwała księżyc w nowiu. Nie było całkowicie ciemno, a niebo miało kolor indygo.

Bezlitośnie popędzał konia, choć nie było to w jego stylu, aż wierzchowiec i jeździec byli zlani potem i z trudem łapali oddech.

I chociaż noc nie zapadła jeszcze na dobre, tak przyzwoite miasto jak Pennyroyal Green wydawało się pogrążone we śnie. Sklepowe witryny był zasłonięte żaluzjami, a z haków zdjęto latarnie.

Zatrzymał konia i rozejrzał się dookoła.

Jedynym oświetlonym miejscem był, oczywiście, pub. Ze wszystkich okien gospody Pod Świnką i Ostem sączyło się radosne światło, a w środku kręcili się miejscowi ludzie. Zastanawiał się, czy Phoebe tu kiedyś była.

Nagle poczuł, że coś gwałtownie szarpnęło jego ciałem.

Siła uderzenia odrzuciła go na bok, wypuścił z rąk wodze. Zaczął ich szukać, ale wysiłek był bezskuteczny, gdyż kończyny odmówiły mu posłuszeństwa. Stracił równowagę i zsunął się z siodła.

Dopiero z pewnym opóźnieniem poczuł ostry i przeszywający ból. Uderzył bezwładnie o ziemię, zasłaniając twarz ramieniem przed kopytami przerażonego konia, który stanął dęba. I wtedy przyszła świadomość.

Zdał sobie sprawę, że ktoś go postrzelił.

Nie potrafił jeszcze określić, gdzie trafiła kula, gdyż ból wydawał się wszechobecny. Zdumiewająca i obezwładniająca siła, która przeszywała go z każdym uderzeniem serca. Nie pamiętał huku wystrzału, ale być może go słyszał. Rytm czasu został zakłócony.

Leżał na plecach na pustym placu miasteczka i nie wiedział, czy upłynęły sekundy, czy wieczność. Walczył o każdy oddech, wsłuchując się w cykanie świerszczy. Tak samo jak wtedy, kiedy tańczył walca z Phoebe.

Myśl o niej pobudziła go do wysiłku. Jęknął, ale ten dźwięk dobiegł do niego jakby z oddali, niczym zawodzenie wiatru w gałęziach drzew. Dopiero gdy koszula nasiąkła świeżą krwią, poszukał dłonią rany.

Na dworze nadal nie było żywego ducha. Skwer świecił pustkami. Ten, kto chciał go zabić, oddalił się zadowolony z wykonanego zadania.

Umrę tu samotnie, pomyślał. Nie mógł do tego dopuścić. Przekręcił się na bok i spróbował oddychać. Z wielkim wysiłkiem uklęknął, a potem wstał na nogi. Zachwiał się i znowu upadł na kolano.

Zataczając się jak pijany, całe wieki później dotarł w końcu do drzwi gospody Pod Świnką i Ostem, choć myślał, że nigdy mu się to nie uda.

30

Obecna chwila...

Phoebe była tak zamyślona, że dopiero po dłuższej chwili usłyszała kroki w korytarzu. Rozpoznała pokojówkę Mary Frances, ale towarzyszyła jej bez wątpienia druga osoba, na pewno mężczyzna.

Drzwi do jej pokoju były otwarte, więc pokojówka zapukała tylko w futrynę i zaczęła mówić pospiesznie i z niepokojem, poirytowanym głosem:

– Panno Vale, ma pani gościa. Mówi, że to pilne. Nie chciał poczekać na dole i poszedł za...

Phoebe zerwała się na równe nogi tak szybko, że jej krzesło przewróciło się na bok.

Znieruchomiała, zdumiona, kiedy zobaczyła gościa.

Był to Jonathan Redmond.

– Dziękuję ci, Mary Frances – powiedziała słabym głosem. – Możesz nas zostawić.

Jonathan nie zdjął rękawiczek ani płaszcza, nawet kapelusz był na swoim miejscu. Szybko przeszedł do rzeczy, wyraźnie wymawiając słowa:

– Przepraszam za to niezapowiedziane najście, panno Vale, ale mam pilną sprawę. Lord Dryden został postrzelony. Zaniesiono go do pokoju na tyłach gospody Pod Świnką i Ostem. Podobno mamrotał coś o kobiecie, która go nie kochała.

Postrzelony.

Zawirowało jej w głowie, przed oczami zatańczyły ciemne płatki i zaczęła się osuwać. Jonathan wyciągnął rękę, złapał ją za ramię i pomógł usiąść na skraju łóżka.

Nie. Tylko nie to. Proszę, nie.

– Czy on... – wycharczała, bo nie mogła złapać tchu, jakby się obudziła z koszmarnego snu.

– Żyje. Nic więcej nie wiem.

Podniosła na niego wzrok, oszołomiona własnym strachem. Prawdę mówiąc, nie była pewna, czy może mu zaufać, jako że był przecież jednym z Redmondów.

– Ale dlaczego ty... jak...

Jonathan był wyraźnie zniecierpliwiony, ale silił się na uprzejmość.

– Wyzwał Waterburna na pojedynek... dodam, że z pani powodu, panno Vale. W klubie, przy wszystkich. Waterburn, co godne pochwały, przeprosił dzisiaj za swoje zachowanie. Raczej nie popełniłby tej zbrodni. Ale ktoś strzelił do markiza dziś wieczór na rynku. Nie wiemy kto. Byłem w pubie. Gdy tylko się dowiedziałem, przybiegłem tutaj.

– Ale dlaczego właśnie ty?

Po chwili wahania westchnął i powiedział:

– Bo... Phoebe... ja wiem o rękawiczkach.

Kolejna szokująca wiadomość uderzyła w nią jak podmuch wiatru. Spojrzała z poczuciem winy na kufer, do którego zapakowała rękawiczki, a potem z powrotem na Jonathana.

– Nie... nie rozumiem.

Uśmiechnął się nieznacznie, ale bez humoru.

– Byłem z Lyonem, kiedy kupił je w sklepie Titweiler & Synowie. Jedyne w swoim rodzaju. Cholernie długo i starannie je wybierał. To dla niego wiele znaczyło. Ale Olivia nie zgodziła się przyjąć prezentu. – Wymówił jej imię z pogardą. – A potem podarował je tobie. Nie, nie musisz wyjaśniać okoliczności, w jakich do tego doszło. Powiedział, że jesteś zacną osobą. – I znowu uśmiech przebiegł przez twarz Jonathana, gdy powtarzał te mało romantyczne słowa. – Nikt tak naprawdę nie znał Lyona. Tylko ja. Lyon prawie nikomu się nie zwierzał. Tylko mnie, przynajmniej czasami. I niewiele osób darzył szacunkiem. Ale ty byłaś jedną z nich. I trafnie ocenił twój charakter. Ze względu na mojego brata... który wie co nieco o niespełnionej miłości... pomyślałem, że powinnaś wiedzieć o Drydenie.

Nie potrafiła tego pojąć.

– Ale... co z Lisbeth... przecież twoja rodzina na pewno mnie nienawidzi...

– Mój ojciec wysłał Lisbeth do bardzo surowych krewnych we Francji. Spędzi tam jakiś czas w klasztorze. Trudno powiedzieć, żeby był zachwycony tobą i markizem, ale postępowanie Lisbeth bardziej nim wstrząsnęło, bo ona należy do rodziny. A my jesteśmy ludźmi z charakterem. Możesz w to wierzyć lub nie. – Przybierając przelotnie swój łobuzerski ton, dodał ze szczyptą ironii: – Redmondowie. Mój ojciec jest skomplikowanym człowiekiem.

Był też przerażającym człowiekiem, przynajmniej w oczach Phoebe.

Czuła, że ma nogi jak z lodu.

Jules został postrzelony.

Nagle zacisnęła dłoń w pięść i zaczęła walić nią w udo, raz za razem. Chwytała hausty powietrza, które wypalało jej płuca. Nienawidziła samej siebie za tchórzostwo, za skutki takiej postawy. Jeśli umrze... Jeśli umrze... Strach zaciskał pętlę wokół jej szyi.

Podniosła wzrok na Jonathana, który obserwował ją ze stoickim spokojem, najwyraźniej przyzwyczajony do ataków histerii. Bądź co bądź, był bratem Violet Redmond.

Pomyślała, że pewnego dnia stanie się niezwykłym mężczyzną. To właśnie jego opanowanie pozwoliło jej odzyskać spokój i poczucie godności.

– Dziękuję, że mi powiedziałeś. Czy możesz mnie do niego zabrać? – poprosiła.

Huczało jej w głowie, prawie nie słyszała własnego głosu.

Jonathan odwrócił się do drzwi.

– Po to tu jestem. Chodźmy.

Wpadła do pubu z Jonathanem. Poraziło ją jasne światło, zachłysnęła się ciepłym powietrzem.

Wydawało jej się świętokradztwem, że gospoda Pod Świnką i Ostem jest ciepła, dobrze oświetlona i rozbrzmiewa śmiechem popijających alkohol mężczyzn tak jak każdego wieczoru, podczas gdy Jules leży ranny w jakimś pokoiku na zapleczu i wykrwawia się, a być może nawet umiera.

– Gdzie on...

Jonathan wskazał drogę. Przed drzwiami na zaplecze stał mężczyzna znany jako kapitan Chase Eversea. Nie był może aż tak rozpoznawalny jak jego brat Colin, ale też rzucał się w oczy. Nie wiedziała, czy ją kojarzy.

Zastawił swoją osobą drzwi do pokoju i spojrzał zimno na Jonathana.

Ten zaś w odpowiedzi przeszył go wzrokiem.

– To jest kobieta, o którą chodzi – powiedział prosto z mostu.

Tamten uniósł brwi.

– Mówi, że go pani nie kocha – oznajmił bezbarwnym głosem Chase.

Czuła, że poddaje ją próbie.

– A jak pan myśli? – rzuciła.

Przyglądał jej się badawczo. Potem jego usta drgnęły jakby w smętnym uśmiechu i zapukał do drzwi, po czym otworzył je i wpuścił Phoebe do środka.

Zatrzymała się w progu. Zawsze uważała, że nie brakuje jej odwagi, ale teraz była przerażona tym, co zastanie.

Wzięła głęboki oddech i zmusiła się, by spojrzeć.

Och, wielki Boże! Żył. A nawet wydawał się w dobrej formie. Rozebrany od pasa w górę, miał zabandażowane ramię i na pół leżał na sienniku, popijając whisky. Wydawał się skupiony i zamyślony.

W tym momencie odwrócił się i ją zobaczył. Była pewna, że przestał oddychać.

Wpatrywał się w nią takim wzrokiem, jakby miał przed sobą posąg świętej, a nie żywą kobietę. Ogarnęło ją uniesienie.

– Czy musiałeś wałęsać się po nocy i dać się postrzelić?

Wciąż słyszała swój głos tak przytłumiony, jakby dobiegał spod wody.

Wpatrywał się w nią bez słowa i dopiero po chwili zdołał wydobyć głos.

– Widocznie musiałem. Bo dzięki temu tu jesteś. Chyba że zatrzymałaś się tylko przejazdem w drodze do Afryki.

W pokoju od razu zawisło tak roziskrzone napięcie, że groziło wybuchem jak fajerwerki. Nawet Chase Eversea wydawał się zaskoczony.

Zaległa brzemienna cisza.

Chase odchrząknął.

– Zostawimy was teraz samych...

Żadne z nich nie zwróciło na niego uwagi.

Wycofał się z pokoju i zamknął za sobą drzwi.

Phoebe jeszcze przez chwilę wpatrywała się w niego oszołomiona, aż w końcu padła na kolana przy jego łóżku. Pochyliła głowę, a poczucie ulgi tak ją osłabiło, że dreszcze wstrząsnęły jej ciałem.

– O Boże, Boże, Boże... Myślałam...

Podniósł się i pogłaskał ją po włosach, powtarzając szeptem jej imię.

– Ciii. Już dobrze. Wszystko w porządku. Już dobrze.

– Będziesz żył?

Spojrzała na niego spomiędzy palców i wyczytała odpowiedź w jego twarzy. Głos miał silny i dobrze wyglądał, choć był nieco blady. Dostrzegła krew na bandażu. W głowie jej zawirowało i znowu zamknęła oczy.

– Czy będę żyć? Chyba już umarłem, bo czuję się jak w niebie, kiedy cię widzę.

Przewróciła oczami, siląc się na beztroskę. Czuła, że po jej policzkach spływają gorące łzy, co wprawiło ją w zakłopotanie. Czasami bycie kobietą jest przekleństwem. Ale bywa też błogosławieństwem, kiedy można kochać się z takim mężczyzną jak markiz.

– Nie płacz, proszę. Bo mnie bardziej boli.

Roześmiała się, ścierając łzy zaciśniętymi dłońmi.

– Bardzo cię boli?

– Powiem ci, kiedy whisky wywietrzeje mi z głowy. Posłali po pastora. To ten przystojny wysoki gość...

– Pan Sylvaine.

– To najdziwniejsza rzecz, jaka mi się przytrafiła, ale mógłbym przysiąc, że kiedy tylko dotknął mojego ramienia, ból złagodniał.

– Wyobrażam sobie, że narzędzie Boga i butelka whisky mogą zdziałać cuda.

Uśmiechnął się do niej.

– Bez wątpienia.

Po chwili milczenia powiedział poważnym tonem:

– Ale na pewno umrę, jeśli mnie znowu zostawisz. Posiedź tu przy mnie.

– Jules… Byłam okropnym tchórzem. To jest niewybaczalne, ale przecież wiesz, że się bałam. Ja… cię kocham.

– Wiem – powiedział uspokajającym tonem. – I wybaczam ci.

Nie odwzajemnił się takim samym wyznaniem, co ją niemal rozbawiło.

Odczekała chwilę, ale słowa, których się spodziewała, nie padły. Niech i tak będzie.

– Miałeś rację. Co do wszystkiego – powiedziała w końcu. – Co do mnie.

– Ty też miałaś rację. Co do mnie.

– Ale to niemożliwe, żeby oba stwierdzenia były prawdziwe.

– Cóż zrobić, skoro są, pani nauczycielko? Kocham cię tak bardzo, że wydaje mi się, jakby moje i twoje serce stanowiły jedność. Jeszcze nigdy w życiu nie powiedziałem tego żadnej kobiecie, bo dotąd nic podobnego nie czułem. Nie mogę żyć bez ciebie. To jasne jak słońce. I nic nie mogę na to poradzić. Nie potrafię wsadzić tego do żadnej szufladki. I nie wyzdrowieję ani nie będę w stanie normalnie się zachowywać, jeśli nie będziesz moja, i tylko moja, na zawsze. Poddaję się. Ale pragnę czegoś od ciebie.

Chociaż prosił, żeby nie płakała, jej oczy były mokre od łez.

– Proś, o co chcesz – szepnęła.

– Chcę mieć z tobą dzieci. Chcę budzić się codziennie przy twoim boku. Chcę sprzeczać się z tobą o błahostki, kupować ci prezenty i kochać się z tobą każdej nocy na różne sposoby. Chcę… – Nagle zabrakło mu słów. Odwrócił się do ściany i powiedział z zakłopotaniem, jakby do siebie: – To trudniejsze, niż myślałem. I trochę upokarzające. – Wziął głęboki oddech i odwrócił się do niej z silnym postanowieniem, po czym powiedział słabym głosem nabrzmiałym z emocji, zdenerwowany podniosłością tej chwili: – Będę zaszczycony i szczęśliwy ponad wszelkie wyobrażenie, jeśli zgodzisz się zostać moją żoną.

Cóż za cudowny, pompatyczny język!

W tym momencie rozległo się delikatne pukanie do drzwi. Oboje podskoczyli.

– O co chodzi? – zapytali chórem.

Ned Hawthorne wsunął głowę przez szparkę w drzwiach.

– Lordzie Dryden, na zewnątrz czeka dwóch wystraszonych dżentelmenów, którzy mają panu coś do powiedzenia. Radzę panu porozmawiać z nimi niezwłocznie. Niezwłocznie.

Jules i Phoebe wymienili spojrzenia.

– Niech wejdą w takim razie.

W drzwiach stanęli dwaj mężczyźni. Jeden był zażywnym, krępym ziemianinem o szarej twarzy, z błotem przylepionym do butów. Drugi, młody i wiotki niczym świeżo posadzone drzewko, miał na sobie modny ubiór, a na twarzy kilka piegów jak mały chłopiec. Jego włosy wieńczył długi kosmyk opadający na oczy.

Obaj nisko się skłonili.

– Lordzie Dryden, nazywam się Frederick Hart, a to jest mój syn, Jem. Opowiedz panu, jak było, Jem – polecił starszy młodszemu ponurym tonem.

Młodzieniec przełknął tak, że aż podskoczyło mu jabłko Adama. Wyglądał, jakby było mu niedobrze.

– Czy został pan postrzelony z pistoletu kaliber 45, lordzie Dryden? – zapytał drżącym głosem, trzymając kapelusz w trzęsących się rękach.

Markiz zmarszczył ostrzegawczo brwi i zaczął siadać, ale się skrzywił. Phoebe położyła rękę na jego piersi, powstrzymując dalsze ruchy.

Jem otworzył dłoń. Leżała na niej dokładnie taka sama kula jak ta, którą wyjęto z jego ciała.

Twarz Julesa przybrała taki wyraz, że młody cofnął się o krok.

Chwiał się na nogach, a urywane słowa z trudem przechodziły przez jego zaschnięte ze zdenerwowania wargi.

– Ćwiczyliśmy strzelanie do celu, sir... Zwykle doskonale strzelam... ale robiło się już ciemno. Wiem, że powinniśmy wcześniej skończyć... i jeszcze te włosy. – Odgarnął grzywkę. – Opadły mi na oczy, jak strzelałem. Chybiłem... a kula musiała się odbić rykoszetem... – Zamknął oczy i przełknął. – Że też nie trafiła we mnie! – powiedział z udręką w głosie. – Czy jest pan poważnie ranny? Nie potrafię wyrazić, jak bardzo jest mi przykro.

– To przez ten długi kosmyk na oczach. Co to za głupia moda – mruknął jego ojciec. – Śmieszne fryzury. Kiedy usłyszeliśmy, co się panu stało, a wieści szybko się rozchodzą w takim małym miasteczku, to nalegałem, aby poniósł konsekwencje. Nie zniósłbym, gdyby to zataił. I on też by nie mógł z tym żyć, prawda, synu?

Młody człowiek skinął głową po chwili wahania.

Ta historia wydawała się tak niewiarygodna, że Jules zamarł. Nie był w stanie wydobyć głosu. Był poruszony honorową postawą tych dwóch ziemian, a jednocześnie miał upokarzające – i zarazem przekomiczne – odczucie, że uzyskał właśnie niezbity dowód na to, iż pewne sprawy wymykają się spod jego kontroli. Los wiedział, co jest dla niego dobre, lepiej niż on sam, i pokierował jego krokami wprawdzie bez nadmiernej dokładności, ale za to ze wspaniałą, absurdalną wręcz fantazją.

– No cóż – odezwał się w końcu cicho, ale surowo. – Konsekwencje będą poważne. Zażądam zadośćuczynienia.

Młody człowiek zamknął oczy i przełknął. Jego twarz była biała jak pergamin, a ojciec trzymał go za ramię żelaznym uściskiem, aby młodzieniec nie upadł.

Z każdą chwilą tracił pewność siebie.

– Proszę powiedzieć jakiego, milordzie – odezwał się zrezygnowanym, ponurym głosem.

– Chciałbym, żebyś obciął sobie ten przeklęty kosmyk.

Zapadła cisza.

– Czy to... wszystko, milordzie? – rzucił ojciec.

– Tak.

Chłopak obrzucił pokój rozszalałym spojrzeniem, jakby szukał nożyczek, żeby od razu wypełnić wolę rannego.

– Zrobię to natychmiast, sir.

Jules wyobraził sobie nagle tłumy młodzieńców z socjety z obciętymi kosmykami. Westchnął.

– To wszystko – powiedział do mężczyzn. I znowu był w każdym calu władczym markizem, onieśmielającym rozmówców lodowatym tonem, całkowicie pewnym, że zrobią dokładnie to, czego sobie zażyczy, i to natychmiast.

Obaj aż się rwali, by bezzwłocznie wykonać jego polecenie.

– Jeśli kiedykolwiek będziemy mogli coś dla pana zrobić...

– Och, już zrobiliście. To wszystko – powtórzył po raz kolejny. – Możecie odejść.

Przytaknęli ochoczo, ukłonili się i wycofali z pokoju znacznie lżejszym krokiem.

Ojciec mruknął pod nosem coś, czego nie dosłyszeli. Dobiegła jednak ich uszu odpowiedź syna.

– ...nie wiem, tato. Czytałem w gazecie, że mógł zwariować. Coś tam było o kocie chyba...?

Jules odwrócił się do Phoebe, której oczy były wilgotne i błyszczące. Z radości, od łez, a być może z powodu natłoku różnych emocji.

Przygryzała wargę.

– Oprawię w brąz tę kulę z pistoletu, którą Chase Eversea ze mnie wyciągnął. Bo dzięki niej do mnie przyszłaś. A skoro o tym mowa... chodź do mnie – wyszeptał.

Ujął dłonią tył jej głowy i przyciągnął Phoebe do siebie.

I pocałował ją leniwie, desperacko, radośnie, przenikliwie.

Gdy skończył, bawił się włosami na jej karku.

– To jak...? – wyszeptał prosto w jej usta.

– Tak – odpowiedziała również szeptem. – Och, tak. Będę szczęśliwa ponad wszelką miarę, jeśli zostanę twoją żoną.

Zamknął znowu oczy, gdyż ogarnęła go ogromna fala ulgi. Pokręcił głową ze zdumieniem i uśmiechnął się tak, że aż ścisnęło jej się serce. Kilka razy głęboko odetchnął.

– Czym sobie zasłużyłem na tyle szczęścia? – powiedział łamiącym się głosem i roześmiał krótko.

Pocałowała blady siniak na jego czole. Wycałowała zadrapania kota. Pocałowała obandażowaną ranę na ramieniu. Pocałowała jego powieki. Położyła głowę na jego bijącym mocno sercu. Położył dłoń na jej włosach i westchnął. Od teraz będą się sobą opiekować.

A kiedy zapadał w sen, Phoebe powiedziała cicho:

– Wiedziałam, że jesteś mi przeznaczony.

Epilog

Markiz zorganizował drugą część swojego życia równie szybko i skutecznie, jak tę pierwszą. W dyskretny sposób uzyskał specjalną licencję, dzięki której mogli wziąć ślub w Londynie kilka dni po tym, jak został postrzelony. Marquardt był zajęty rozsyłaniem do członków rodziny markiza zawiadomień o tym, że jego pan się ożenił. Ponieważ Phoebe okiełznała już wiele krnąbrnych dziewcząt, gdy pracowała jako nauczycielka, Jules nie miał najmniejszych wątpliwości, że poradzi sobie nie tylko z zarządzaniem służbą, ale też z jego rodziną. Zręczna krawcowa, madame Marceau (polecona przez jego przyjaciela, pana Cole'a), otrzymała zlecenie wyposażenia Phoebe we wspaniałą garderobę godną żony markiza.

Zanim wyjechali z Sussex do Londynu, Phoebe musiała jednak załatwić swoje sprawy w akademii panny Endicott.

Napisała do pana Lundena i poinformowała go, że jednak nie wyjedzie z grupą misjonarzy do Afryki. A gdy panna Endicott dowiedziała się, że przyczyną odejścia Phoebe z akademii nie jest wyjazd do Afryki, tylko małżeństwo z markizem, zareagowała z właściwą sobie werwą.

– Wszystkie nasze dziewczęta koniec końców wspaniale wychodzą za mąż – powiedziała gładko. – I wcale mnie nie dziwi, że ty też zrobiłaś świetną partię.

A potem...

Czy rzeczywiście mrugnęła do niej okiem?

Phoebe sądziła, że tak!

Miała poważne podejrzenie, czy aby panna Endicott z rozmysłem nie wysłała jej na górę z markizem. Ale słowa jej nieugiętej przełożonej były tak zagadkowe jak ona sama. Phoebe wiedziała, że nigdy nie będzie mieć pewności.

Następnie pożegnała się ze swoimi uczennicami, między innymi panną Runyon i panną Carew, które nigdy nie zapomną spotkania z owianym legendą markizem. Wydarzenie to nabrało w miarę rozpamiętywania niemal baśniowego charakteru, stało się opowieścią przytaczaną w nocy przy kominku.

Uczennice otoczyły Phoebe, która je wyściskała i wycałowała, a potem podzieliła się szczęśliwą nowiną.

Skorzystała z okazji, aby wygłosić ostatnie pouczenie. Patrzyły na nią szeroko otwartymi oczami, z nabożną czcią i skupioną uwagą.

– Jeśli będziecie szlachetne, zdyscyplinowane i będziecie nad sobą pracować, jeśli będziecie uprzejmie odnosić się do innych i szanować starszych, a także pilnie odrabiać lekcje, jeśli nauczycie się języków obcych i zgłębicie pisma Marka Aureliusza, jeśli będziecie bardzo dobre, to może wy też poślubicie niezmiernie przystojnego markiza, kiedy dorośniecie.

Dziewczęta westchnęły chórem.

– Czy właśnie w taki sposób zdobyła pani markiza, panno Vale? – zapytała bez tchu panna Carew. – Dlatego że jest pani dobra i szlachetna?

– Można tak powiedzieć.

Phoebe skrzyżowała palce ukryte w fałdach spódnicy. To kłamstwo było jej ostatnim prezentem dla panny Endicott, gdyż dzięki niemu dziewczęta przez długi czas będą miały motywację do dobrego zachowania.

Gdy od ślubu minął tydzień – podczas którego markiz i jego żona nie opuścili domu w Londynie, a ściślej mówiąc, rzadko schodzili na dół, pochłonięci całkowicie zmysłowymi rozkoszami – markiz zjawił się w końcu w klubie, aby wypić kieliszek ze swoim przyjacielem panem Gideonem Cole'em. Wybrał taką porę, o której nie bywali tam zazwyczaj Waterburn i d'Andre.

Musiał dokończyć pewną sprawę.

W momencie gdy się pojawił, wesoły gwar rozmów urwał się jak nożem uciął. Przez chwilę słychać było tylko chrapanie pułkownika Kefauvera. Kilka sekund później podjęto przerwane konwersacje, ale głosami ściszonymi niemal do podekscytowanego szeptu. Mimo że jego ślub z Phoebe przebiegł w atmosferze dyskrecji, wiadomość o nim i tak przedostała się do socjety. Zastanawiali się, czy to wydarzenie w jakiś sposób go odmieniło, czy został oswojony, czy już nie onieśmielał i nie budził grozy.

Jeśli jednak spodziewali się zmian, to dlaczego kręcili się nerwowo na krzesłach, niecierpliwie czekając na pierwsze słowa, które wypowie?

Zdjął płaszcz i podał go lokajowi.

– Pozwoli pan, że złożę gratulacje, lordzie Dryden – powiedział cicho lokaj. – Życzę panu radości w małżeństwie.

– Dziękuję.

Zajął swoje ulubione miejsce w wykuszu okiennym, zamówił ciemne piwo, poczekał, aż pan Cole przybędzie i wypije kilka łyków. Następnie pochylił się do przodu i powiedział dość głośno w stronę nadzwyczaj cichych gości:

– Wiesz, Gideonie, zauważyłem coś dziwnego. Ostatnio bycie modnym nie jest w modzie.

Przez salę przebiegł szmer niepokoju.

Przekazywano sobie z ust do ust jego słowa, analizowano je i zastanawiano się nad ich znaczeniem. Wiadomość szybko zatoczyła szerszy krąg, ale jej niejasne przesłanie wzbudziło nerwowość i drażliwość wśród socjety, której przedstawiciele spoglądali na siebie podejrzliwie i oceniali, kogo można oskarżyć o to, że wygląda zanadto modnie. Hyde Park stał się nieprzyjaznym miejscem, którego zaczęto unikać. Wszyscy, którzy dysponowali odkrytymi, wysokimi powozami, poczuli się nagle wyjątkowo niezręcznie, prześcigano się w nabywaniu zwyczajnie wyglądających koni, rezygnując ze sztuk ze skarpetkami i tym podobnych fanaberii. Na uroczystych kolacjach, na które zwykle czekano z niecierpliwością, raz po raz zapadało krępujące milczenie, a goście wymieniali oskarżycielskie spojrzenia. Nikt nie był pewien, czy nie przebywa przypadkiem w towarzystwie osoby niemodnie modnej.

Phoebe, nieświadoma tego stanu rzeczy, raz tylko poczyniła pewną obserwację.

– Wydajesz się nadzwyczaj radosny – powiedziała do męża.

– Doprawdy? – odpowiedział z roztargnieniem. – To dzięki tobie, kochanie.

Markiz ciągnął tę zabawę przez kilka tygodni, a potem z właściwym sobie doskonałym wyczuciem czasu przystąpił do realizacji drugiej części swojego planu.

– Wiesz... – rzucił od niechcenia do pana Gideona Cole'a, gdy siedzieli w klubie. Nie musiał nawet podnosić głosu, gdyż i tak wszyscy wytężali słuch, by wyłapać jego słowa. – Wydaje mi się, że modne powinno być to, co jest oryginalne, nie sądzisz? Na przykład jedyne w swoim rodzaju interesujące rzeczy i ludzie. – Tu zawiesił głos, by po chwili zadać od niechcenia decydujący cios. – Nie wyobrażam sobie nic bardziej tragicznego i absurdalnego niż bycie bliźniakiem. – Roześmiał się krótko i ze współczuciem. – Czyż może być coś mniej oryginalnego niż dwoje identycznych ludzi?

Fala ulgi opłynęła londyńską socjetę, która poczuła obezwładniającą wdzięczność, że nareszcie został wskazany kierunek. Uznano w milczeniu, że ci, których do tej pory uważano za najbardziej modnych, od tej chwili staną się niepopularni. Socjeta na dobre wykluczyła ze swojego kręgu bliźniaczki Silverton, Cambera, Waterburna, d'Andre'a. Dwaj ostatni rozważali podobno zaciągnięcie się do cudzoziemskiej armii śladem Byrona, aby uniknąć upokorzenia, a siostry Silverton, jak głosiła plotka, miały wyruszyć w wędrówkę po europejskich klasztorach, byleby tylko znaleźć się daleko od Londynu.

Kiedy markiz pojawił się z żoną na paradzie w Hyde Parku, przedstawiciele socjety uśmiechali się do niej początkowo tylko dlatego, że była oryginalna i że nie śmieliby uczynić inaczej, odkąd poślubiła markiza. Ale po jakimś czasie zaczęli się uśmiechać szczerze, ponieważ promieniowała autentycznym szczęściem, które wydawało się zaraźliwe.

Sam markiz jednak nadal budził w nich niepokój.

Zadowolony, że użył swoich wpływów w dobrym celu, Jules zaczął wieść spokojne małżeńskie życie z Phoebe. W nocy towarzyszyła im Charybda wyciągnięta przy łóżku.

Czasami pozwalała markizowi pogłaskać się po brzuszku. I wtedy już nic nie brakowało mu do szczęścia.

Podziękowania

Jestem ogromnie wdzięczna losowi, że pobłogosławił mnie możliwością współpracy z tak utalentowanymi (a często również bardzo zabawnymi) ludźmi: z moją ukochaną redaktorką, May Chen; ciężko pracującym zespołem z wydawnictwa Avon; moim genialnym agentem, Stevem Axelrodem.

Nie umiem też znaleźć słów, żeby wyrazić szacunek, jaki żywię dla moich czytelników, którzy kochają to, co robię, i od lat dzielą się swoim entuzjazmem z przyjaciółmi oraz całą społecznością fanów literatury romantycznej.

Ta lista w żadnym wypadku nie jest kompletna, ale to początek. Obejmuje ona czytelników, utalentowanych pisarzy (zarówno tych, którzy już publikują swoje prace, jak i tych, którzy dopiero się do tego szykują) oraz profesjonalistów z branży: P.J. Ausdenmore'a, Mandę Collins, Bette-Lee Fox, Sue Grimshaw, Beverley Kendell, Kathy Kozakewich, Janice Rohletter, Courtney Milan, Elyssę Papa – bardzo Wam wszystkim dziękuję! Jesteście wspaniali!

A na koniec z całego serca pragnę podziękować Julii Quinn za jej życzliwość i entuzjazm, z jakim dzieliła się uwagami o mojej pracy ze swoimi czytelnikami. Trzeba przyznać, że jako pisarce naprawdę dopisało mi szczęście.